岩波講座　世界歴史　19

太平洋海域世界

〜二〇世紀

岩波講座

世界歴史 19

太平洋海域世界

〜二〇世紀

岩波書店

第19巻【責任編集】中野　聡
安村直己
【編集協力】棚橋　訓

目次

焦点｜*Focus*

小笠原諸島史……石原　俊　269

コラム｜*Column*

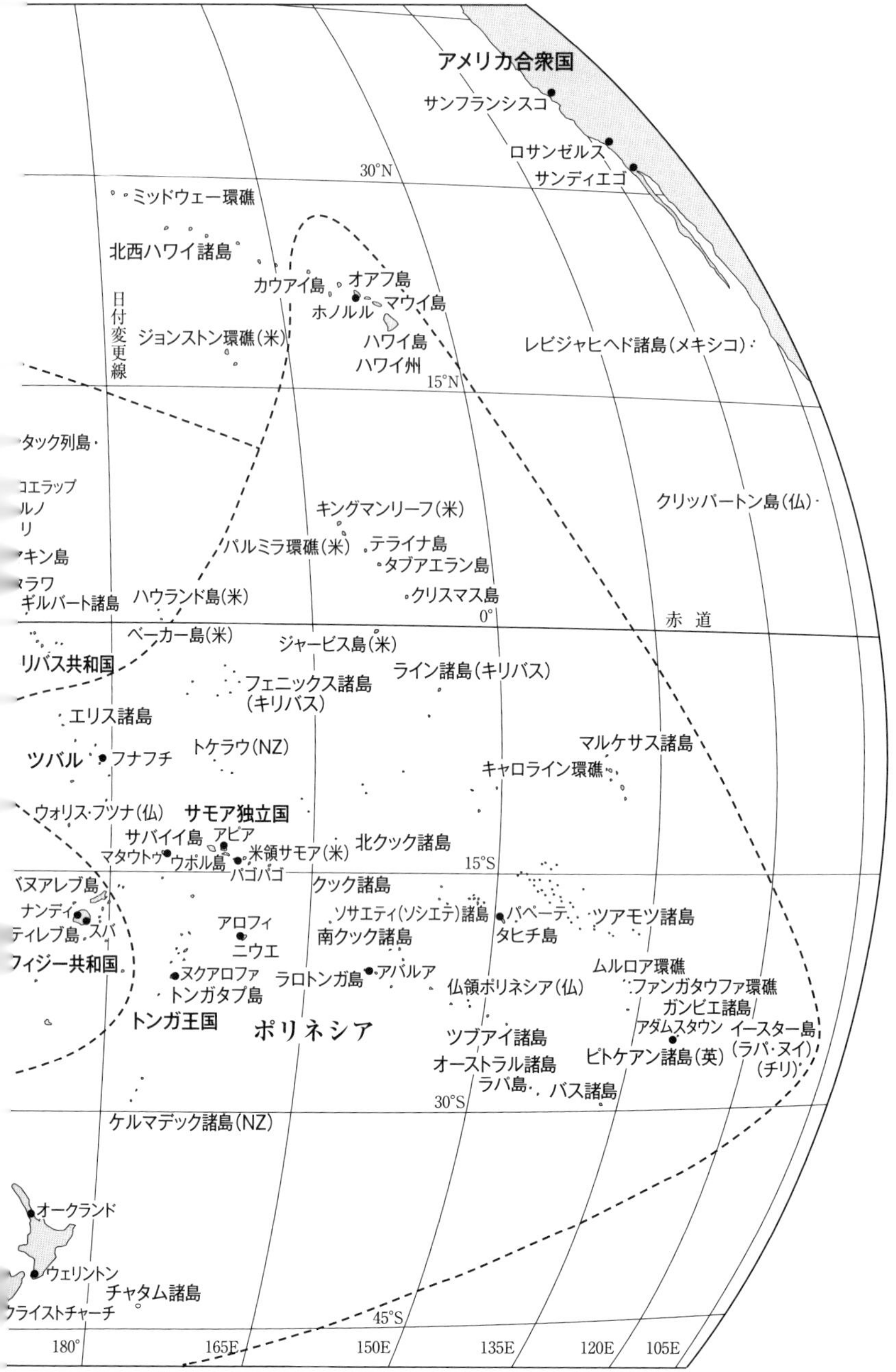
アメリカ合衆国
サンフランシスコ
ロサンゼルス
サンディエゴ
30°N
ミッドウェー環礁
北西ハワイ諸島
カウアイ島
オアフ島
ホノルル
マウイ島
日付変更線
ジョンストン環礁(米)
ハワイ島
ハワイ州
レビジャヒヘド諸島(メキシコ)
15°N
タック列島
コエラップ
ルノ
リ
キングマンリーフ(米)
クリッパートン島(仏)
キン島
パルミラ環礁(米)
テライナ島
タブアエラン島
ラワ
ギルバート諸島
ハウランド島(米)
クリスマス島
0°
赤 道
ベーカー島(米)
ジャービス島(米)
リバス共和国
ライン諸島(キリバス)
フェニックス諸島
(キリバス)
エリス諸島
マルケサス諸島
ツバル
フナフチ
トケラウ(NZ)
キャロライン環礁
ウォリス・フツナ(仏)
サモア独立国
サバイイ島
アピア
北クック諸島
マタウトゥ
ウポル島
米領サモア(米)
パゴパゴ
15°S
バヌアレブ島
クック諸島
ナンディ
ソサエティ(ソシエテ)諸島
パペーテ
ツアモツ諸島
ティレブ島
スバ
アロフィ
南クック諸島
タヒチ島
ニウエ
フィジー共和国
ヌクアロファ
ラロトンガ島
アバルア
ムルロア環礁
トンガタブ島
仏領ポリネシア(仏)
ファンガタウファ環礁
ガンビエ諸島
トンガ王国
ポリネシア
アダムスタウン
イースター島
ツブアイ諸島
ピトケアン諸島(英)
(ラパ・ヌイ)
(チリ)
オーストラル諸島
ラパ島
バス諸島
30°S
ケルマデック諸島(NZ)
オークランド
ウェリントン
チャタム諸島
クライストチャーチ
45°S
180°
165E
150E
135E
120E
105E

北京
青島
日本
東京
上海
沖縄諸島
大東諸島
南西諸島
小笠原群島
硫黄島
南鳥島
広州
台湾
北マリアナ諸島(米)
ウェーク島(
沖ノ鳥島
マリアナ
諸島
ミクロネシア
サイパン
テニアン
ロタ
マニラ
マーシャル諸島共和
グアム(米)
ビキニ環礁
カロリン諸島
エヌエタック環礁
ヤップ島
パラオ共和国
チューク諸島
ラリック列島
ウォット
バベルダオブ島
ヤップ州
ポーンペイ島
クワジェリン
ペリリュー島
コロール
パリキール
コロニア
ウェノ
アンガウル島
ミクロネシア連邦
ピンゲラップ
コスラエ島
トフォル
マラッカ海峡
チューク州
ポーンペイ州
コスラエ州
カピンガマランギ環礁
アドミラルティ諸島
ナウル共和国
ビスマルク諸島
ニューアイルランド島
ラバウル
ブーゲンヴィル島
パプアニュー
ギニア独立国
ニュー
ブリテン島
ソロモン諸島
マライタ島
ホニアラ
ポートモレスビー
ガダルカナル島
クリスマス島(豪)
ココス諸島(豪)
ダーウィン
メラネシア
バヌアツ共和国
ニューヘブリデス諸島
ケアンズ
ポートヴィラ
ロワイヨテ諸島
ヌーメア
オーストラリア連邦
ニューカレドニア(仏)
ブリスベン
ノーフォーク島
ロード・ハウ島(豪)
パース
シドニー
アデレード
キャンベラ
タスマニア
ニュージーランド
90E
105E
120E
135E
150E
165E

展　望 | *Perspective*

展望｜*Perspective*

人、島、海、出遭い

――太平洋海域世界史の困難と可能性

棚橋　訓

はじめに

太平洋海域世界(Pacific World)は太平洋(Pacific Ocean)という大海とそれを取り囲む環太平洋地域から成る世界である。それは、太平洋に点在する大小の島々とオーストラリア大陸、ユーラシア大陸・南北アメリカ大陸・南極大陸の太平洋沿岸地帯、大陸沿岸各国の属島、さらに太平洋の西側を縁取る日本、台湾、フィリピン、インドネシアなどの島嶼各国を含み、実に多様で複雑な世界となっている。太平洋は柵で閉ざされているわけではないので、その先は大西洋、インド洋、北極海、南極海に続いている。

このように太平洋海域世界を捉えるとするならば、その歴史について考える作業は太平洋を正面に見据えた地球の「水半球」(water hemisphere)の歴史を考える作業を指すことになる。一六世紀にスペイン人やポルトガル人の探検家たちが南北アメリカ大陸とアジア大陸の間にある大洋として太平洋を「発見」してから、ヨーロッパ人も往来し始めて、太平洋は世界をつなぐルートへと変貌した。その後現在までの五〇〇年間、太平洋はグローバルなスクランブル交差点の様相を呈し続けている(ペンローズ 二〇二〇：三一九―三四四頁)。

それゆえ、太平洋海域世界の歴史研究は、それを構成する各地域の歴史に留まることができない。太平洋上の一つの小さな島の歴史をたどる作業をしていても、小さな島から太平洋の先に続く大陸の歴史を眺め、意識するか否かにかかわらず、いつしか小さな島から過去五〇〇年におよぶ地球社会のグローバル化の歴史について振り返る作業に漕ぎ出しているのである。

このように考えると、太平洋海域世界の歴史研究には、端から抱えきれないほどの量の、しかも完成版を提出することはほぼ不可能と考えられる課題が与えられている。

以下では、この困難な課題を投げ出すことなく、その完成版に向けて少しでも歩を進めるにはどのように太平洋海域世界史に与していくことが望まれるのかについて考えながら、小さな舟で漕ぎ出すことにしたい。

一、太平洋とオセアニアの島々

太平洋――「平和の海」

太平洋という名の由来は一六世紀にさかのぼる。「太平洋」は一五一三年九月二七日、パナマ地峡で金探しに従事していたスペイン人の探検家ヌニェス・デ・バルボア(Vasco Núñez de Balboa、一四七五―一五一九年)によって「発見」されたといわれるが、実はこの時にバルボアが目にしたのはパナマ地峡南部のサンミゲル湾だった。バルボアは新たに発見した「海」を「南の海」(*Mar del Sur*)と名づけてその領有を宣言したという(増田 二〇〇四:四七頁)。バルボア以降、太平洋を「南の海」と称する呼び方がヨーロッパ人の間に定着した。その後、実際に身をもって太平洋の大きさをはじめて体験したヨーロッパ人がポルトガル人の探検家マゼラン(Fernão de Magalhães、一四八〇―一五二一年)だった。

北部ポルトガルの貴族の家系に生まれたマゼランは、西回りのアジア航路開拓計画をポルトガル国王に進言したが、そのために不興を買ってしまった。そこで改めて、即位間もないスペイン国王カルロス一世(Carlos I、一五〇〇－五八年、在位一五一六－五六年。第三代神聖ローマ帝国皇帝カール五世(Karl V)、在位一五一九－五六年)にこれを売り込んだところ、計画は採用され、マゼランはスペイン国王の出資する遠征隊の指揮を任されたのだった(安村 二〇二二：二一－二八頁)。マゼラン一行は一五二〇年一一月二八日にパタゴニア海峡(のちのマゼラン海峡)を出て大海に入り、これを横断して翌二一年三月一六日にフィリピン諸島のサマル島に着いた(増田 二〇〇〇：四七頁)。その途中、現在のミクロネシアのマリアナ諸島南端に位置するグアム島にたどり着くまでの間、思うように島影を発見できなかったものの、大きな嵐や事故に遭うこともなく穏やかな天候に恵まれたことから、マゼランはこの大海をラテン語で *Mare Pacificum* すなわち「平和の海」と名づけたようだ(Spate 1977: 205-211)。このラテン語名から始まって、英語訳の Pacific Ocean、さらに漢語訳の「太平洋」が生まれて現在に至っている。(1)

さて、太平洋海域世界の中心を成す太平洋は、地球の南北の軸で見れば北極圏から南極圏までの拡がりを有し、東西の軸で見ればアジア沿岸部・東南アジア島嶼部から北・中央・南アメリカの沿岸部に至る拡がりを有しており、地球の面積の四分の一に相当するおよそ一億六五二五万平方キロメートルを占めている。大西洋と比べると太平洋の面積は二倍、地球の陸地総面積(およそ一億四七二四万平方キロメートル)もはるかに凌駕している。

太平洋は「平和の海」として世界歴史に登場したものの、その名に反してこの大海は往来する人間に対して常に牙をむきだし、現代においてもその航海は容易《たやす》いことではない。また、太平洋の広大さゆえに、そのわずかな海面水温の変動ですら地球規模の気候変動と気候危機の発生に直結して人類の生存を脅かし続けてきたと考えられている。(2)

広大な太平洋の底には太平洋プレート(地殻と上部マントルで構成される厚さ一〇〇キロメートルの岩盤)の地殻運動が生みだした山脈や、海溝から成る複雑な海底地形が潜んでいる。太平洋プレートは太平洋南東縁の東太平洋海嶺(ニュージーランド南方の南極海から東に向かい、南アメリカ大陸の沖合でイースター島やガラパゴス諸島を経て北に向きを変えてカリフォルニア湾へと続く、幅二〇〇〇キロメートルを超える広大な海底の隆起）から生み出され、太平洋の南東から北西方向に向かってベルトコンベアのように移動し続けている。そして、最後は太平洋西側のオーストラリア・プレートなどの下に沈み込んでいく。太平洋プレートは東南東の方向から年間八センチ程度の速さで日本列島にも近づき、日本海溝や千島海溝に達したところで大陸側のプレートの下に沈み込んでいることが知られている。プレート同士が接する境界面ではさまざまな地殻の変動が誘発されるため、太平洋プレートが他のプレートに接するところや大陸プレートの下に沈み込んでいく地域は世界有数の火山帯であり、地震の多発地帯ともなっている[3]（Freeman 2010: 8-35）。

オセアニアの島々――ポリネシア、メラネシア、ミクロネシア

移動を続け、火山を生みだし、地震を多発させる太平洋プレートの上には無数とも思えるほど多くの大小の島々がのっている。太平洋海域世界のうち、南北アメリカ大陸とユーラシア大陸などの沿岸地域およびその属島を除く、太平洋プレート上の島々、オーストラリア大陸とその属島が分布する地理的範囲を指して、オセアニア（Oceania）という名称が一般に用いられてきている。オセアニアの陸地総面積はおよそ九〇〇万平方キロメートルで、うちオーストラリア大陸が八六％を占めている。これにニュージーランドとニューギニア島（日本の国土の二倍の広さで、グリーンランドに次いで世界第二位の面積の島）を加えるとオセアニアの陸地総面積の九八％にも達する。オセアニアの広大な海域には二万五〇〇〇以上の島々があると考えられているが、サンゴ礁の上に形成された海抜数メートル未満の極めて小規模な環礁州島も数多く[4]、オーストラリア大陸、ニュージーランド、ニューギニア島を除いた島々の総面積は一八万平方キロメートル程度にすぎない（太田 二〇一〇：一八頁）。オセアニアの島々を指して、太平洋諸島（Pacific Islands）という総称が用いられることもある。地球上で最大規模を誇る自然の造形物である太平洋と太平洋上の小さな島々――こ

の対極的な自然が重なり合って生み出された「小さな島々が広がる大海」がオセアニアの世界の特徴となっている。

オーストラリア大陸を除くオセアニアの島々の世界は、一般にポリネシア(Polynesia)、メラネシア(Melanesia)、ミクロネシア(Micronesia)という三つの地理的区分に細分されて捉えられる。ポリネシアは赤道の南北にまたがって、ハワイ諸島、ニュージーランド、イースター島の三つを結んで描かれる広大な三角形で囲まれた太平洋の中部地域、メラネシアは赤道とオーストラリア大陸にはさまれた西南太平洋地域、ミクロネシアは赤道をはさんでメラネシアの北に位置する太平洋地域を指している。

しかしながら、通例となっているオセアニアのこの地理的区分には注意を払うべき点も潜んでいる。そもそも、この三地域の名称はオセアニアの島々に住まう先住民たち自身が名づけたものではなく、ヨーロッパ人探検家たちに端を発している。

ポリネシアはギリシア語で「多くの」を意味する「ポリ」(*poly*)と「島々」を意味する「ネソス」(*nesos*)に由来する造語で、「多くの島々」を意味する。この語は一七五六年にフランス人探検家シャルル・ド・ブロス(Charles de Brosses)が太平洋の島々すべてを指し示す総称として用いたのが始まりであるといわれる。その後、ブロスの命名法を引き継ぎながらフランス人探検家デュモン・デュルヴィル(Jules Sébastien César Dumont d'Urville、一七九〇—一八四二年)がオセアニアの三地域区分を考案し、一八三一年にパリの地理学会で発表した。ポリネシアという語の造語スタイルを踏襲して、「黒い」を意味する「メロス」(*melos*)と「ネソス」からメラネシアが生みだされたが、これは地域住民の肌の色が比較的黒いことに由来し、文字通り「黒い島々」を意味する。また、環礁州島などの非常に小さい島々が多いことから名づけられたミクロネシアは「小さな島々」を意味し、「ミクロス」(*micros*、小さい)と「ネソス」を組み合わせた造語だった(Lal and Fortune 2000: 63; Clark 2003: 155-161)。

デュモン・デュルヴィルの提唱によるオセアニアの三地域区分の名づけは、一九世紀以降の欧米列強によるオセアニアの植民地支配の過程で、支配の版図を確定する際に基本的枠組みの役割を果たすこととなった。植民地化の過程では、三地域区分がそれぞれの地域の先住民の文化や社会の差異を示す明確な境界線であるかのように拡大解釈された。ひいては、「高貴かつ温和でホスピタリティにあふれたポリネシア人」や「獰猛《どうもう》で粗野な、好戦的メラネシア人」というように、先住民の気質・人格の特性を示す明確な境界線でもあるかのような誤解を生みだしていった(Thomas 1989: 27-41)。地理学的・生態学的な自然環境の特性が文化や社会の在り方を一〇〇%決定するわけではないものの、その影響から完全に免れることはできないとも考えられる以上、文化や社会に何らかの傾向をもたらす可能性も一概には否定できない。しかしながら、ヨーロッパ人が引いた地理的区分の境界線が文化・社会・人格の明確な境界線としても機能しているという考え方は受け入れがたい。

その一方で、植民地化の過程において、ポリネシア、メラネシア、ミクロネシアの三地域区分の名づけは、先住民たちが自分の居場所はどこで、自分たちが何者なのかを指し示す際に用いる重要な名のりの言葉として定着していった。たとえば、外から来たヨーロッパ人の探検家によってポリネシアと名づけられたのに、「あなたは誰? どこから来たの?」と問われれば、「ポリネシア人です。ポリネシアのクック諸島から来ました」と名のり、ポリネシア人としての社会的・政治的・文化的アイデンティティが模索されるように。また、三地域区分の名づけは先住民たちが社会的・政治的・地域的な結束を喚起しようとする際に、それを促す象徴的な旗印の役割を果たす名のりのための言葉としても用いられてきている。たとえば、メラネシア地域の伝統文化復興運動、反植民地主義的な社会運動、先住民主導の地域活性化や社会改革運動などにおいて「メラネシア人としてメラネシア流のやり方で」事態を進めることが強張されてきたように。しかし同時に、ギリシア語を基にした近代ヨーロッパの造語を起源とするような、他者からの名づけを自らの名のりに転用してしまうことに対して疑義を唱える先住民は少なくない。ここでは、ポリネシア、メラネシア、ミクロネシアという三地域区分がパラドクスをはらみつつ継承されてきていることについて(それはオーストラリアの先住民に対する、他者からの名づけであると同時に、現在では先住民当事者の名のりともなっているアボリジニ Aborigine やアボリジナル Aboriginal という語の定着にも通じることだが)、その歴史的な経緯を振り返り、再検討する必要があることを確認するに止めておきたい。

オセアニアへの人の移動と拡散

バルボアが「南の海」を発見し、マゼランが「平和の海」に漕ぎ出し、ポリネシア、メラネシア、ミクロネシアと名づけられるはるか以前から、太平洋に浮かぶオセアニアの島々では人の移動と拡散が繰り返されてきた。大陸から地理的に隔たったオセアニアの島々に人が居住しはじめた過程については、考古学、先史学、歴史言語学、形質人類学、人類遺伝学などの分野で研究が積み重ねられてきている(大塚 一九九五)。その知見は日進月歩の観を呈しているが、以下で現時点で判明している諸点について簡単に概観しておきたい。

更新世後期の最終氷期(およそ七万年前から一万年前)、地球は寒冷化し、それに伴って海面は現在よりも一〇〇メートル以上低かった。その結果、現在の東南アジアのマレー半島からバリ島までがアジア大陸に連なる広大な沖積平野スンダランド(Sundaland)を形成し、ニューギニア島からオーストラリア大陸を経てタスマニア島までが広大な一つのサフル大陸(Sahul)を形成していた。スンダランドとサフル大陸は深い海峡で隔てられていたが、その海峡は、小スンダ列島、スラウェシ島、モルッカ諸島などが並ぶ多島海(ワレシア Wallacea)となっていた(Harrison et al. 2006: 332-335)。スンダランドから多島海を渡り、サフル大陸に人々が移動拡散を始めたのは六万年前から五万年前のことであったと考えられている。初期の居住地は現在のオーストラリア北西部に集中していたが、四万五〇〇〇年前までには東南部、現在のニューサウスウェールズ州付近まで居住地域を拡大していたようだ。オーストラリアでは二万年以上前の埋葬人骨も数多く発掘されており、人類遺伝学的な分析によって、発掘された人骨がオーストラリア先住民アボリジニの直接の祖先であることが判明している(O'Connell et al. 2018: 8482-8490)。
かつてサフル大陸の一部を成していたメラネシアのニューギニア島でも五万年前から四万年前の遺跡がニューギニア島東部の沿岸や内陸高地で発見されていて、六万年ほど前から人が居住していたのではないかと推測されている。彼らのなかにはサフル大陸北岸の二五―五〇キロメートルも沖合の島々に移動した人々がおり、現在のビスマルク諸島のニューブリテン島やニューアイルランド島からは四万年以上前の遺跡が見つかっている。三万年前にはビスマルク諸島から南東方のソロモン諸島への移動が始まるなど、メラネシアにおける人の拡散は続いた(Summerhayes 2019: 43-62)。

他方では、およそ三三〇〇年前には東南アジア島嶼部から太平洋中央部のオセアニア島嶼地域(リモート・オセアニア Remote Oceania)に向けて、オーストロネシア語系の言語(Austronesian languages)を話す人々が拡散を開始した、別の流れがあると考えられている。この最初期の移住者たちは考古学者によってラピタ人(Lapita People)と呼ばれている。

先述のとおり、アジア大陸に近いメラネシアなどのオセアニア島嶼地域(ニア・オセアニア Near Oceania)では数万年早く人々の移動と拡散が始まっていたため、後発のラピタ人は先住民(非オーストロネシア語系 non-Austronesian の、極めて多様な系統の言語を話していたことが想定される)がすでに居住している島を避けながら移動することを選択したと考えられる。その結果、ラピタ人はニューギニア島の北東沖にあるビスマルク諸島から南東方向に島伝いで移動を続けてフィジーにたどり着き、そこから南西方面(ニューヘブリデス諸島とニューカレドニア)および南東方面(トンガとサモア)の二手に分かれてリモート・オセアニアへ移動を続け、新たなフロンティアを開拓した。ビスマルク諸島からサモアまではおよそ三六〇〇キロメートルの距離があるが、この広大な海域の移動をおよそ四〇〇年間で成し遂げていることから、ラピタ人は卓越した航海の知識と技術、そして航海を成功裡に実現するための高い技能を備えていたことがわかる(印東 二〇一七:四〇―四七頁)。

メラネシアから西ポリネシアのトンガ(紀元前八五〇年頃)やサモア(紀元前九〇〇—前八〇〇年頃)に到達したラピタ人はおよそ一八〇〇年間そこに留まり、初期のラピタ人が備えていた文化を変容させながら現在のポリネシア地域にみられる生活文化の原型を育んでいったとされる。そして、「ポリネシア人」へと変容した彼らは西暦九〇〇年頃から東方への移動を再開し、東ポリネシアのソサエティ諸島からマルケサス諸島を経て、一〇〇〇年頃にはポリネシア北端のハワイ諸島や南東端のイースター島(ラパ・ヌイ)にまで一気に拡散した。さらにポリネシア人はソサエティ諸島のタヒチ島から西進してクック諸島を経由し、一二五〇年から一三〇〇年頃にはポリネシア南西端のニュージーランド(アオテアロア)に到達したと考えられている(印東 二〇一七:五三—五四頁、印東 二〇二三:二三—二四頁)。

人類史研究の長い時間尺度に基づく感覚で捉えると、トンガやサモアを旅立って以降、ポリネシア人が広大なリモート・オセアニアに拡散した過程は途轍もなく早い速度で短期間のうちに成し遂げられた、と表現して問題ない。一つ所に長く留まるほど言語の変化や多様化、分化が進むと仮定すれば、ポリネシアの広大な海域のほぼ全域に比較的系統性と均質性が高いオーストロネシア系言語が分布しているという事実が、かつての移動拡散の速さを物語っている(5)。

ミクロネシアでは紀元前一五〇〇年頃からマリアナ諸島のグアム島などに東南アジア島嶼部から人々が移住し始め、今からおよそ二〇〇〇年前にはメラネシアから北上した人々が中部および東部ミクロネシアに移動拡散し、ポーンペイ島(ポナペ島)、チューク(トラック諸島)、コスラエ島、マーシャル諸島の島々へほぼ同時期に居住を始めた(印東 二〇二三:二七—二九頁)。系統性と均質性が比較的高いオーストロネシア系言語がほぼ全域に分布しているポリネシアとは対照的に、ミクロネシアの言語分布は複雑に入り組んだ様相を呈している。それゆえ、ミクロネシアへの人の移動拡散の過程は一層複雑なものだったと推測される。具体的には、中部および東部ミクロネシアの諸言語はメラネシアのニューヘブリデス諸島(現バヌアツ共和国)北部のオーストロネシア系言語と密接なつながりを持つが、西部ミクロネシア（パラオ諸島、ヤップ島、マリアナ諸島）の諸言語は相互の関連性が弱く、それぞれ別個にフィリピンやインドネシアの諸言語との類縁性が高い。さらにポーンペイ島の南方にはポリネシア西部のオーストロネシア系言語が入り込んでいる。こうした言語の類縁性の観察から、東南アジア島嶼部から西部ミクロネシアへの人の拡散、メラネシアから中部・東部ミクロネシアへの人の拡散、ポリネシア西部からポーンペイ島南方地域への人の拡散という、少なくとも三つの波が想定されている（菊澤 二〇一〇：九九―一〇四頁）。

二、忘却された歴史と太平洋の発見

忘却された人類史の偉業

生活の中心となる場を大陸から大海深部の島々へと移していくことは、人類史においてそれまでに無かったような歴史的な大転換の始まりであったと言えるだろう。われわれ現生人類の二十数万年の歴史を一日になぞらえるとすれば、太平洋のリモート・オセアニアへの進出を始めたおよそ三三〇〇年前は、一日が終わろうとする午前零時のほんの少し前ということになろうか。こう考えると、太平洋海域世界は人類にとって地球上最後のフロンティアであるとも言えるのだろう。そして、そのフロンティアを切り拓いた開拓者たちの末裔がオセアニアの島々に住まう先住民系の人々なのだ。

しかしながら、これまでヨーロッパ世界の視点から描かれてきた人類の世界歴史において、このフロンティア開拓の歴史的な「偉業」は、二〇世紀半ばを過ぎるまでの長い間、忘れ去られた人類の歴史となっていた。そして、文化人類学者のウルフ（Eric Robert Wolf）が指摘したように、アカデミアの歴史研究においてすらオセアニア島嶼部の人々は「歴史なき人々」（people without history）として切り捨てられてきた（Wolf 1982）。

オセアニアの人々の存在が世界歴史において長らく忘れ去られてきたことの根底には、歴史を留める記録メディアをめぐる偏見があるのではないだろうか。もともと文字による記録の方法を持たないオセアニアの人々は、主に口伝えの歴史(口頭伝承 oral tradition)によって祖先たちが経験した出来事や事件の記憶をたどり、受け継いできた。しかし、文字によって書き残された出来事や事件の記録によって、すなわち「史《ふみ》」に基づいて歴史を伝承・継承することを重視してきた世界の人々には、この口伝えの歴史を「歴史」として捉えて理解することが非常に難儀なものであったようだ(保苅 二〇〇四:四八–五二頁)。

また、ヨーロッパ人が太平洋という大海の存在を認識し、そこに乗り出していくのは一六世紀のことだったが、ヨーロッパ人たちは当初より、大海の島々は「そこに住まい、これを領有する人々がおらず、収奪も可能な土地」(言い換えれば、「人間の歴史を伴わない場所」)であるという先入観に支配されていた。この考え方は、たとえば、一八世紀後半にイギリスがオーストラリア大陸の植民地化を進める過程において、「無主の地」(*terra nullius*)という用語の援用をもって植民地主義的な奪取を正当化したことにもつながっている(Banner 2007: 13-46)。ヨーロッパ人が太平洋に乗り出した時点ですでに、オーストラリア大陸と太平洋上のオセアニアの島々には多くの人々が定着して世代を重ね、それぞれの生活環境に則して独自の社会と価値観を築きあげていたことなど、理解しようとすることはおろか、想像すらしていなかったと言っても過言ではない。

「発見」の歴史としての太平洋海域世界史

世界歴史におけるオセアニアを含む太平洋海域世界の歴史は長らく、ヨーロッパ人による太平洋やオセアニアの「発見」と「開拓」の歴史として描かれてきた(多木 一九九一)。ヨーロッパ人が描くそうした歴史においては、先住民の存在は忘却とともに不可視化され、そもそもヨーロッパ人には分かりようもない多様な在来言語によって語られる口伝えの歴史が人間の声ではなくノイズとして切り捨てられていた。

スペイン人探検家バルボアによる「南の海」の発見と、ポルトガル人探検家マゼランの一行によるヨーロッパ人初の太平洋横断についてはすでに触れた。一六世紀前半に世界一の大海の存在がヨーロッパ世界に明らかになったとはいえ、ヨーロッパ人とオセアニアの島々に暮らす人々との出遭いが直ぐにあったわけではなく、島々の具体的な地理やそこに生活する人々の姿については、ほぼ分からないという状況が一八世紀まで続いた。

マゼランの後に続いたレガスピ(Miguel López de Legazpi)、ウルダネータ(Andrés de Urdaneta)、メンダーニャ(Álvaro de Mendaña de Neira)、キロス(Pedro Fernández de Quirós)、トレス(Luis Váez de Torres)など、一六世紀前半から一七世紀初頭にかけてのスペイン人探検航海者、ル・メール(Jacob le Maire)、スホーテン(Willem Cornelisz Schouten)、タスマン(Abel Janszoon Tasman)などの一七世紀のオランダ人探検航海者たちによって、オセアニアの島々の発見は続いた。

ボヘミア(チェコ)のプロテスタント貴族たちがカトリックの君主フェルディナント二世(Ferdinand II、一五七八—一六三七年。第八代神聖ローマ帝国皇帝、在位一六一九—三七年)に対して起こした反乱を発端に、ヨーロッパ諸国を巻き込んで三十年戦争(Thirty Year's War、一六一八—四八年)が起こった一時期、ヨーロッパ人の太平洋探検航海の熱は冷めたかのように見えた。戦争が終結すると、ふたたびヨーロッパ各国の眼が太平洋に向けられるようになったが、その全体像ではなく、一七世紀までに太平洋進出を果たした古参のヨーロッパ各国がそれぞれの既得権益の維持に直結する太平洋の特定地域に改めて眼を向け直しただけだった。スペインはすでに開拓していたマニラ航路の維持に、オランダはジャワ島を中心とする香料貿易に、ポルトガルはマカオとインド西岸のゴアの防御にとそれぞれ腐心し、新たに太平洋の航海を企画して新天地を探す余裕などはなかった(増田 二〇〇四:九六頁)。

一八世紀に入って、古参のヨーロッパ各国がまだ手をつけていない島々や土地を新たに見つけようとする競争に名のりをあげたのは、イギリスとフランスだった。イギリスは一七六四年六月から六六年五月にバイロン提督(Admiral

John Byron)の指揮下で二隻の探検船隊を派遣し、続けて一七六六年六月から六八年五月にウォリス(Samuel Wallis)とカータレット(Philip Carteret)の指揮下で二隻の探検船隊を派遣した。一方、フランスは一七六六年一〇月から六九年三月にブーガンヴィル(Louis-Antoine de Bougainville)の指揮下で二隻の探検船隊を派遣した。ウォリスとカータレットの探検船隊がイギリスを出帆した四カ月後にブーガンヴィルの探検船隊がフランスを出帆。カータレットが指揮した僚船とはぐれたウォリスの探検船がオタヘイテ島(現タヒチ島)に到着したのが一七六七年六月。オタヘイテ島に降り立ったヨーロッパ人はウォリスが最初だったので、彼は迷うことなく「イギリス国王の名において」その領有を宣言した。そして、イギリスによる領有宣言に遅れること一〇カ月、一七六八年四月にブーガンヴィルの探検船隊がオタヘイテ島に到着した。こうした一連の流れには、当時のイギリスとフランスの間で繰り広げられた発見競争の一端を窺い知ることができるだろう。

ウォリス一行とブーガンヴィル一行は、帰還後それぞれの母国で、航海者に惜しげもなく身体をささげる美女と、豊かな食物に満ち溢れた、アフロディーテ(ギリシア神話に登場する愛と美と性を司る女神)の楽園としてオタヘイテ島を喧伝した。ブーガンヴィルの航海記が一七七一年三月にフランスで刊行されると、オタヘイテ島の滞在記録の部分が世間の評判を呼んだ。それを読んだフランスの代表的な啓蒙思想家で百科全書派の中心人物の一人であったドゥニ・ディドロ(Denis Diderot、一七一三―八四年)がオタヘイテ人を自然の中に生きる「素朴で高貴な野蛮人」に仕立て、彼らが生きる島をユートピアとして称揚したために、発見競争は偏見に満ちた空想が繰り広げられる場ともなってしまった(ブーガンヴィル/ディドロ 二〇〇七)。

クックの太平洋探検航海

こうした発見競争の積み重ねを経て、オセアニアを含む太平洋の全体像が「新たな世界」としてヨーロッパ人の手に入るようになるのは一八世紀後半、イギリスのロンドン王立協会(the Royal Society of London、正式名称は the Royal Society of London for Improving Natural Knowledge)がイギリス海軍本部(the Board of Admiralty)の協力のもと、海軍士官ジェームズ・クック(James Cook、一七二八―七九年)率いる探検隊を太平洋に派遣した一七六八年以降のことだった(Frost 1976: 779-822)。

結論を先取りすることになるが、クックの太平洋探検航海によって得られた知見は、彼が死してのちも太平洋海域世界の歴史について考えるうえで重要な情報源としての役割を果たしている。クックの探検船には、一七六一年にイギリスの時計職人ハリソン(John Harrison、一六九三―一七七六年)が発明したクロノメータ(chronometer、一日当たりの誤差が一四分の一秒程度の機械式時計)が搭載されていた。クロノメータは経度の正確な計測を可能とし、人跡未踏の地点でも地球上に引いた幾何学的な格子目の中に位置づけることを可能にした。まずクロノメータによって空白の地図上に格子目が引かれ、ついで探検家・測量技師・軍人たちがその格子目を実際に訪れて詳細な測量を行うという手順ができあがった(Anderson 1991: 173)。クックの探検隊がクロノメータを用いて作製した海図や地図は一八世紀のものとしては驚異的な正確さを持っていた。

さらに、クックは太平洋世界の探検航海で立ち寄った島々で出遭った先住民の生活や社会について詳細な観察を行い、それを日々の日誌に書き留めるだけではなく、島ごとに観察の結果を総覧するようなまとめを行って考察を加えた。それらは、島民(islander)ではなくヨーロッパ人という外来者(outlander)の眼による記録であったとはいえ、文字を持たなかった島民の一八世紀後半における姿を書き記した極めて貴重な史料であり、文化人類学的な太平洋世界の研究にとっても貴重な歴史的民族誌となっている[6]。

ロンドン王立協会がクックの第一回探検航海に課した目的は、イギリスの科学者たちをポリネシアのオタヘイテ島まで運び、太陽面の金星通過を観測することで地球から太陽までの距離を正確に算出するためのデータを収集することだった。一方、海軍本部がクックに課した極秘扱いの訓令は、オタヘイテ島での観測完了後、タスマンがすでに発見していたニュージーランドの東岸に到達するまで太平洋を西に向けて航海を続け、新たな島や土地を発見し、イギリスの権益を太平洋に拡大するための礎を築くことだった。さらに、海軍本部は、新たな島や土地を発見したら、その地形、景観、動植物、鉱物、土壌などを徹底的に調査し、さらにそこに住民が居ればその気質や人口などのあらゆる情報を記録して、「国王陛下の御名のもと」にその地の領有を宣言せよとクックに命じた。

ロンドン王立協会と海軍本部から与えられた使命を果たすべく、一七六八年八月二五日、バンクス(Joseph Banks)ら科学者を含むクック一行はイギリスのプリマス港をエンデヴァ号(HMB *Endeavour*)で出港した(Thomas 2018)。ちなみに、使命の大きさに比してエンデヴァ号は全長三〇メートル、三六八トンほどの小さな帆船で、海軍本部が定めた定員七〇名を超える八五名が乗船しての船出だった(クック 二〇〇四 a：三〇頁、三八七–三八九頁)。

一七七九年二月一四日にハワイ諸島オワイヘ島(現ハワイ島)のケアラケクア湾で地元住民との紛争によって命を落とすまで、クックは三回の太平洋探検航海(一七六八–七一年、一七七二–七五年、一七七六–八〇年)を行い、太平洋海域世界とオセアニアの島々を精査して、「新たな世界」の全貌を初めてヨーロッパ世界に知らしめた。[7]

第一回探検航海では、一七六九年一〇月九日にヨーロッパ人として初めてニュージーランド(北島東岸のトゥーランガヌイ・ア・キワ、現ポバティ湾)に降り立ち、先住民マオリとの接触を経験した。[8] クックはさらにニュージーランド南島南端を回って西進を続け、一七七〇年四月一九日にオーストラリアの東海岸を目にし、四月二九日に現在のシドニー南部のボタニー湾で初めての上陸を果たした。その後も東海岸の北上を続けたクックは八月二二日にケープヨーク半島北端沖の小島において、この地をイギリス国王ジョージ三世(George III、一七三八–一八二〇年、在位一七六〇–一八二〇年)のものとすることを宣言し、ここにイギリスによるオーストラリアの領有が始まった。クックは領有を宣言した小島を、正に「領有」を意味するポゼッション島(Possession Island)と名づけている。[9]

海軍本部から秘密訓令として与えられた第二回探検航海の目的は、南極を囲むように存在するはずの巨大な「未知の南方大陸」(*Terra Australis Incognita*)の存在を探索、確認することだった。一七七二年六月一三日、クックはレゾリューション号(HMS *Resolution*)に乗船し、フルノー船長(Tobias Furneaux)率いるアドヴェンチャー号(HMS *Adventure*)を伴ってふたたびプリマス港を出港した。クックは南緯七〇度を越えて南極海まで航海し、南方にはオーストラリアとニュージーランドを除いて「南方大陸」は存在しないことを明らかにした。「南方大陸」こそ発見できなかったものの、第二回探検航海では南極に近い高緯度地域での東西周航に世界で初の成功を収め、トンガとイースター島を海図に記録し、ニューカレドニア、ニューヘブリデス諸島など数多くの島々を「発見」して領有を宣言し、イギリスのさらなる太平洋進出に貢献した。

第三回探検航海の目的は北アメリカ大陸の北方を通って大西洋と太平洋を結ぶ北西航路(the Northwest Passage)を発見し、イギリスに新たな交易ルートをもたらすことだった。しかしながら、北西航路の開拓はイギリスの国益を特に左右する事案であったため、第三回探検航海の目的は表向き「あるポリネシア人一名を故郷の島に送り届けることと、その途上で新たな島の発見と領有に努めること」とされた。「あるポリネシア人」とは、第二回探検航海において、一七七三年九月七日にソサエティ諸島フアヒネ島からアドヴェンチャー号に乗り込んできた青年マイ(Mai)のことで、彼は翌七四年七月一四日にアドヴェンチャー号がイギリスに帰港するまでそのまま乗船して、イギリスを訪問した最初のポリネシア人となった。(10)

一七七六年七月一二日にディスカヴァリー号(HMS *Discovery*)とともにプリマス港を出港したレゾリューション号は、喜望峰回りでオーストラリア南方を通過して太平洋に出た。そして、一七七七年一〇月一二日にフアヒネ島でマイを下船させると、一気に進路を北に向けた。翌七八年一月二〇日にハワイ諸島カウアイ島のワイメア湾に一時寄港したのち東進して、三月三〇日に北アメリカ大陸北西岸のバンクーバー島ヌートカ湾、五月一二日にアラスカのプリンス・ウィリアム湾に入った。クック一行は北西航路の太平洋側の起点となりそうな候補地などを確認したのち、ベーリング海峡を抜けて八月一八日には北極海を北緯七〇度以北まで航行したが、氷原に阻《はば》まれて航路開拓は断念せざるを得なかった。失意のなか、クック一行はアリューシャン列島ウナラスカ島寄港を経て、一〇月二六日にハワイ諸島に向けて帰路をたどり始めた。

ハワイ諸島マウイ島沖に一時停泊したのち、一七七九年一月一七日、レゾリューション号とディスカヴァリー号はオワイヘ島南西のケアラケクア湾に錨《いかり》を下ろし、船の修理と食糧・水の補給を行うこととした。停泊中の二隻の帆船は一五〇〇隻を超えるハワイ人のカヌーの大群に取り囲まれ、大きな牝豚、大量の果物、タロイモなどの根菜が贈り物として渡されただけではなく、上陸すると盛大な祭礼をもって迎え入れられた。クック一行は海軍本部の訓令を全うすべくふたたびベーリング海域の調査に復帰する意を決し、二月四日にハワイ島を出帆した。しかし悪天候に見舞われてレゾリューション号のマストが壊れてしまったため、その修理にケアラケクア湾へ引き返さざるを得なかった。

二月一一日にオワイヘ島ケアラケクア湾北側の岬に投錨したが、一月の寄港時とは打って変わって、帰還を歓迎する島民は一人もおらず、接しても以前に比して態度は粗暴で、「なぜここに戻ってきたかと、執拗に尋ね」てきたり、備品やディスカヴァリー号の小艇などの窃盗が頻発した。緊張が支配する島民との不穏な関係は、クックが島の要人に会うためにレゾリューション号から浜に降り立った二月一四日に、堰を切ったように激しい戦闘に姿を変えた。その結果、クックと四名の海兵、そして一六名の島民が命を落とした。そして二月二一日午後、クックの亡骸は棺に納められ、海軍の礼式にしたがってケアラケクア湾に葬られた。クックの死に乗組員たちは大きな衝撃を隠せなかったものの、海軍本部訓令を遂行すべく、クックを欠いた探検隊は二月二二日に再度ケアラケクア湾を出帆して北に向かった。七月六日にベーリング海峡を通過したが、ふたたび北極海の氷原に北進を阻まれて撤退を決意した。二隻の探検船は千島列島から日本列島沿いに南下し、一七七九年一二月一日にマカオに寄港したのち、翌八〇年四月に喜望峰を経て一〇月にイギリスに帰還を果たした。

先にも述べたとおり、クックの三回の探検航海は、それ以前にはごく一部が断片的にしかヨーロッパ人に知られていなかった太平洋世界の輪郭を明らかにした歴史上初めての科学的探検航海として、当時から現在に至るまで高い評価を得ている。クック亡きあとイギリスに帰還する途中でマカオに寄港した際、レゾリューション号の第二海尉だったキング(James King)は広東まで足を延ばして情報収集を行った。その折、キングは一七七六年七月四日に「アメリカ独立宣言」(the Declaration of Independence)を公布した植民地アメリカを支援して七八年七月一〇日にフランスがイギリス本国に宣戦布告したことを知ったが、同時に、フランスが科学に貢献するクック探検隊には敵対しないと宣言していることを知ったと日誌に記している(クック 二〇〇五d:二八〇頁)。

ラ・ペルーズの太平洋探検航海とその後

クックの探検航海の成果を受けて、クックの死後、より大きな規模での太平洋の科学的探検航海が数々企画・実施された。その先陣を切ったのがフランスの貴族だった海軍士官ラ・ペルーズ伯爵(Jean-François de Galaup, Comte de La Pérouse、一七四一―八八年)によるものだった。[11] 国王ルイ一六世(Louis XVI、一七五四―九三年、在位一七七四―九二年)の命を受けたラ・ペルーズはフランス革命が勃発する四年前の一七八五年八月一日、二隻の船隊(ブソル号 *La Boussole* とアストロラブ号 *L'Astrolabe*)を指揮してフランス、ブルターニュ半島西端のブレスト港を出港した。彼は南アメリカ大陸南端のホーン岬を回って一七八六年二月に太平洋に入り、四月九日にイースター島に上陸してモアイ像などの巨石遺跡を調査し、ハワイ諸島を経て、六月二三日に北アメリカ大陸北西岸の北緯六〇度に達した。ラ・ペルーズはそこからクックも見出し得なかった北西航路の発見を試みたが、結局目的を果たせず、メキシコに南下してモンテレイ湾で体制を整え直してから、進路を西に向けた。

ラ・ペルーズ一行は一七八七年一月初旬にマカオに到着し、四月九日にフィリピン諸島ルソン島マニラに寄港したのち、台湾東沖、琉球列島西沖、対馬海峡西水道、日本海と北上し、六月に能登半島沖を通過した。北上してサハリン(樺太)、宗谷海峡を経て九月七日にカムチャツカ半島南東岸のペトロパヴロフスクに入港した。(12) ペトロパヴロフスクにはフランスからの書簡が陸上便で届いていて、イギリスがオーストラリアのボタニー湾付近で植民地建設を画策しているようなので直行して調査を実施するようにとの海軍訓令を新たに拝命することとなった。

新たな訓令を受け取ったラ・ペルーズは、急遽九月三〇日にペトロパヴロフスクを出港した。一二月にサモア諸島ツツイラ島に水を補給するために上陸したとき、島民の襲撃によりアストロラブ号の指揮官ド・ラングル(Paul Antoine Fleuriot de Langle)と他一一名の船員の命が奪われた。ラ・ペルーズは訓令の遂行を優先したのか、ここで報復の交戦を挑むことなくツツイラ島を離れ、一七八八年一月二六日、ボタニー湾に到着した。しかしながら、ラ・ペルーズがボタニー湾に到着したのは、くしくも、海軍提督アーサー・フィリップ(Arthur Phillip)が当時ニューサウスウェールズ植民地(the Colony of New South Wales)と呼ばれていたオーストラリアに囚人の流刑植民地(convict settlement)を建設する命を受け、初代植民地総督としてボタニー湾に到着した一週間後、つまりイギリスによる植民地建設が実動し始めた直後のことだった(増田 二〇〇五:二八二頁)。失意の渦中にあったラ・ペルーズはボタニー湾の北岸に野営地を設け、イギリス人植民者とは良好な関係を保ちながらそこで六週間を過ごした。そして、三月一〇日に出帆して、メラネシア方面に向かったが、その後、遭難して消息を絶ってしまった。ラ・ペルーズ探検隊の遭難については、当時の英仏間の緊張関係を背景として、フランス側には、イギリスの新植民地の近傍で起きたラ・ペルーズ探検隊の遭難の原因をイギリス側の対応に帰する見解もあったようだ。

ラ・ペルーズが消息を絶った時期、フランス本国は一七八九年七月一四日の市民革命の勃発から九一年九月三日の憲法制定を経て変革と動乱の時期にあったが、国民議会はラ・ペルーズの捜索隊を送ることを決定した。一七九一年九月二八日、海軍士官ダントルカストー(Antoine Raymond Joseph de Bruni, chevalie d'Entrecasteaux、一七三七—九三年)を隊長とする捜索隊がブレスト港を出港したが、この航海には科学的探検航海としての使命も課せられていた[13]。

科学的探検航海を標榜するラ・ペルーズの航海には、地理学、幾何学、天文学、工学、物理学、化学、解剖学、動物学、植物学、鉱物学など、さまざまな分野の専門家が同行していた。しかし、イギリスによる植民地建設の状況を確認するために彼を急遽ボタニー湾に向かわせるなど、フランスが企画した探検航海の背景には、一八世紀ヨーロッパの国家間にあった対抗意識や権益の拡張・確保をめぐる地政学的野心、そして経済的・商業的野心があったことを容易に見て取ることができる。

ラ・ペルーズが不本意にも死をもって探検航海を終えた一七八八年、太平洋進出では古参といえるスペイン海洋省は、スペイン政府に仕えるイタリア人探検家のマラスピーナ(Alejandro Malaspina、一七五四—一八一〇年)からクックの探検航海を凌ぐ科学的探検航海を行いたいとの提案を受けていた。スペイン国王カルロス三世(Carlos III、一七一六—八八年、在位一七五九—八八年)はその提案を認めた一七八八年一〇月の二カ月後に他界したが、探検航海の準備は着々と進められ、一七八九年七月末、マラスピーナの探検隊が多くの科学者を乗せた二隻の新造フリゲート艦でカディス港を出帆した。この探検航海の目的は科学的な学術調査とされた。しかし、当時アメリカ大陸に巨大な植民地を保有し、一四九四年のトルデシリャス条約[14](the Treaty of Tordesillas)を根拠に太平洋の領有権を宣言していたスペインは、新参者として太平洋に進出してきたイギリスやフランスなど西ヨーロッパ諸国の動向を探り、対抗措置を講じようとする政治的目的を探検航海に込めていた(増田 二〇〇五:二八三頁)。マラスピーナはマルビナス諸島(フォークランド諸島)を経て南アメリカ大陸南端を回って太平洋に入り、一七九〇年の大半を使って南アメリカ大陸西海岸の精密な海図を作製し、九一年五月から北上して北アメリカ大陸北西岸の調査を開始した。マラスピーナは北西水路の探索を行ったのち、一〇月一九日にメキシコのアカプルコ湾に戻り、探検船隊の一隻には北アメリカ大陸北西岸調査の継続を命じて、彼自身は太平洋横断に向かった。一七九二年三月初旬にフィリピン諸島に到着して同海域の海図作製を完了させると、南下してメラネシアに向かった。ニュージーランドを経て翌九三年三月一一日、オーストラリアのシドニーに到着したマラスピーナは四週間かけてイギリスによる植民地開発の現状調査を行った(Kendrick 1999)。マラスピーナの探検航海は「啓蒙〔思想〕時代の科学的関心を満足させるために、惜しみなく費用を使った大航海」だった(増田二〇〇五:二八五頁)。しかしながら、一九世紀に入ってフランスのナポレオンの侵略に抗するスペイン独立戦争(the Spanish War of Independence、一八〇八ー一四年)によって疲弊し、衰退の度合いを強めていたスペインには、この探検航海で蓄積された膨大なデータを英仏に対抗するために活用する余力はなくなっていたようだ。

キリスト教の展開

フィリピンを経て一六六八年にミクロネシアのマリアナ諸島に到着したスペイン人のイエズス会(Compañía de Jesús)神父サン・ヴィトーレス(Diego Luis de San Vitores)が同諸島のグアム島などで先住民チャモロ人たちにローマ・カトリックの布教を開始した。これを皮切りに、スペインによるカトリック教会の布教活動が一八世紀までミクロネシアのマーシャル諸島やポリネシアのタヒチ島など各所で行われてきた(Diaz 2010: 46)。そして一八世紀末、クックやラ・ペルーズの探検航海によって新たに発見された島々の存在がイエズス会の布教活動以降、一時沈静化していたオセアニアにおけるキリスト教の布教活動を再燃させた。この潮流のなかで、国家勢力も巻き込みながらカトリシズムの再興に乗り出したフランスのカトリック教会とプロテスタンティズムの世界展開をめざしたイギリスの宣教師団が太平洋の各所で鉢合わせして、両派の対立と衝突が巻き起こった。

キリスト教のプロテスタンティズムの再興をめざして、イングランド国教会(the Church of England)からの分離を目指したイギリスの独立教会(independent churches)が一七九四年にロンドンに集結し、会衆派教会(Congregational Church)

のボーグ(David Bogue)を主導者として九五年九月に伝道協会(the Missionary Society)を結成した。伝道協会は一八一八年にロンドン伝道協会(the London Missionary Society)と改名するが、会衆派教会を後ろだてに、結成時から、教派を越えた連携によってまだ神の導きを得ていない異教の民にキリストの叡知を広め、プロテスタンティズムを世界各地に伝道することを目的とした。伝道協会がまず布教活動の対象に選んだのは、オセアニアの島嶼地域だった。オセアニアが選ばれた理由は、クック以降の太平洋探検航海が数多くの島を新たに発見したことにあった(Gunson 1978: 11)。ヨーロッパのキリスト教会にとって、新たに発見されたオセアニアの島々はまだ福音がもたらされていない世界に他ならず、多くの信者の獲得が見込まれる新たなマーケットだった。

伝道協会は一七九六年に伝道船ダフ号(the *Duff*)で四名の牧師を含む三〇名からなる宣教団を送り出し、ポリネシアのタヒチ島、トンガ、マルケサス諸島に向かわせた。一七九七年、タヒチに最初の宣教師が上陸して北岸のマタヴァイ湾に伝道拠点を建て、ついでトンガの主島トンガタプ島(一八〇〇年に閉鎖)、マルケサス諸島のタフアタ島(一七九九年に閉鎖)にも拠点を建設した。伝道協会が活動を開始して以来、一八〇八年に一時閉鎖された時期があったものの、タヒチ島は伝道協会の中核的な伝道基地として他島での布教活動を支えた。

島民たちとのさまざまな葛藤と対立を経ながらも、伝道協会の活動が成果を挙げていくのは一八一〇年代に入ってからだった。タヒチ島でも最初は何らの成果も挙がらなかったが、一八一九年に当時の王ポマレ二世(Pomare II、一七八二?—一八二一年、在位一八〇三—二一年)がキリスト教に改宗したのを契機に、それに触発された多くの者が改宗し、一八二〇年から伝道協会はタヒチ島周辺の島々に布教を拡大していった。

タヒチでのキリスト教定着にはおよそ二〇年を要したが、その中核となった一人が一八一七年に布教活動に加わったジョン・ウィリアムス牧師(John Williams、一七九六—一八三九年)だった。彼はタヒチ島からさらに「暗黒」の西方への勢力拡大を考えるにあたって、少数のイギリス人宣教師がすべての任に従事して福音をもたらそうとするよりも、ポリネシア人の牧師を育成してその任にあたらせるほうが現地の人々との接触ならびに布教活動を円滑化すると考えていた(Christian 1910: 193)。そして、ウィリアムスのこの布教戦略が最初に実行に移されて伝道が進んだ地域がタヒチ島西方のクック諸島だった。クック諸島に駐在した最初の宣教師はタヒチ島出身のポリネシア人、パペイハ(Papeiha)とヴァハパタ(Vahapata)の二人で、彼らはウィリアムスと共に一八二一年にクック諸島南部のアイツタキ島に上陸した。パペイハらはクック諸島の最高位首長(*ariki*)を懐柔して多くの改宗者を得ることに成功し、後々、クック諸島の島民のなかからも多くの宣教師が育ってニューギニアなどでの布教活動に従事するようになった(Gilson 1980: 20-26)。

一八三六年にフランスのカトリック宣教団イエズス・マリアの聖心会(Societas Sacratissimi Cordis Jesu et Mariae)も布教活動のためにタヒチ島に訪れるが、そのときまでに、カトリック教会が島を追われてしまうほどの勢力に伝道協会が成長していた。一八四〇年代には伝道協会の活動はポリネシアを西方に拡がり、サモア、フィジー諸島、ニューカレドニア、ロイヤルティ諸島、ニウエ島へと展開していった。

しかし伝道協会の西方への勢力拡大の背景には複雑な政治的局面が絡んでいた。伝道協会によるカトリック教会の迫害はフランス政府に絶好の口実を与えてしまい、フランスのポリネシア進出の足掛かりとなった。ポマレ王朝自体はイギリスによる保護を訴えていたのだが、イギリス政府とヴィクトリア女王(Victoria、一八一九－一九〇一年、在位一八三七－一九〇一年)はこれに耳を貸さなかった。一八四一年以降、タヒチ島におけるカトリック教会と島民の保護を口実とするフランスの政治的介入は軍隊の投入にも及んで顕著となり、一八四二年、フランスは一方的にタヒチを保護下に置くと宣言した。その結果、伝道協会はタヒチでの布教活動に対する制約を強く受けるようになり、次第にフランス政府に後援されたカトリック教会が勢力を拡張していくこととなった。一八四七年、女王ポマレ四世(Pomare IV、一八一三－七七年、在位一八二七－七七年)はフランスの保護下に入ることを正式に受諾して、ポマレ王朝の勢力下にある近隣島嶼と共にタヒチ島はフランス保護領となり、一八八〇年のフランス植民地化に向けて急速に歩を進めていく。つまり、一八四〇年代以降の伝道協会の西方展開は、フランス勢力圏から撤退を突きつけられたことの裏返しだったと解釈されねばならない(Gunson 1978: 36-42)。

タヒチ島から撤退した伝道協会はサモア諸島にその拠点を移し、多くのサモア人宣教師を育成した。クック諸島で育成されたポリネシア人宣教師同様、サモア人宣教師らもメラネシアのニューギニア島やフィジーを中心にポリネシアのツバルなど南太平洋各地に福音を届けるために派遣された(15)。

プロテスタント教会とカトリック教会の衝突はタヒチ島以外、たとえばハワイ諸島でも起こっていた。イギリスの伝道協会に少し遅れて、一八一〇年にアメリカ・ニューイングランドの会衆派教会が中心となって海外での伝道を目的とするアメリカ海外伝道委員会(the American Board of Commissioners for Foreign Missions、通称アメリカン・ボード)が結成され、その宣教団が一八一九年一〇月にサディアス号(the *Thaddeus*)でボストン港を発ち、ハワイ諸島に向かった。一八二〇年四月二日にハワイ島のカイルア・コナに着いた宣教団の使命は、プロテスタンティズムの福音を通じて「これらの島々が実り豊かな畑と快適に暮らせる住居と学校や教会で覆われることを目指すこと」と、「すべての人々をキリスト教文明という高められた状態に引き上げることを目指すこと」だった。宣教団がハワイ島に着いたのは、一九世紀初頭にハワイ諸島を統一したカメハメハ大王(Kamehameha I、一七五八?−一八一九年、在位一七九五−一九年)が一八一九年九月に死去し、息子のリホリホ(Liholiho)が王位を継承してカメハメハ二世(Kamehameha II、一七九七−一八二四年、在位一八一九−二四年)となった直後のことだった。その新王もイギリス外遊中の一八二四年七月に麻疹で客死する悲劇に見舞われた。リホリホの死後、一八二五年に弟のカウイケアオウリ(Kauikeaouli)が若くしてカメハメハ三世(Kamehameha III、一八一三−五四年、在位一八二五−五四年)として即位し、カメハメハ大王の妻であった母カアフマヌ(Ka'ahumanu、一七六八?−一八三二年)が摂政を務めた。短期間で王が交代する不安定な政治状況のなか、宣教団は好機をつかんで王族や首長層と良好な関係を築き、一八二五年にカアフマヌと有力な高位の首長らを含む数百名がキリスト教に改宗して布教活動の最初の大きな成果をあげた(中山 二〇〇六：二〇七―二一〇頁)。

こうした状況下で一八二七年七月にフランスのカトリック宣教団イエズス・マリアの聖心会がハワイ諸島に到着し、オアフ島のホノルルに拠点を構えた。しかし、すでにハワイ諸島に布教の地歩を築いていたアメリカの宣教団はカトリックを敵対視し、プロテスタントに改宗していたカアフマヌの力を借りて、カトリックの布教活動を妨害した。カトリックの宣教団を擁護してくれていたオアフ島の首長が一八三〇年に不慮の海難事故で亡くなると、カアフマヌは一八三一年一二月にカトリックの神父たちをハワイ諸島から追放した。ハワイ諸島で起こったプロテスタントとカトリックの対立と衝突は、タヒチ島の場合とは逆に、カトリックが一時島を追われることとなった。ふたたびカトリックの神父がハワイ諸島に逗留することを許されたのは一八三六年のことだったが、その際にも、布教活動は一切禁止されていた(Daws 1984)。

三、「新たな世界」との出遭い

啓蒙思想の訓令

クックの探検航海を契機に、一八世紀後半、ヨーロッパ人の眼前にオセアニアを含む太平洋の全体像が「新たな世界」として立ち現れた。「新たな世界」の存在はヨーロッパ諸国の政治的・経済的な対抗意識だけではなく、宗教的な対抗意識をも刺激する場となった。くしくも「新たな世界」の出現は、同時代の諸科学・芸術・技術などの全知識を集成して人知の体系化を試みた啓蒙思想(philosophy of the Enlightenment)が提唱され、その啓蒙思想から近代世界が生みだされてくる時期と軌を一にしていた。啓蒙思想では、集成・体系化された知識が合理的で実践的な理性を啓発し、理性の啓発が人間生活を進歩と改善に導くと唱えられた(Frost 1976: 779-822; Bayly 2004: 100, 437-438)

別な角度からこのことを捉え直せば、ヨーロッパ世界の近代が太平洋海域世界という「新たな世界」に遭遇したのではなく、そもそも啓蒙思想がヨーロッパの近代世界と太平洋海域世界という二つの「新たな世界」を同時に生みだしたと捉えるほうが妥当なのではないか、ともいえる(Gascoigne 1994)。クックやラ・ペルーズらが探検航海に際して受けた訓令(「島を発見したら、その地形、景観、動植物、鉱物、土壌などを徹底的に調査し、さらにそこに住民が居ればその気質や人口などのあらゆる情報を記録して、領有を宣言せよ」)は、対象となる島をとにかく調べ、その知識を集成・体系化して「所有」せよ、という命令に他ならない。この訓令では、体系化された知識の「所有」がその島の「領有」を正当化し、島の知識の「所有」と島の「領有」は等号で結ばれていた(Dening 1996: 128-167)。つまり、探検航海は啓蒙思想の実践そのものだったといえるだろう。島を「領有」してのち、その島の知識を得るという手順ではなく、知識を得ることで他者を「領有」しようとする過程だった(グリーンブラット 一九九四：一九―二二頁、二三九―二四〇頁)。

ヨーロッパから歴史的・地理的に隔絶した「歴史なき人々」が住まうオセアニアの島々を、知識を獲得することによって「領有」しようとしたヨーロッパ人の歴史において、先に述べたブーガンヴィルとディドロらがしたように、「誤った知識」がオセアニアの人々をヨーロッパ人の啓蒙思想的・博物学的な想像力に野放図に晒し、気ままなイメージ化の餌食としてしまうような事態がたびたび起きた。ポリネシアのオタヘイテ島が「素朴で高貴な野蛮人」の住むユートピアならば、黒褐色の肌をもつメラネシア人は専制君主のようなリーダーに率いられた獰猛で野蛮な輩に違いないと断定され、オーストラリアの先住民は人間なのか動物なのかといった科学を装った愚問が投げかけられることもあった(Arvin 2019: 43-66)。

航海日誌という史料

一方、クック以降の航海日誌はヨーロッパの海事史と航海史のかなり正確な一次史料であるとともに、一八世紀後半以降のヨーロッパの科学的知見が詰まった科学史の一次史料でもある。さらに、その読み方を変えれば、航海日誌には船という空間とその周辺で起きたさまざまな歴史の出来事が折り重なって詰め込まれていることが分かる。

改めて考えてみると、海上での生活は、陸上で過ごす日常とは大きく異なっている。船は陸と海の狭間にある非常に小さな非日常的閉鎖空間であり、航海者たちはこの閉鎖空間から出ることができない日々を数年という長期間にわたって数十名の同乗者とともに過ごし、未知の島を目指して危険な航海を続けていく。そして、船上にはさまざまな思惑と緊張に支配された人間関係が内旋した。このように捉えてみると、航海日誌は極めて特殊なコミュニティを生きた当事者たちが、自らの手でその日常を書き記した一級の史料だということになろう。

バウンティ号(the *Bounty*)の航海の例を見てみよう。クックの第三回探検航海でレゾリューション号の航海長を務めていたブライ(William Bligh、一七五四―一八一七年)は、バウンティ号の船長として一七八七年一二月二三日にイギリスのポーツマス港を出帆した。航海の目的はタヒチ島でパンノキ(breadfruit tree)の苗木を大量に仕入れて、カリブ海西インド諸島のプランテーション経営者のもとに奴隷用食糧として届けることだった。喜望峰回りで八八年一〇月にタヒチ島に到着したブライは、すべての作業が完了するまで待機し、八九年四月四日にイギリスに向けてタヒチ島を出帆した。クックの探検航海では航海長として優れた仕事をしたと強く自負しながら、イギリスではそれが正当に評価されていないことに常日頃不満を抱いていたブライは、うっぷんを晴らすかのように航海の当初から乗組員たちの技能の未熟さをなじり、強く叱責して懲罰を与えてきた。この地獄を抜け出して、一刻も早くイギリスに戻りたいと考えていた多くの乗組員たちは、四月二八日、とうとうブライに反旗を翻し、ブライと彼に追従する一八名の船員を全長六メートルほどのボートに乗せてトンガ諸島沖で追放してしまった。バウンティ号はそのままタヒチ島に戻り、数名が下船した。ブライの旧友でもあったクリスチャン(Fletcher Christian)と八名はバウンティ号でタヒチ島から東南東に二一〇〇キロメートル以上離れたピトケアン諸島にたどり着いて、そこを終の棲家とすることにした。一方、ブライは命からがら一七九〇年三月にイギリスに到着した……というのが、世に知られたバウンティ号の反乱(the mutiny on the *Bounty*)という事件の顚末である。

ところが、ブライと関係者の航海日誌を詳細に読み解いた歴史人類学者のデニング(Greg Dening)は、航海中に交わされた会話、書き留められた心の声、デッキの上や海浜で繰り広げられたさまざまな駆け引き、ブライの「悪態」(bad language)の背景、ブライと船員たちの間に緊張が高まっていく場面などを一つ一つ拾い上げて検討したうえで、次のような解釈を展開した。ブライはイギリス海軍のなかでも最も穏やかな部類に入る船長だったと考えてよく、反乱はブライが船員に浴びせた悪態や懲罰が直接の原因なのではなかった、と。デニングは、反乱の原因はバウンティ号という「劇場」で進行した船上生活が「演劇的本質」を伴うものであったことをブライが見逃していたことにあった、と指摘する。ブライは曖昧な言葉遣いでの命令に終始し、ある場合には沈黙して乗組員の不安を煽る。彼は的確な判断と命令を下すことができないだけではなく、乗組員の自由時間の過ごし方や金の使い方に口を挟み、船大工が私物の大工道具を貸してくれないと烈火のごとく怒り、誰かがタヒチ人との交渉に成功して素敵な土産物を手に入れたと聞くとあからさまに嫉妬した。初めて船長としての役割を負った航海であったがゆえに、ブライは船長としての「役割演技」を十分に遂行することができず、そのことで乗組員は不満を募らせていったのだと指摘する(Dening 1988; Dening 1992)。

出遭いを読み取る

航海日誌は、イギリス人やフランス人の探検航海者たちと島の先住民との出遭いの場面が、時系列に沿って事細かに記録された歴史的な出来事のモノグラフとして読むことにも十分に耐えうる史料である(Salmond 1991; Salmond

1997; Salmond 2003)。

そこには、ヨーロッパの探検船に同乗してそれまでと異なる視点から自分の世界を捉える機会を得た島民、自分の島の知識を披瀝《ひれき》してヨーロッパの科学者や航海者を唸らせた島民、ヨーロッパまでの船旅を楽しんだ島民など、オセアニア先住民の近代初期におけるさまざまな経験が豊富に記録されている(Chappell 1997; Turnbull 1998: 117-32; Jolly 2007: 508-545; Fullagar 2012)。

探検航海者たちと島の先住民との出遭いの場面についての記録は、この歴史的な瞬間が多種多様な要素と状況を抱えていて、単純に初期接触の歴史として一枚岩のように総括して語ることが極めて困難であることを教えてくれる。出遭いの過程はヨーロッパの人々がオセアニアを「発見」した機会であるだけではなく、オセアニアの人々がヨーロッパの人々を「発見」した機会でもあり、何より、他者の発見が同時併行で起きた双方向的かつ重層的な出来事であったことを忘れてはならない(Meleisea and Schoeffel 1997: 119-120)。この出遭いの機会が暴力的な交戦を引き起こした場合もあれば、お互いに欲しいものをやり取りして補い合う実利的な交換の関係を紡いだ場合もある(Newell 2010)。降り立った海浜での島の光景や人々との出遭いが、ヨーロッパ人探検航海者に船を棄てて下船する(つまり、島に居ついてビーチコマー(beachcomber)になる)という決心を促した場合も少なくない(Maude 1964: 254-293)。

一方、ヨーロッパ人とオセアニアの人々は遭遇の時間と場所を共有してはいたものの、出遭いの経験はそれぞれの側で異なる意味を与えられ、異なる内容を持つ別な経験として位置づけられてきた。たとえば、一つの贈り物のやり取りでも贈り手と受け手の経験が異なるように、出遭いという出来事を間にはさんで、島に来たものと島に居たものの経験は異なると仮定する必要があるのである。

島に来たものと島に居たものは、それぞれに自前の哲学や認識の枠組みを駆使して出遭った他者の解釈を試みるが、その作業はたやすいものではなく、自前の枠組みを拡張し、改変し、ある場合には壊して、眼前の新たな存在に立ち向から必要に迫られることもある。そして、自前の枠組みの拡張・改変・破壊が、時として、自己理解のしかたを変更する必要を迫ることもあるだろう。デニングは、一八世紀後半、ポリネシア東部のマルケサス諸島におけるヨーロッパ人と島民の初期接触過程を分析するなかで、物理的にも象徴的にも境界的な領域となっている海浜を舞台とした他者との遭遇の過程、そしてヨーロッパ人が境界的な海浜を越えて島の内陸に足を踏み入れた瞬間は、フィールドワークに赴いた文化人類学者が調査地の人々と彼らが背負う「異文化」に出遭う瞬間(同時に、「異文化」の鏡に照らして「自文化」を省察する瞬間)に等しいものだったと考え、これを太平洋の歴史における民族誌的瞬間(ethnographic moment)と表現した(Dening 1980: 157-161; Dening 1996: 107)。

オセアニアの人々の姿は「素朴で高貴な野蛮人」の発見だっただけではなく、後々のジェンダー研究に影響を及ぼすことになる他者の「再発見」にヨーロッパ人を導いたこともある。一九九〇年代以降、多くの研究者たちが人間の「性」の在り方の多様性に着目し始めた。これは、ジェンダー(社会的・文化的な規範に基づく性別と性差の区分)について考える際には、女性と男性という明確に区分された二つのカテゴリーを自明のものとする二元論的思い込みを捨て去るべきだという警鐘でもあった(バトラー 一九九九)。女性と男性という二元論的ジェンダーの在り方は人間社会にとって普遍的なものではないとする議論の流れにおいて(Herdt 1994)、その実証的な根拠の一つを提供することになったのが、一八世紀後半にヨーロッパ人探検航海者が図らずも記録したポリネシア社会における「三番目のジェンダー」の姿だった。たとえば、クックが一七六九年にエンデヴァ号による第一回探検航海でニュージーランドに立ち寄った際の記録、コックス艦長(John Henry Cox)が率いたマーキュリー号(HMS *Mercury*)に乗船した海軍士官モーティマー(George Mortimer)が一七八九年にタヒチ島を訪れた際の記録、反乱に見舞われる直前のブライが同年にタヒチ島を訪れた際の記録、バウンティ号の反乱者たちを捕らえるためにエドワーズ艦長(Edward Edwards)が率いたパンドラ号(HMS *Pandora*)に乗っていたイギリス人医師ハミルトン(George Hamilton)が九一年にタヒチ島を訪れた際の記録——

こうした記録には、にわかには女性か男性かの判別がつかないポリネシア人少年の存在に関する記述があり、水夫が彼らを女性と思い込んで褥《しとね》に誘った話などが逸話として添えられていたりもする。一七八九年、ブライは航海日誌のなかで「オタヘイテによく見られるマフーと呼ばれる人々」("a class of people common in Otaheite called Mahoo")について、「彼は幼少時か少年になってから特に選別されて女性たちと生活を共にし、女性は彼を女性として扱い、彼は女性たちが従う規則を守り、同等に敬意を払われ尊重されている」と記している。タヒチやハワイの「マフー」(正確には *māhū*)は女性か男性かという二分法には当てはまらない境界的な存在でありながらも社会で正当な位置づけを与えられてきた人々のことであって、彼らの存在を理解することは現代社会におけるジェンダーの多様性を理解するための重要な手掛かりになると捉えられたのである(Besnier 1994: 288-295)。

同時併行で起きた双方向的かつ重層的な出来事としての他者の「発見」は、オセアニアの人々の側から捉えれば、異なった様相を呈してくる。たとえば、ポリネシア中央部に位置するクック諸島では、自分たちの島に降り立ったヨーロッパ人たちを見て、彼らを「パパア」(*papa'a*)と呼んだ。パパアとは直訳すれば「四層の重なり」を意味する表現だが、探検船から降りてきたヨーロッパ人航海者たちが衣服を何枚も重ね着している様子を捉えて、このような表現が生みだされたと伝えられている。

ポリネシアのサモアやトンガでは海と島によって成り立つ自らの世界を、神格が住まう幾層もの目に見えない天蓋によって覆われたものと理解していた。島の最西端の沖合の海面下には、王族・貴族層の死者の霊魂が霊界(プロトゥ *pulotu*)に出入りするための入口があると考えられてきた(Smith 1904; Williamson 1933)。そして、この見えない天蓋で幾重にも覆われた調和の世界に侵入してくる異人たちは「パパラギ」(*papālagi*)と呼ばれた。パパラギとはサモアやトンガなどのポリネシア語で「天空を切り裂くもの」を意味し、見慣れぬ異人たちの乗った船がいきなり水平線のかなたから現れ出でるさまを、天空を形成する幾層もの天蓋が突き破られ、切り裂かれるさまと捉えたことを上手く言い表している。

水平線や地平線がこの世界の輪郭を描き、その向こう側には精霊や神々が生きているというポリネシア人の宇宙観は、ハワイ島民とクックとの出遭いの瞬間において、彼自身にも降り注いだ。一七七九年二月一四日にクックはハワイ島で殺害されてしまったのだが、クックが同年一月一七日にケアラケクア湾に最初に上陸したときには、島民たちからさかんに「ロノよ」(*e Lono*)と呼びかけられて、驚くほどの歓待を受けたことがレゾリューション号の第二海尉だったキングらの日誌に残されている(クック 二〇〇五d：二六一―二六五頁)。「ロノ」とは、ハワイの神話で最上位に位置づけられる四神のうちの一柱で、降雨・農耕・豊穣を司る神(*akua*)のことである。ロノはハワイ人にとっての新年であるマカヒキ(*Makahiki*、一一月半ばから一月末ないし二月初旬までの期間に相当し、収穫と遊興の季節であり、雨期にもあたる)に島を訪れて新たな年の豊穣をもたらすが、ロノの季節外れの来訪は逆に島を未曽有の危機に陥れるので殺してでも食い止める必要があると信じられている。マカヒキ期間内の一月に来島したクックはロノとしてハワイ人に迎え入れられ、そして二月に許されざる再訪を犯してしまったために殺害されてしまった可能性がある。クックが殺害された十数年後に生まれたハワイ人の歴史研究者マロ(David Malo、一七九三―一八五三年)は、クックの乗った帆船の帆が、ロノ神が身にまとうとされるタパ(*tapa*、クワ科のカジノキなどの内皮から作った樹皮布)に見えたのではないかと指摘している(Malo 1951)。文化人類学者のサーリンズ(Marshall Sahlins)は、クック殺害に至る一連の出遭いの過程を、ハワイ島民の手によってロノ神の神話が実演された神話的現実(mythical reality)として捉えることを提唱している(Sahlins 1981)。

メラネシアにおける遭遇の逸話にも異質なヨーロッパ人の姿が登場する。一九三〇年に金鉱脈の探鉱者の一群がニューギニア島東部高地のゴロカ渓谷を抜けて西進していたおりに、初めてヨーロッパ人に出くわした地元住民たちは探鉱者たちのことを「徘徊しながら西に向かう祖霊や死霊」であると理解していた。そして、歓喜の涙とともに探鉱者たちを祖霊として自分たちの村落に迎え入れたという(Connolly and Anderson 1987)。こうして、オセアニアの島々における民族誌的瞬間は二〇世紀まで続いたのだ。

四、「新たな世界」の植民地化

イメージの激変

イギリスによるオーストラリア大陸の植民地化、イギリスの伝道協会によるキリスト教の布教活動、フランスのカトリック教会の布教活動と政治的参入などを経て、一八世紀末から一九世紀前半にヨーロッパ人のオセアニア入植が本格化すると、さまざまな局面でヨーロッパの人々とオセアニアの人々との間での接触が日常化した。キリスト教宣教師のほか、捕鯨船員、商人などの民間人もオセアニアの島々の懐に深く入り込んでいった(増田 二〇〇四：一一〇―一二九頁)。

ヨーロッパ人によるオセアニア世界への政治的・経済的・社会的・宗教的な介入が具体的に進行すると、単なる啓蒙思想的な他者理解や「所有」とイメージ化の次元を越えて、支配して従属させるべき劣った他者としてのオセアニアのイメージ化が進行していった。そして、元からオセアニアの島に居た人々は、新たに島に来て住み始めたヨーロッパ人の前に、一気に政治的・経済的・社会的・道徳的観点からマイノリティの位置へと押しやられていくことになった。それは、オセアニアの人々の生活そのものが大きく変容し始めることでもあった。

具体的な例を挙げるとすれば、次のようなものだろう。一八世紀の探検航海の道筋を追ってオセアニアに進出したキリスト教は一八世紀末から一九世紀にプロテスタントとカトリックとの宣教師間に対立と衝突を巻き起こし、信者の獲得競争を展開した。その過程で現地の島民と長きにわたって顔を突き合わせ、さまざまな絡み合いの経験を積み重ねていた宣教師たちの間には、「素朴で高貴な野蛮人」とは全く異なったオセアニアの人々のイメージが醸成されていった。それは「堕落したふしだらな野蛮人」とでも言えるイメージだった。ポリネシアのマルケサス諸島で八カ月間の布教活動を終えたアメリカ人の長老派教会(Presbyterian Church)牧師のアームストロング(Richard Armstrong)は、ハワイ諸島マウイ島に滞在していた一八三六年、次のように書き残している。

道徳の点で、マルケサス島民は、人間のうちでもっとも下等な部類に分類されねばならない。世界の他の地方に見られるいかなる形の堕落でも、マルケサス島民の恥知らずの邪悪さとは比べものにならないだろう。(中略)神や人間の権威を無視し、法も礼節も品位も持たない。他人との取引においては卑劣であり、その習慣や会話において不潔であり、その気質は野蛮で、人食い人種の教育を受けている。好意を施しても恩を知らず、敵に対しては残酷で、友人でも平気で裏切る。(増田 二〇〇四:一二七―一二八頁)

オセアニアに赴いたキリスト教の宣教師たちが書き記す言葉は、本国に送られ、ブーガンヴィルの言葉と同じように、ヨーロッパに住む人々の間に広がって浸透し、確実に「素朴で高貴な野蛮人」を駆逐していった。

オセアニアの分割

オセアニアの島々の植民地化は、一七世紀に先行したスペインによるミクロネシアの植民地化を除いて、おおむね一八世紀末に徐々に始まり、一九世紀末にほぼ完了した。当然のことかもしれないが、欧米列強によるオセアニアの分割は必ずしも円滑に進んだわけではない。たとえば、一八八〇年代からドイツ・イギリス・アメリカの三国がポリネシアのサモア諸島の領有権をめぐって争奪戦をくりひろげていた。一八八九年、サモアを三国の共同保護領とすることで争奪戦は一旦沈静化したが、九三年にドイツが単独領有権を主張したために領有問題が再燃した。そして、九九年の三国間協定により、イギリスはドイツからブーゲンヴィル島を除くソロモン諸島南西部を代償として得ることを条件にサモアから撤退し、ドイツが西サモアを、アメリカが東サモアを分割統治することとなった(Hiery and MacKenzie 1997: 1-8)。メラネシアのニューヘブリデス諸島ではイギリスとフランスの勢力がその分割を争ったため、一九〇六年にイギリスとフランスの共同統治領(condominium)となった。

ポリネシアのトンガは一八四五年以来ツポウ王朝(Tupou)の支配下にあり、一八七五年にツポウ二世(King George Tāufaʻāhau Tupou II、一八七四―一九一八年、在位一八九三―一九一八年)が憲法を起草して立憲君主制を確立した。一九〇〇年にイギリスとの間で不均衡な友好条約と保護領条約を結ばされて外交と国防をイギリスに委ねたものの、トンガは実質的な植民地支配を免れたオセアニアにおける稀有な例である。

第一次世界大戦(World War I、一九一四―一八年)の前夜、オセアニアの島々の植民地分割の具体的状況は以下のようだった(Firth 1997: 253-288)。ドイツは、メラネシアのニューギニア島北東部(一八八四年に植民地化。以下、括弧内の年号は領有・統治・保護領化などによる植民地化の年号をさす)・ビスマルク諸島(一八八四年)・ソロモン諸島北部(一八八四年)、ポリネシアの西サモア(一八九九年)、ミクロネシアのマーシャル諸島(一八八五年)・ナウル島(一八八八年)・カロリン諸島(一八九九年)・パラオ諸島(一八九九年)などを手中に収めていた。イギリスは、ポリネシアのケルマデック諸島(一八八七年)・クック諸島(一八八八年。一九〇一年にニュージーランド領)・クリスマス島(一八八八年)・フェニックス諸島(一八八九年)・ギルバート諸島(一八九二年)・エリス諸島(一八九二年)・ニュージーランド(一九〇七年自治領)、メラネシアのフィジー諸島(一八七四年)・ニューギニア島南東部(一八八四年。一九〇六年にオーストラリア領)・ソロモン諸島南西部(一八九九年)・ニューヘブリデス諸島(一九〇六年英仏共同統治領)、ミクロネシアのマリアナ諸島(一八九九年)、オーストラリア(一九〇一年自治領)などを勢力下に置いていた。フランスは、東部ポリネシアのマルケサス諸島(一八四二年)・タヒチ島(一八四七年)・ツアモツ諸島(一八五八年)を領有し、メラネシアのニューカレドニア(一八五三年)・ロイヤルティ諸島(一八五三年)・ニューヘブリデス諸島(一九〇六年英仏共同統治領)にも進出拠点を得た。アメリカは、ポリネシアのミッドウェー諸島(一八六七年)・ハワイ諸島(一八九八年)・パルミラ島(一八九八年)・東サモア(一八九九年)、ミクロネシアのグアム島(一八九八年)を手中にした。オランダはニューギニア島西半部(一八二八年)を植民地とした。

その後、第一次世界大戦でドイツが敗れたため、一九二〇年、その植民地が国際連盟の委任統治領(mandated territory)として分割され、西サモアはニュージーランド、ニューギニア北東部はオーストラリア、ドイツ領ミクロネシアは日本が、それぞれに委任統治することになった。またドイツ領ナウルはイギリス・オーストラリア・ニュージーランドの三国の委任統治領となったが、施政権はオーストラリアが握って統治を行った。

日本がミクロネシアの委任統治を開始するにあたっては、第一次世界大戦時からの経緯が絡んでいた。一八九九年の時点でドイツはミクロネシアのマーシャル諸島、カロリン諸島、ナウル島、パラオ諸島、グアム島を除くマリアナ諸島を植民地としていた。一九一四年八月に第一次世界大戦が始まると、日英同盟下にあった日本はドイツとの国交を断絶してこれに参戦した。日本陸軍がドイツのアジア軍事拠点である中国山東省青島に攻勢を仕掛け、さらに日本海軍がドイツ東洋艦隊を牽制しながらドイツ領ミクロネシアの占領を開始した(大江 一九九八：一一七頁)。そして、日本海軍の陸戦隊は九月二九日、マーシャル諸島ヤルート島(現ジャルート島)を皮切りに、カロリン諸島クサイ島(コスラエ島)、ポナペ島(ポーンペイ島)、トラック諸島(チューク)、コロール島、ヤップ島、そして一〇月一四日にマリアナ諸島サイパン島に至るまで一気呵成に西進してドイツ領ミクロネシアの拠点を「無血占領」した。この一連の作戦は迅速かつ目立った抵抗もないままに進められ、一般にも何ら公表されることなく行われた(ピーティー 一九九六：七三―七五頁)。当初、日本の外務省も対米関係の悪化を懸念して、ドイツ軍陸上施設の破壊を終えた時点で撤退することを表明し、ミクロネシアすなわち南洋群島の「永久占領」を行わない方針をとっていたが、現地艦隊の強硬意見に押されて占領へと方向を転じた(大江 一九九八：一一七―一一八頁、酒井 二〇〇七：七一頁)。海軍陸戦隊は特別措置によって送り込まれた文官との協力によって「厳正かつ効率的」な日本統治体制の基盤整備に尽力した。ドイツ軍掃討完了後の一二月二八日には「臨時南洋群島防備隊条例」が公布され、トラック諸島に臨時南洋群島防備隊司令部が置かれて南洋群島占領地における日本海軍の軍政が始まった。そして、日本による南洋群島の軍政統治は一九二二年三月三一日にパラオ諸島のコロール島に南洋庁が設置されるまで八年間続いた(等松 二〇一一)。

第二次世界大戦(World War II、一九三九−四五年)では、一九四一年一二月八日の日本軍のコタバル上陸とハワイの真珠湾攻撃を皮切りに、アジア・太平洋地域における日本とアメリカ・イギリスなどの連合国の間で太平洋戦争(アジア・太平洋戦争)が起こった。この戦争では、日本のミクロネシア委任統治領(南洋群島)の全域はもとより、ニューギニア島やソロモン諸島などのメラネシアにも戦場が広がり、戦争は島々を破壊し、島民にも多くの犠牲を強いる激戦が続いた。戦争の経験は、戦場となったオセアニアの島々で口伝えの歴史として後世に受け継がれているだけではなく、ニュージーランド軍の徴兵に応じてニュージーランド兵として参戦したマオリや、当時ニュージーランド植民地だった西サモアやクック諸島から徴兵された島民らの歴史語りとしても残り、戦場だった島々を越えてオセアニアの島々に受け継がれている(White and Lindstrom 1989)。

第二次世界大戦後には、オランダ領のニューギニア島西半部はインドネシア領に組み込まれ、敗戦した日本のミクロネシア委任統治領は国際連合の太平洋諸島信託統治領(the Trust Territory of the Pacific Islands)としてアメリカの統治下に入った。そして、「平和の海」は欧米の「核の実験場」と化し、二一世紀の現在も深刻な核被害が続いている(竹峰 二〇一五)。信託統治領となったマーシャル諸島のビキニ環礁とエヌエタック環礁では、核戦力を背景にソヴィエトとの間で冷戦を繰り広げていたアメリカが一九四六−五八年に合計六七回の核実験を行った。冷戦下では、一九六六年にフランスもフランス領ポリネシア・ツアモツ諸島で核実験を開始し、一九八九年一二月に米ソ両国首脳が東西冷戦終結を宣言した後も含めて、一九九六年までの三〇年間に同諸島のムルロア環礁とファンガタウファ環礁において合計一九三回の核実験を行った。

植民地支配の実相

第二次世界大戦前までは、ヨーロッパ諸国や日本の植民地支配がオセアニアの人々の近代化にとって多大な利益をもたらしたとする考え方が、一部の文化人類学者や宣教師を除いて、国際社会の見解の大勢を占めていたと言ってよいだろう。一方、戦後、一九六〇年代にオセアニアにおいて脱植民地化の趨勢が強まると、それまでとは真逆の見解が強調されるようになった。植民地支配はオセアニアの人々にとって災厄以外の何物でもなく、伝統文化と伝統的信仰の活力を奪い、異質で抑圧的な労働規律やキリスト教の信仰を押しつけ、オセアニアの人々を一方的に周辺化して搾取するグローバル経済の渦中に引きずり込んだという見解である。しかし、オセアニアの歴史における植民地支配のなかに、首尾一貫した政治的思想・言説・実践を伴って鉄板のような影響力を維持した植民地支配体制が存在したことを見出すのは幾分困難だと言わざるを得ない。

たとえば、一四九二年のコロンブスのバハマ諸島発見に始まるアメリカ大陸の「発見」によって、大西洋海域世界には「コロンブス交換」(Columbian Exchange)とも呼ばれるような大規模で急激な変化が引き起こされた。ちなみに、「コロンブス交換」とは歴史学者クロスビー(Alfred W. Crosby Jr.)が提唱した概念で、コロンブスが「新大陸」に到着して以降、大西洋を通じてヨーロッパ、アフリカ、アメリカの三大陸間で疾病(麻疹、天然痘、インフルエンザ、おたふくかぜ、チフス、百日咳など)・動物(馬、豚、牛、山羊、羊など)・植物(トウモロコシ、ジャガイモ、キャッサバ、サツマイモなどの主食、トマト、ピーナッツ、カボチャ、パイナップル、唐辛子などの二次食用作物、タバコなどの嗜好品)の交換が起き、その後の世界歴史が大きく変貌したことを指す(Crosby 1972)。一方、一五二〇年以降の太平洋海域世界において大規模で急激な「マゼラン交換」は起こらなかった(Armitage and Bashford 2014: 9)。

また、大西洋海域世界では南北アメリカ先住民とアフリカ人の奴隷化が起き、一五九五年から一八六六年の間におよそ一一四〇万人の奴隷がアフリカから新大陸に送り込まれた。一方、太平洋海域世界にも労働者が集められたが、オセアニアの人々がオーストラリアのクィーンズランド、フィジー諸島、サモア諸島、ハワイ諸島、ニューカレドニアに建設されたサトウキビ・プランテーションなどに送り込まれたのは一八四〇年代から一九一五年頃にかけてのことだった。この労働交易(labour trade)で徴集されたオセアニアの人々は二八万人から三〇万人程度に上ったと考えられ、人権を無視した暴力的な奴隷化の側面が多分にあったものの、奴隷制度が世代を超えて継承されることはなく、自由意志で望んで労働に参加した者も少なくなかった(棚橋 一九八九：一六五―一七三頁)。

それに加えて、太平洋海域世界ではヨーロッパ各国や日本による植民地の分割と獲得合戦が二〇世紀まで続き、広大な海域に分散する島々では、宗主国の異なる政治理念と異なる植民地主義の思想(直接統治か間接統治か)、あるいは、異なる宗教的思想のもとに、複数の異なる植民地支配が併行した。二〇世紀後半の脱植民地化と独立によってオセアニアでは短期間のうちに多くの新興国家が歩みを始めたが、植民地支配の複数性に対応するように、一方では、二一世紀の今もオセアニアには、植民地支配の「痕跡」が色濃く残るフランス領ポリネシア(フランスの海外共同体／海外準県 collectivité d'outre-mer の一つであり、海外領邦 pays d'outre-mer)、フランス領ウォリス・フツナ(フランスの海外共同体／海外準県)、フランス領ニューカレドニア(フランスの特別共同体 collectivité sui generis)、イギリス領ピトケアン諸島(イギリスの海外領土 overseas territory)、アメリカ領サモアとグアム(アメリカの非併合領土 unincorporated territory)、ニュージーランド領トケラウ(ニュージーランドの非自治領土 non-self-governing territory)などが存在する(Aldrich and Connell 1988)。

それゆえ、オセアニアにおける植民地主義と植民地支配の影響は、支配体制の詳細を検討し、同時に、外部世界からオセアニアの島々に到来したさまざまなタイプの来訪者・入植者・定住者たちの特質をその来歴や行動の具体例に即して検討する作業を経て、個別的な歴史の出来事(event)の積み重ねとして解明を進めていく必要がある(棚橋 一九九七、棚橋 一九九八b、棚橋 一九九九)。

まず、オセアニアの植民地支配の実相を理解するためには、植民地権力の限界と制約を適切に捉えることが求められる。たとえば、第二次世界大戦終結後にあっても、オセアニアの人々の三分の一以上が植民地支配の勢力外にいたか、実質的な影響を被ることがなかったと推測されている(Firth 1997: 254)。特にニューギニア島の高地部には、二〇世紀中頃になって、ようやくヨーロッパ人との出遭いを経験した社会も多かった。たとえば、一九三三年にオーストラリア生まれの探検家リーヒー(Michael James Leahy)と植民地行政官らの一行がオーストラリア領ニューギニアの東部高地をマウントハーゲン近郊まで踏査した際に、それまでオーストラリア植民地行政府に全く知られていなかった数十万人もの現地住民の存在を初めて確認したという。そして、リーヒーの報告を得たオーストラリア植民地行政府は急遽、同高地を非統制地域(uncontrolled area)に指定して、探鉱者や宣教師の立ち入りを禁止した。

この出来事の話には後日譚があって、ニューギニア島東部高地の辺縁地域を最初に訪れた「外来者」は、一九三三年のリーヒーら一行ではなく、一九二〇年代に同地を訪れたニューギニア島沿岸部出身のルーテル派教会(Lutheran Church)の現地人巡回牧師だったらしい(Firth 1997: 254)。

オセアニアの植民地支配体制の実相をめぐっては、この後日譚にもあるように、キリスト教布教との関わりで他の地域や島からやって来た「外来者」としてのオセアニアの人々がもたらした影響に着目することが重要である。すでに述べたとおり、当初タヒチ島に拠点を築いたイギリス会衆派系の伝道協会(ロンドン伝道協会)がタヒチ人宣教師をサモア諸島やクック諸島などに送り込んでキリスト教の布教を図り、さらにその地で育成された現地人宣教師がニューギニア島・フィジー諸島・ツバルなどに送り出された。伝道協会を通じてツバルに移住したサモア人は宣教師を含めてかなりの数にのぼり、両大戦間期にはツバルのサモア人人口はツバル人人口を凌駕するまでになっていた。ツバルでは(同じポリネシア系言語だとはいえ)、ツバル語ではなくサモア語がキリスト教会で用いられる公用語となり、サモア人牧師たちが最高位を占めていたため、伝道協会の会衆派系の道徳観だけではなくサモア社会の伝統的価値観が福音の内容に組み込まれていたという。この教会のサモア派閥に対抗すべく、一九四一年にツバル出身の牧師であるルシア(Lucia)がツバル語を公用語とする独立教会設立運動を立ち上げ、サモア派閥がこの対抗運動を鎮静化することに奔走したという事態も起きた(Laracy 1983)。

伝道協会に限らず、キリスト教会各派は概して潤沢な資金源を背景に影響力を保持し、ヨーロッパの宗主国の官吏や軍人よりも早く、そして深くオセアニアの懐に飛び込んで、ある場合には植民地統治の作業にも手を染めながら、その後の植民地行政府の建設にとって実質的な地ならしを行う役目も果たしていた。このことが顕著だったのはニューヘブリデス諸島アネイチュム島の例である。英仏共同統治が開始される一九〇六年よりもおよそ半世紀前の一八四八年に、原理主義的なプロテスタントの長老派教会が布教活動を開始した。布教を担ったスコットランド系カナダ人の牧師ゲディ(John Geddie)は、沿岸部にキリスト教徒の村を作り、そこに神学校を開いて地元民の宣教師を育成し、「内陸部の異教徒」の改宗に従事させた。このようにしてアネイチュム島の沿岸部には、あたかも「神権政治」(theocracy)の空間が確立されていたという(Linnekin 1997: 198-199)。一方では、ニューヘブリデス諸島中部のペンテコスト島のように、沿岸部のカトリック教徒(*skul*)と内陸部の慣習維持派(*kastom*)との間に分断と争いが絶えず(吉岡 二〇〇〇：一五九—一六九頁)、「神権政治」の押し付けに対する反発が生み出す「内戦」状態も珍しくなかった(Firth 1997: 255)。

オセアニアの島々においては、キリスト教宣教師の存在は植民地行政官よりも一層重要な「近代化」の仲介者であったと考えるのが妥当ではなかろうか。オセアニアの人々は、植民地行政官ではなく、その土地の言語と慣習を学んで定着し、読み書き能力を授けてくれる宣教師にヨーロッパ人の望ましい在りかたを見て取り、植民地行政府よりも、プランテーション・工作場・学校・菜園などを周辺に備えたキリスト教の伝道拠点をヨーロッパ世界が集約的に具現化された空間として理解していたのではないだろうか。

ポリネシアの多くの地域では、ポリネシア人の宣教師が、キリスト教と地域社会の慣習・伝統をまるで地続きのものであるかのようにつなげて見せた。たとえば、キリスト教の言葉を島社会の慣習的な神格概念、身分階層、地位、ジェンダー関係など馴染みのあるポリネシアの考え方に当てはめ、キリスト教の教義や規範を慣習的な首長制の考え方に移しかえて説明し、島民の理解と受容を促した。あるいは、教会の礼拝では、女性と男性、首長層と平民層をそれぞれ別な場所に座らせることで、ポリネシアに以前からある社会的な秩序編成の作法(すなわち、伝統的慣習)をキリスト教の文脈において新たに顕在化させた。そして、もともとライバル関係にあった地域の社会集団に対し礼拝時に集める献金額を競わせ、教会をあえて競合の場に仕立てて改宗を煽りもした(棚橋 一九九八 a)。

キリスト教会各派とは対照的に、本国から独立採算を命じられることが多かった植民地行政府は実のところ統治を支える日常的な資金の確保にも苦労することがあったようだ。たとえば一九三〇年代において、本国から比較的余裕のある運営資金を得ていたのは日本のミクロネシア委任統治領、オーストラリア領のニューギニア島、ニュージーランド領のクック諸島など数えるほどしかなかった。一九三九年にポリネシアとミクロネシアにまたがるギルバート・エリス諸島を訪問したイギリス本国から来た植民地行政官は、同諸島の行政官や医務官が任務で島の間を移動するときに、彼らが商人の交易船や宣教師の船を「ヒッチハイク」する姿を目《ま》の当たりにして衝撃を受けた、と書き記している(Macdonald 1982: 124)。

植民地支配への抵抗

たとえ内実は「火の車」だったとしても、植民地行政府による抑圧的な支配に対してオセアニアの人々はさまざまな政治的抵抗を示した。よく知られているのは、メラネシアの例であろう。一九世紀後半以降のメラネシアでは、植民地行政府が課す規則、労働、人頭税の支払い等々を拒否しようという運動や、植民地支配に対して住民の自治と平等の実現を訴える民衆運動が多発した。

初期には、メシア的な預言者のリーダーシップのもとで儀礼を行い、呪術による植民地世界の操作を試みるという運動が顕在化した。また、日常の労働をすべて放棄して家も畑も何もかも破壊し、「白い肌をした祖先」がヨーロッパ製の物品などの積荷を満載した船とともに来臨して、地域の人々に物質的な豊かさと精神的により良い生活をもたらしてくれる瞬間をひたすら待つという運動も広がった。そのため、メラネシアの民衆運動は、キリスト教の終末論の一形態である千年王国論(millenarianism)に類する思想に支えられた「狂信」あるいは「奇異な宗教運動」としてヨーロッパ人行政官らに理解されることが多く、カーゴカルト(積荷信仰 cargo cult)とも総称された(ワースレイ 一九八一)。

他方では、「狂信」というラベルが全くそぐわない組織的な運動も随所で展開した。イギリス領フィジーでは、一九一〇年代にアポロシ・ナワイ(Apolosi Ralawaki Nawai、一八七六?―一九四六年)が、フィジー人によるフィジー人のための会社設立を目標に、反植民地的かつ政治的・経済的な自立目標を掲げたヴィティ・カンバニ運動(Viti Kabani Movement)を率いて多数のフィジー人の支持を得た(春日 二〇〇一)。ニューギニア島沖、ビスマルク諸島北部のアドミラルティ諸島マヌス島を拠点に一九四六年から五四年にかけて主導者パリアウ(Paliau Maloat、一九〇七―九一年)のもとに展開したパリアウ運動(Paliau Movement)は代表制の原住民村議会(native village council)を設立し、村落の行政制度を独自に考案して、生活改善と社会改革を図った(Otto 1992)。ソロモン諸島では一九世紀末から反イギリス植民地支配の意識が強く、第二次世界大戦後に数千人規模の賛同者を得た示威行動が繰り返され、新しい秩序を持ったタウン(town)を建設して白人と黒人(メラネシア人)が同じ身分で協働できるような世界を築くことを目指した反植民地支配の政治的・宗教的運動が展開して、マアシナルール運動(Maasina Rule Movement)と呼ばれた(Akin 2013)。

個々の運動の背景には多元的で複雑な思いがあり、植民地支配の体制に対する抵抗を表すかたちは多様、目的を達成するための手段や方法も多様であり、メラネシアの民衆運動は多様性(diversity)というよりも複数のかたち(plurality)をもって展開したと表現するほうが適切であろう。この複数性は、メラネシアにはニューギニア島だけで一〇〇〇近い少数話者言語がモザイク状に分布していて、多数の小規模な言語地域集団が林立する社会状況とも深く関わる。メラネシアでは、植民地行政府と地域住民との間に単純明快な二項対立の図式を持つ民衆運動が組織化されていくことは稀で、林立する地域集団が抱えるさまざまな差異と葛藤を乗り越えて、広域で一つの抵抗の声をまとめあげていくという作業がまず至難の業だった。それゆえ、人びとが広域にわたって参集したがゆえに、個々の地域集団が抱える差異と葛藤が逆に鮮明化され、すぐに対立・分裂してしまうという事態も頻発した。

ポリネシアに目を転じれば、そこにも異なった抵抗のかたちが見えてくる。ドイツ領、そしてニュージーランド領であった西サモアではマウ運動(Mau Rebellion/*Mau a Pule*)が起こった(Meleisea 1987; Firth 1997: 257-260)。マウ運動とは、一九〇八年から〇九年に、西サモアのサバイイ島の有力な儀礼首長であったラウアキ・ナムラウウル・マモエ(Lauaki Namulau'ulu Mamoe、生年不詳―一九一五年)によって率いられた反植民地行政府運動である(山本 二〇〇〇：二九八―三〇〇頁)。運動名が冠する「マウ」とは、首長のような伝統的指導者の「意見」を意味するサモア語で、ラウアキがドイツ植民地行政府に対して行った異議申し立ての示威活動を指したものと理解される。西サモアの初代総督ゾルフ(Wilhelm Solf)は一九〇三年に土地権原委員会を設立して西サモアの社会制度への介入を図り、一九〇五年にそれまでの地域首長会議を解体して、植民地行政府の諮問機関であり代議員会の機能を果たすような新たな首長会議を創設した。また、地域の経済開発もドイツ通商農業会社などの大企業への一極化を図った。西サモアの伝統的首長勢力はこのゾルフの動きに不満を抱きはじめたが、そうした不満の異議申し立てを行動に移したのがラウアキらであった。彼らはサバイイ島周辺に戦闘用カヌーをくりだして示威活動を展開したが、これに対してゾルフは戦艦三隻を派遣して鎮圧に乗り出した。結局、ラウアキらは植民地行政府に投降してサイパンに流され、マウ運動は無血のうちに終結した。第一次世界大戦でのドイツ敗北により、一九二〇年、西サモアは国際連盟の委任統治領としてニュージーランドの統治下に入った。一九二三年に総督に着任したリチャードソン(George Spafford Richardson、一八六八―一九三八年)はサモア語を学んで地元の意見に耳を傾け、首長会議を合法化して支援する「善き植民地行政官」だった。しかし、頻発する文化のすれ違いをすべて回避することはできなかった。一九二六年、リチャードソンは、伝統的称号を有する首長(*matai*)の後継者について、従来の親族集団(*'āiga*)での協議による選出をやめて、首長自身が指名する方式に変更することを提案した。これにはリチャードソンに親近感を抱く首長会議も困惑した。そして、同年、ふたたび異議を申し立てるマウ運動が、今回は大規模に組織化されて立ち上がった。新生マウ運動(*O le Mau*)は「サモア人のためのサモア」(*Samoa mo Samoa*)をスローガンに、組織的な不服従運動を展開したが、皮肉にもこのスローガンはもともとリチャードソンが彼の施政方針として提唱したものだった(Davidson 1967)。一九二八年にリチャードソンは総督を離任したが、マウ運動の抵抗が終息したのは、ニュージーランドの政権を得た労働党が将来の西サモア独立を指示する方針を打ち出した一九三六年のことだった。この二つのマウ運動には、植民地行政府と地域住民との間にある関係を「支配する側」と「支配される側」といった単純な二項対立の図式に置き換えることができないという特徴があり、一見異なる社会的位置を占めていて対抗するように見えるものの声が混ざりあいながら一つの方向に収斂《しゅうれん》していく過程を指摘することができる。

五、歴史を取り戻す

なぜそのような今があるのか

現在のオセアニアの世界にはさまざまな政治体制の国と地域があり、国境によって分断されている。独立国(オーストラリア連邦、ニュージーランド(アオテアロア)、サモア独立国(旧西サモア)、トンガ王国、ツバル、フィジー共和国、パプアニューギニア独立国、ソロモン諸島、バヌアツ共和国(旧英仏共同統治領ニューヘブリデス諸島)、ミクロネシア連邦、パラオ共和国(ベラウ)、マーシャル諸島共和国、ナウル共和国、キリバス共和国)、アメリカの州(ハワイ州)・非併合領土(アメリカ領サモア、グアム)・自治領(北マリアナ諸島)、インドネシアの州(ニューギニア島西半を占めるパプア州、西パプア州、中部パプア州、山岳パプア州、南パプア州、南西パプア州)、チリの特別領土(イースター島(ラパ・ヌイ))、ニュージーランドの自由連合国(クック諸島、ニウエ)・非自治領(トケラウ)、フランスの海外領邦(フランス領ポリネシア)・海外共同体(ウォリス・フツナ)・特別共同体(ニューカレドニア)、イギリスの海外領土(ピトケアン諸島)と、それぞれに多様な政治体制のもとにある。

一方、現在属する政治体制は異なるものの、オセアニアの人々は植民地支配の歴史をめぐって共通する思いを経験してきた。すなわち、オセアニアの人々は、太平洋海域世界に進出してきた外部勢力がもたらした植民地支配に抗し難く屈服し、宗主国に従属する社会と生活への大きな転換を経験し、英語やフランス語などのヨーロッパ語の優先を強いられ、祖先から継承されてきた言語の使用が制限され、島の土地、海浜、近隣の海などの環境や資源の自律的な利用がままならなくなり、自己の文化を享有する権利を奪われ、自尊心の喪失に苛まれてきた。

このような歴史の流れにおいて、オセアニアの島々では、自分たちの歴史を取り戻そうとする意識が実践を伴って高揚していった。脱植民地化への希求が高まりを見せ始めた一九六〇年代後半以降のオセアニアでは、個々の国や地域の個別具体的な状況に応じて生み出されたマイノリティとしての今のオセアニアの政治的・経済的・社会的な位置づけを改めて見つめ直す機運が徐々に高まっていった。そして、「なぜそのような今があるのか」について疑問を呈し、マイノリティとなった先住民当事者が自らの手で、太平洋の海の歴史と島の歴史とをつないでオセアニアの人間の歴史を捉え直し、自らの口で語り直そうとする動きが顕在化していった。以下ではオーストラリアとハワイの事例を取り上げて、歴史を取り戻そうとする実践の一端について概観してみたい。

奪ったものは返せ——オーストラリア先住民の土地権裁判と「盗まれた世代」

イギリスのオーストラリア植民は、一七八八年に先住民の慣習的な土地権の一切が否定されてオーストラリアを「無主の地」と認識するところから始まった。先住民アボリジニ(あるいは、アボリジナル・オーストラリアン Aboriginal Australian)はそれまで旧大陸の伝染病に接触したことがなく、入植者がもたらした天然痘に類似の感染症、インフルエンザ、麻疹などによる人口激減に見舞われた。特に入植者の多かった現在のヴィクトリア州とニューサウスウェールズ州では生活基盤となる土地を失って多くの先住民集団が消滅し、一九世紀半ばまでにタスマニア島の先住民はほぼ全滅した。入植開始時に五〇万人から一〇〇万人いたと考えられるアボリジニは、一九二〇年頃にはおよそ七万人を数えるにすぎなかった。その後、アボリジニの人口は徐々に増え、一九九六年にはおよそ三五万人(オーストラリア総人口のおよそ二%)に回復したが、それでも総人口の九八%は一七八八年以降の移民の子孫によって構成されていた(藤川 二〇〇〇:七九—八〇頁)。

一九〇一年のオーストラリア連邦発足後、先住民は各州政府管轄下に「保護」されることになった。しかし、アボリジニの地位改善に向けた実質的な取り組みが始まるのは彼らに選挙権が認められた一九六〇年代以降のことで、仲裁裁判所が平等な賃金支払いを命じたのが一九六五年、センサスでカウントしてオーストラリア国民であることを認めるように憲法が修正されたのが六七年だった(藤川 二〇〇〇:一三七頁、一六〇—一六一頁)。

徐々に権利回復が進む一方、先住民の土地権や生活の改善に対する政府の関心は非常に低いものだった。こうした流れのなか、一九八二年にオーストラリア北部のトレス海峡諸島マレー島メリアムの先住民エディ・マボ(Eddy Mabo、一九三六—九二年)がクィーンズランド州政府を相手に起こした訴訟は、オーストラリアにとって大きな転換点となった。マボは、一七八八年のイギリス人の入植開始以来、過去二〇〇年間否定されてきた先住民の慣習的土地権と、先住民としてのさまざまな社会的行為を根源から保障し正当化する先住権原(native title)を認めることを求めた。連邦最高裁判所の判決が下されたのは一九九二年だった。一般に「マボ判決」として知られる裁定では、オーストラリア先住民の慣習法上の土地権が史上はじめて正式に確認され、入植時のオーストラリアを「無主の地」とした歴史が公的に否定された。一九九三年には先住権原法(Native Title Act 1993)も成立して、先住民の土地権の回復とともに彼らの歴史も回復された(Keon-Cohen 2000: 893-951)。

また、一八六〇年代から一九六〇年代までのおよそ一〇〇年間、オーストラリアでは政府や教会が先住民の子どもたちを親や家族から強制的に隔離して四八〇カ所以上の施設に「保護」し、英語とヨーロッパ人の生活様式を学ばせるという、同化政策が広範に実施された。正確な実数は不明だが、家族から引き離された先住民の子どもたちは数万人以上におよぶとされ、彼らは言語と文化を、そして家族との生活を「盗まれた世代」(the Stolen Generations)とも呼ばれている。一九九〇年代以降、この「盗まれた世代」をめぐる問題が広く社会的な論争を呼び、オーストラリアの歴史を先住民の立場から捉え直し、それに基づいて正式な謝罪と補償を行うことを訴える動きが進んだ。一九九五年から九七年に連邦政府人権及び機会均等委員会は「盗まれた世代」の全国的なインタビュー調査を実施して五〇〇頁を超える報告書を公表し、オーストラリアの負の歴史を明らかにした(Human Rights and Equal Opportunity Commission 1997)。一九九八年に先住民への謝罪を表す署名を募る草の根運動(the Sorry Book Movement)が起こり、報告書公表の一年後にあたる同年五月二六日に第一回 National Sorry Day が催され、二〇〇〇年五月二八日に二五万人がシドニー・ハーバー・ブリッジを渡って行進し、先住民との和解と連邦政府の公式謝罪が市民からも訴えられた。

二〇〇〇年九月一五日に開幕したシドニー・オリンピックで先住民の陸上選手フリーマン(Cathy Freeman、一九七三年—)が開会式で聖火の点火走者を務め、女子四〇〇メートルで金メダルに輝いた。先住民の立場からこれまでのオーストラリアの歴史とそれに関わる記憶を正面から見据え直し、先住民への謝罪とともに先住民と非先住民との間の和解を進めていこうとする機運を背景に、フリーマン選手の姿はオーストラリアが向かうべき将来を指し示す象徴的な存在として受け止められた。オリンピック閉会式では黒地に白く「Sorry」とプリントしたTシャツを身に着けた多くのヨーロッパ系の人々の姿が目についたが、これは国家によるSorry Dayの制定を望む人々が示したメッセージだった。そして、二〇〇八年二月一三日、ラッド首相(Kevin Rudd、一九五七年—)はオーストラリア議会を代表して「盗まれた世代」のすべての人々に対して公式に謝罪を行った。

歴史を語るのはお前らではない——ハワイ人主権運動と歴史実践の主体

一八四〇年一〇月八日、カメハメハ三世の治世下でハワイ憲法が公布され、立憲君主制の近代国家としてハワイ王国は生まれ変わった。しかし、ハワイ併合を目論んでいたアメリカは、宣教師や実業家と結託しながら王朝の転覆を画策し、まずは一八九三年一月一七日にハワイ生まれの実業家ドール(Sanford Ballard Dole、一八四四—一九二六年)を首班とする暫定政府を樹立して、女王リリウオカラニ(Lili'uokalani、一八三八—一九一七年、在位一八九一—一八九三年)に廃位を勧告した。アメリカ併合に持ち込む中間段階として、暫定政府は一八九四年七月四日に新憲法を発布し、ドールが大統領に就任してハワイ共和国の誕生を宣言した。そして九八年七月七日、アメリカ大統領マッキンリー(William McKinley、一八四三—一九〇一年)が調印してハワイ共和国のアメリカへの併合が達成され、一九〇〇年六月にハワイ共和国が消滅するとともにアメリカ海外領土としてのハワイが誕生、ドールは横滑りして初代ハワイ領知事の地位に就いた(中嶋 一九九三：八二—一〇七頁)。

ハワイ王朝転覆一〇〇周年を迎えた一九九三年、アメリカ合衆国上下両院は一一月二三日に、合衆国の代表者と市民がハワイ王国の転覆に加担したことを認めて、先住民ハワイ人(一七七八年以前に現在のハワイ州に居住し主権を行使していた者の子孫)に対して謝罪することを決議した(Public Law 103-150、通称一九九三年謝罪決議(the 1993 Apology Resolution))。決議はアメリカ大統領が過去の過ちを認めて先住民ハワイ人との和解を進めることを求め、クリントン大統領(William Jefferson Clinton、一九四六年—)がこれを承諾した。

一方、ハワイ王朝転覆一〇〇周年の前後には、王朝転覆を画策したアメリカの植民地主義を批判し、連邦政府の謝罪だけではなく、奪われてしまったハワイ人の主権を実際に回復しようとするハワイ人主権運動(Hawaiʻian Sovereignty Movement)が活性化した。当時その運動を牽引した代表的な団体の一つがカ・ラーフイ・ハワイイ(*Ka Lāhui Hawaiʻi*)だった(中嶋 一九九三：三二七)。ハワイ大学で政治学とハワイ研究の教授を務めたハウナニ＝ケイ・トラスク(Haunani-Kay Trask、一九四九—二〇二一年)と弁護士のミリラニ・トラスク(Mililani Trask、一九五一年—)の姉妹が主導したこの団体は一九八七年に結成された。運動はアメリカという国家の枠組みを棄ててハワイ民族を再生することと、団体名が示すようにハワイ人の独立国家建設を目指して、憲法を起草した(Wong-Wilson 2005: 142-156)。カ・ラーフイ・ハワイイは「一四〇〇年前にハワイ諸島に着いた最初の人々とその子孫」を正統な先住民ハワイ人(Native)と規定し、「一七七八年のクック来島以降にハワイ諸島に着いた人々とその子孫」を非先住民(Non-Native)と規定した。クックが来島するまでハワイ人は最高位首長(*aliʻi nui*)のもとにタロイモを育て、漁労に勤しみ、土地と海の恵みを分かち合い、アロハ(*aloha* 慈愛)とオハナ(*ʻohana* 強く深い絆で結ばれた関係)に満ちた平和な世界に生きてきたという。トラスクらは、一七七八年以前のハワイを取り戻すために、ハワイ諸島のすべての土地を元の主権者であるハワイ人に返還し、すべての非先住民はハワイ諸島から立ち退くべきだと主張した(Trask 1993)。

トラスクらの運動の主張に対して、「一四〇〇年前」とは何が根拠なのか、一七七八年以前のハワイが平和だったという証拠はない、非先住民が居なくなったハワイが国家として独立できる可能性などない、そもそも荒唐無稽だといった批判がハワイの内外から集中した。実際に運動の主張には非先住民の歴史家・考古学者・文化人類学者が発表してきた研究成果が多分に援用されており、一七七八年以降のカメハメハ王朝下でのハワイ社会の変化は都合よく捨象されてもいる。しかしながら、トラスクらからの反論では、科学的実証性以前に、そもそも「誰」がハワイの歴史を調べて語るのかという実践の主体の在り処が問題なのだという。そして、ハワイの歴史と文化について語る権利は、ハワイの先住民のみが正統かつ正当に保持し得るものだと批判を突っぱねた。正統な語り手ではない非先住民は勝手に語ってきただけではなく、先住民が語る機会と権利を奪ってきたのでもあって、それはハワイの植民地支配に加担する行為に他ならないと舌鋒鋭く主張を重ねた(Trask 1991: 159-167)。

オーストラリア先住民のオーラル・ヒストリー研究のなかで、保苅実は日常的な実践のなかで歴史を想起するさまざまな行為を歴史実践(historical practice)と呼び、「私たちは、いかなる現在の行為のうちに、過去を呼び起こしているのだろうかと問いかけている(保苅 二〇〇四：四八、五〇頁)。この歴史実践の指摘は、歴史家などの研究者に特権的に与えられている行為ではなく、日々、誰にでも湧き起こるような「なぜそのような今があるのか」という疑問について考え、答えを見出そうとする行為だと言い換えることができるだろう。保苅の指摘をそのように捉えてみると、ハワイ人主権運動におけるトラスクらの主張は、ある出来事の「過去を呼び起こ」そうとしている「私たち」とは誰なのかを、「私たち」はある出来事に対してどのような関係性を有しているのかを、今一度省察せよという課題を私たちに突きつけているのだと解釈できる。この課題はハワイの問題を越えて、歴史研究にとって至極本質的な論点を提示しているのではないだろうか。

おわりに

オセアニアを焦点として太平洋海域世界の歴史研究を概観してきたが、その過程で確認できたことを今一度見渡しておきたい。

太平洋海域世界は地球の四分の一の面積にあたる広大な地理的範囲を占めているが、その世界の深部に人跡が刻み始められたのは、人類史の観点から見れば、ラピタ人がリモート・オセアニアに向けて海洋進出を開始した三三〇〇年ほど前のことでしかない。先住者であるオセアニアの人々以外、ヨーロッパ人などの進出に限れば、それによって太平洋海域世界が本格的に変貌し始めたのは一八世紀後半、クックの探検航海以降のことにすぎない。しかも、一九三〇年代に入りメラネシアの中央山岳部においてようやくヨーロッパ人との最初の出遭いを経験した人々がいたように、外部世界との初めての出遭いは、ほぼ現代史の領域にまで続いていた。決して太平洋プレートの地殻運動の比喩ではなく、文字どおりに太平洋海域世界の歴史は現在も動き続けている。

太平洋海域世界の「短い」歴史は、ラピタ人の系譜に連なるポリネシア人が太平洋という地球上の人類最後のフロンティアを開拓した「偉業」の歴史であった。他方、その「短い」歴史は、啓蒙思想を体現した一八世紀以降のヨーロッパ人による探検航海が科学的知見を蓄積して、近代世界の胚胎に重要な貢献を果たした歴史でもあったのだ。

同時に、広大な海域の多様な環境下に点在する島々とそこに流入し続ける人々の流れによって動き続ける太平洋海域世界の「短い」歴史は、先史から近現代への分かりやすく整除された歴史の時代区分を当てはめることが困難なものとなっている。一六世紀以降のキリスト教化、植民地化、脱植民地化の過程と時期は島ごとに異なり、「コロンブス交換」に匹敵するような「マゼラン交換」を措定して斉一的な太平洋海域世界史の枠組みを設定することはできない。仮に英語で表現するならば、単数形の a history of the Pacific World を措定することはできず、常に複数形の histories of the Pacific World の存在を念頭に置きながら、この「短い」歴史に挑んでいくより他はない。

そうなると、太平洋海域世界の歴史は拠りどころとなる枠組みを欠いた、雑多な出来事の逸話の集積にしかなり得ないのではないかという批判も出てくるであろう。しかし、逆にそれこそが太平洋海域世界史の強みとなるポイントなのではないかと考えられる。「新たな世界」との出遭い、さらには、外来者とオセアニアの人々との出遭いが、同時併行で起きた双方向的かつ重層的な他者の「発見」であったことを想起するとよい。そこには、複数の異なる視点と背景から複眼的に歴史を捉えて解釈していくことの重要性が鮮明化し、ヨーロッパ中心主義的な視点で他者を一元的に捉えて世界歴史を構築することの危うさを知り、歴史研究という営みそのものを相対化していく契機が潜んでいる。

そして、太平洋海域世界の歴史研究に対して、オセアニアの先住民たちから、歴史を彼らの手に返還せよという厳しい要求が突きつけられている。それは、植民地支配の過去が生み出してしまった不幸な現在に対する疑義を起点とするものである。太平洋海域世界の歴史研究に与する者にとって、オセアニアの先住民たちから発信される歴史実践と真摯に対話を重ねることは避けてはならない課題となっている。しかし同時に、過去の不幸な「出遭い」を巡ってであるとはいえ、そうした新たな「出会い」の機会を与えられていることは、太平洋海域世界史ひいては世界歴史を対話的構築に基づく歴史研究へと引きあげる機会を与えられていることでもある。そこに太平洋海域世界史の可能性の中心があるのだと捉えたい。

注

（1） *Mare Pacificum* の漢語訳「太平洋」は、一八四七年から清朝中国に滞在し上海を中心に布教活動に従事したロンドン伝道協会の宣教師ミュアヘッド（William Muirhead、中国名：慕維廉、一八二二―一九〇〇年）によるものだとされている。彼の中国語の著書『地理全誌』（全一〇巻、一八五三―五四年）がその初出だとされてきたが、第一巻の初出箇所では「大平洋」と表記されていて、「太平洋」の表記が登場するのは第四巻以降であることが確認されている。一方、ミュアヘッドは他の著作では「大平洋」の表記を用い続けている。それゆえ、「大平洋」は単なる誤植などではなく Grand Ocean の漢語訳が意図されていたのではないか、むしろ編集者か版木工の単純ミス、あるいは、一八五一年に中国で起こった太平天国の乱の影響で編集者か版木工が「太平」という表現に勝手に入れ替えてしまったのではないかなど、さまざまな推測がなされている（米地 二〇〇九：二三九―二四四頁）。

（2）一般に太平洋赤道域の日付変更線付近から南米沿岸にかけて海面水温が平年より高くなる状態が一年程度続くことをエルニーニョ現象(El Niño)、同じ海域で海面水温が平年より低い状態が続くことをラニーニャ現象(La Niña)と呼ぶ。それぞれの現象は数年おきに発生し、地球規模で異常な天候の要因となると考えられている。エルニーニョ現象の発生時には東風(貿易風)が平常時よりも弱くなり、太平洋赤道域西部に溜まっていた暖かい海水が東方へ広がるとともに、東部では深海からの冷たい海水の湧き上がりが弱まって、太平洋赤道域の中部から東部では海面水温の上昇とともに積乱雲が盛んに発生するようになる。ラニーニャ現象の発生時には東風が平常時よりも強くなり、太平洋赤道域西部に暖かい海水がより厚く蓄積するとともに、東部では深海からの冷たい海水の湧き上がりが強まって、太平洋赤道域の中部から東部では海面水温の低下とともに、インドネシア近海の海上を中心に積乱雲が盛んに発生するようになる。両現象による大気の状態の不安定化が引き起こす積乱雲発生の頻発化は、急な大雨、雷、雹《ひょう》、竜巻などの突風の発生の頻発化にもつながる。さらに、エルニーニョ現象とラニーニャ現象に起因して太平洋熱帯域における大気の循環も変動するため、これらをあわせた一連の変動はエルニーニョ・南方振動(El Niño and the Southern Oscilla-tion: ENSO)と呼ばれる。大気の変動は全球におよぶため、地球規模での洪水や旱魃などの発生に関係すると考えられている(Diaz and Markgraf 1992)。

（3）見方を変えれば、エルニーニョ現象、ラニーニャ現象、エルニーニョ・南方振動が要因となる天候異常と大規模な洪水・旱魃などの災害や、太平洋プレートが誘発する地震・火山噴火・津波などがもたらす災害は、太平洋海域世界を貫く通史と比較史の重要な視点でもある(Armitage and Bashford 2014: 1, 5; Jones 2014)。

（4）沈降する火山島の上にサンゴ礁が成長して積み重なり、サンゴ礁だけがリング状につながって海水面に向けて成長し、その内側に深さ数十メートルの浅い海(礁湖 lagoon)を取り囲むように形成された地形を環礁(atoll)といい、環礁の上に生成された小さい島を環礁州島(atoll islet)という。一つの環礁に数十の州島が並んでいることが多い。環礁州島は海抜四メートル未満と低平で、土壌が薄く、地上の動植物相に乏しく、雨水をバケツなどの容器に溜める以外に地上の真水がなく、人が住まうには極めて脆弱な環境である。地球上には五〇〇前後の環礁が発見されているが、そのうち約四〇〇が太平洋に分布している。オセアニアのマーシャル諸島共和国、ツバル、キリバス共和国などの小島嶼国家はその国土の大半が環礁で成り立っている(Kayanne et al. 2005: 1)。

（5）同じオーストロネシア系言語の系統にあるポリネシアの島々の言語の単語を比較してみると、全く同じ語か、子音が他の子音に入れ替わるか脱落しているだけで基本的に同じように音が配列された単語の形を維持していることが容易に観察される。たとえば、「家」を意味する単語は*hale*(ハワイ語)、*whare*(ニュージーランド・マオリ語)、*fale*(サモア語)、*fale*(トンガ語)、*fare*(タヒチ語)、「女性」を意味する単語は*wahine*(ハワイ語)、*wahine*(ニュージーランド・マオリ語)、*fafine*(サモア語)、*fefine*(トンガ語)、*vahine*(タヒチ語)、「名前」を意味する単語は*inoa*(ハワイ語)、*ingoa*(ニュージーランド・マオリ語)、*igoa*(サモア語)、*hingoa*(トンガ語)、*i'oa*(タヒチ語)というようにである。

(6) 日々の日誌とは別に、クックが特別に項目を立てて風土や先住民の観察の結果をまとめた対象には、オタヘイテ島、マオリ(ニュージーランド)、トンガ、イースター島、マルケサス諸島といったポリネシアの各島、メラネシアのニューヘブリデス諸島とニューカレドニア、ニューホランド(オーストラリア)と属島のタスマニア島、北アメリカ太平洋北西岸バンクーバー島のヌートカ湾、アレウト(アリューシャン列島ウナラスカ島)などがある(クック 二〇〇五d:二九五―二九六頁)。

(7) 以下、ジェームズ・クックの足跡は彼の三回の航海の記録(クック 二〇〇四a、二〇〇四b、二〇〇五a、二〇〇五b、二〇〇五c、二〇〇五d)によるが、煩雑さを避けるために本文中では参照箇所を逐一記載していない。また、クックの伝記(Beaglehole 1974)を併せて参照している。なお、クックの航海日誌の日付では船舶時間が用いられている。船舶時間の一日では、陸上時間の一日二四時間が始まる一二時間前に始まり、正午から翌日の正午までが一日となる。つまり、「一月二七日」は「一月二六日の正午から一月二七日の正午まで」を指しており、航海日誌の「一月二七日」の項には「一月二六日午後」の出来事がまず記録され、ついで「一月二七日午前」の出来事が記録される(クック 二〇〇四a:一九頁)。ただし、キング・ジョージ島(タヒチ島)に滞在しているときの記録には「この島での重要なやりとりが日中におこなわれることになると思うから、〔船舶時間の〕記述法では毎日のやりとりを記すのに不便であろうと考え、本島滞在中に限り、一日は夜の一二時から翌日の〔夜の〕一二時まで、という、普通暦の基準による」との注記が添えられている(クック 二〇〇四a:九一頁)。

(8) ヨーロッパ人と先住民マオリとの初めての出遭いは残念ながら友好的なものではなかった。先住民マオリの反応に動揺した船員が発砲してしまい、トゥーランガヌイ・ア・キワ地方の部族長テ・マロ(Te Maro)を殺害してしまったのだ。この事件の解決をめぐって会談が催されたものの、その会談の際にも諍いが起きて、マオリ側は死傷者を重ね、クック側にも負傷者が出る事態となった。

(9) クックはイギリスによる領有を宣言したオーストラリアの東半を当初「ニューサウスウェールズ」(New South Wales)と名づけた(鎌田 二〇二一:五頁)。一方、クックに先んじて一六四二年から四三年にかけてニュージーランド西岸からメラネシアの海域を航海し、一六四四年にオーストラリア西岸の航海を行ったオランダ人探検家タスマンがオーストラリアにつけた「新しいオランダ」(*Hollandia Nova*/*Nieuw-Holland*)という呼称の方がヨーロッパでは馴染みが深かった(南出 二〇二二:一九一―二二頁)。一八〇一年から〇三年にかけてイギリスの探検家フリンダーズ(Matthew Flinders、一七七四―一八一四年)が行った二回のオーストラリア全岸の一周調査によってオーストラリアが独立した大陸であることが分かり、改めて「南方大陸」の「南方」(*australis*)にちなんで「オーストラリア」(Australia)と命名され、その後はそれが定着した(Flinders 2010: ii-iii)。

(10) マイは、ヨーロッパ人にはオマイ(Omai)の名で知られた。ソサエティ諸島フアヒネ島からアドヴェンチャー号に乗り込んできた彼は、その西隣りにあるライアテア島の出身で、一七六七年にイギリスの探検家ウォリスに、さらに一七六九年にクックやバンクスに、いずれもタヒチで出遭っていたという。探検航海中、クックやフルノーもポリネシアについてのさまざまな知識をマイから得ていたようだ。イギリス滞在中、マイは国王ジョージ三世に謁見を許され、著名な肖像画家レイノルズ卿(Sir Joshua Reynolds)に肖像画を描いてもらうなど「有名人」の仲間入りを果たした(Connaughton 2000)。さらに後には、劇作家オキーフ(John O'Keeffe)が劇中歌を作詞したパントマイム劇「オマイ、あるいは世界一周の旅」(一七八五年一二月、ロンドンのコヴェント・ガーデンで初演)も好評を博したという(Dening 1996: 156-161)。

(11) 以下、ラ・ペルーズの足跡は彼の航海日誌(ラペルーズ 一九八八、二〇〇六)によるが、煩雑さを避けるために本文中では参照箇所を逐一記載していない。一七八八年三月にボタニー湾を発って消息が途絶えたラ・ペルーズの航海日誌は、それ以前にフランス本国に送られていたカムチャツカ半島航海までの報告書に基づいて編纂され、本文四巻と地図およびスケッチ一巻の計五巻から成る『ラ・ペルーズの世界周航記』(*Voyage de La Pérouse autour du Monde*)として一七九七年にパリで刊行された。

(12) ラ・ペルーズ一行はこの探検航海において与那国島、尖閣諸島、能登半島に接近してその位置の実測や近海の測深を行い、日本にとっても地理学上価値の高い貢献をしている。間宮林蔵が樺太を探検して間宮海峡とともに樺太が島であることを発見した一八〇九(文化六)年に先立つこと二二年、ラ・ペルーズは一七八七年七月二六日にサハリンが島であることを発見していた(小林 一九八一:二四―二五頁)。

(13) ダントルカストーはメラネシアのソロモン諸島やビスマルク諸島の海域で多くの島々を発見したが、結局ラ・ペルーズの消息は分からず、彼自身も一七九三年七月二〇日にニューギニア島の北東沖で遭難して生涯を閉じた(Douglas et al. 2018)。フランスの探検家にしてオセアニアの三地域区分の発案者であるデュモン・デュルヴィルがラ・ペルーズの探検船の残骸をニューヘブリデス諸島北方のサンタクルズ諸島ヴァニコロ島の海底に発見したのは一八二八年のことだった。

(14) コロンブスのアメリカ大陸到達後にスペインとポルトガルの大西洋の管轄区域をめぐる対立が発生し、一四九三年にローマ教皇が境界線(教皇子午線)を分割線として提示し、西側をスペイン領、東側をポルトガル領とすることで一旦決着した。その後、ポルトガルが不服を申し立てたため、一四九四年にスペイン北部の都市トルデシリャスで再協議を行い、分割線の位置を確定して海外領土の分割条約に調印した。

(15) ロンドン伝道協会はオセアニアの他にアフリカでも活動を展開しており、一八四〇年にリヴィングストン(David Livingston)の探検隊をアフリカ内陸部に派遣して布教圏の拡大を図ったことが知られている(Craig 1993: 100-101)。

参考文献

印東道子(二〇一七)『島に住む人類――オセアニアの楽園創世記』臨川書房。

印東道子(二〇二三)「考古――ヒトはどこからきたのか」石森大知・黒崎岳大編『ようこそオセアニア世界へ』昭和堂。

大江志乃夫(一九九八)『日本植民地探訪』新潮社。

太田陽子(二〇一〇)「オセアニアの自然の多様性」熊谷圭知・片山一道編『大地と人間の物語 オセアニア』〈朝倉世界地理講座〉15、朝倉書店。

大塚柳太郎編(一九九五)『南太平洋との出会い』〈モンゴロイドの地球〉2、東京大学出版会。

春日直樹(二〇〇一)『太平洋のラスプーチン――ヴィチ・カンバニ運動の歴史人類学』世界思想社。

鎌田真弓(二〇二一)「序章――オーストラリア概説」鎌田真弓編『大学的オーストラリアガイド――こだわりの歩き方』昭和堂。

菊澤律子(二〇一〇)「言葉と人々」熊谷圭知・片山一道編『大地と人間の物語 オセアニア』〈朝倉世界地理講座〉15、朝倉書店。

クック(二〇〇四a)『太平洋探検(一)第一回航海(上)』増田義郎訳、岩波文庫。

クック(二〇〇四b)『太平洋探検(二)第一回航海(下)』増田義郎訳、岩波文庫。

クック(二〇〇五a)『太平洋探検(三)第二回航海(上)』増田義郎訳、岩波文庫。

クック(二〇〇五b)『太平洋探検(四)第二回航海(下)』増田義郎訳、岩波文庫。

クック(二〇〇五c)『太平洋探検(五)第三回航海(上)』増田義郎訳、岩波文庫。

クック（二〇〇五d）『太平洋探検（六）第三回航海（下）』増田義郎訳、岩波文庫。

グリーンブラット、S（一九九四）『驚異と占有——新世界の驚き』荒木正純訳、みすず書房。

小林忠雄（一九八一）「ラ・ペルーズの太平洋航海記」『地図』一九巻一号。

酒井一臣（二〇〇七）「「文明の使命」としての日本の南洋群島委任統治——過剰統治の背景」浅野豊美編『南洋群島と帝国・国際秩序』慈学社。

多木浩二（一九九一）『ヨーロッパ人の描いた世界——コロンブスからクックまで』岩波書店。

竹峰誠一郎（二〇一五）『マーシャル諸島——終わりなき核被害を生きる』新泉社。

棚橋訓（一九八九）「ソロモン諸島と労働交易——修正論の検討を中心とする覚書」慶應義塾大学民族学考古学研究室編『考古学の世界』新人物往来社。

棚橋訓（一九九七）「裁かれるマオリ・カスタム——ポリネシア・クック諸島と土地権法廷」山下晋司・山本真鳥編『植民地主義と文化——人類学のパースペクティヴ』新曜社。

棚橋訓（一九九八a）「ポリネシア・クック諸島におけるロンドン伝道協会の初期布教活動に関する覚書」大胡欽一ほか編『社会と象徴——人類学的アプローチ』岩田書院。

棚橋訓（一九九八b）「ソロモン諸島の社会運動と中心世界の使い方」清水昭俊編『周辺民族の現在』世界思想社。

棚橋訓（一九九九）「ポリネシア・クック諸島における土地問題の淵源——歴史的省察」杉島敬志編『土地所有の政治史——人類学的視点』風響社。

等松春夫（二〇一一）『日本帝国と委任統治——南洋群島をめぐる国際政治　一九一四—一九四七』名古屋大学出版会。

中嶋弓子（一九九三）『ハワイ・さまよえる楽園——民族と国家の衝突』東京書籍。

中山和芳（二〇〇六）「福音伝道と文明化——一九世紀アメリカン・ボードの宣教思想」杉本良男編『キリスト教と文明化の人類学的研究』（国立民族学博物館調査報告六二）国立民族学博物館。

バトラー、ジュディス（一九九九）『ジェンダー・トラブル——フェミニズムとアイデンティティの攪乱』竹村和子訳、青土社。

ピーティー、マーク（一九九六）『植民地——帝国五〇年の興亡』浅野豊美訳、読売新聞社。

ブーガンヴィル／ディドロ（二〇〇七）『ブーガンヴィル　世界周航記／ディドロ　ブーガンヴィル航海記補遺』山本淳一・中川久定

訳、岩波書店。

藤川隆男（二〇〇〇）「オーストラリア史」山本真鳥編『オセアニア史』山川出版社。

ペンローズ、ボイス（二〇二〇）『大航海時代――旅と発見の三世紀』荒尾克己訳、ちくま学芸文庫。

保苅実（二〇〇四）『ラディカル・オーラル・ヒストリー――オーストラリア先住民アボリジニの歴史実践』御茶の水書房。

増田義郎（二〇〇〇）「ヨーロッパ人の太平洋探検」山本真鳥編『オセアニア史』山川出版社。

増田義郎（二〇〇四）『太平洋――開かれた海の歴史』集英社新書。

増田義郎（二〇〇五）「クック以降の太平洋探検航海」クック『太平洋探検（六）第三回航海（下）』増田義郎訳、岩波文庫。

南出眞助（二〇二一）「移民の歴史はすべて港から始まった――シドニー、メルボルン、ブリスベン、パース」鎌田真弓編『大学的オーストラリアガイド――こだわりの歩き方』昭和堂。

安村直己（二〇二二）「南北アメリカ大陸から見た世界史」安村直己編『岩波講座 世界歴史』第一四巻、岩波書店。

山本真鳥（二〇〇〇）「ポリネシア史」山本真鳥編『オセアニア史』山川出版社。

吉岡政徳（二〇〇〇）「カストムとカスタム――オセアニアにおける伝統概念研究の批判的考察」須藤健一編『オセアニアの国家統合と国民文化』（JCAS連携研究成果報告二）国立民族学博物館地域研究企画交流センター。

米地文夫（二〇〇九）「太平洋は当初「大平洋」であった？――「大」間違いか「大」正解か」『季刊地理学』六一巻四号。

ラペルーズ（一九八八）『ラペルーズ世界周航記 日本近海編』小林忠雄編訳、白水社。

ラペルーズ（二〇〇六）『太平洋周航記』上下、佐藤淳二訳、岩波書店。

ワースレイ、ピーター（一九八一）『千年王国と未開社会――メラネシアのカーゴ・カルト運動』吉田正紀訳、紀伊国屋書店。

Akin, David W. (2013), *Colonialism, Maasina Rule, and the Origins of Malaitan Kastom*, Honolulu, University of Hawai'i Press.

Aldrich, Robert, and John Connell (1988), *The Last Colonies*, Cambridge, Cambridge University Press.

Anderson, Benedict (1991), *Imagined Communities: Reflections on the Origin and Spread of Nationalism*, revised edition, London, Verso.

Armitage, David, and Alison Bashford (2014), "Introduction: The Pacific and its Histories", David Armitage and Alison Bashford (eds.), *Pacific Histories: Ocean, Land, People*, London and New York, Palgrave Macmillan.

Arvin, Maile (2019), *Possessing Polynesians: The Science of Settler Colonial Whiteness in Hawai'i and Oceania*, Durham and London, Duke University Press.

Banner, Stuart (2007), *Possessing the Pacific: Land, Settlers, and Indigenous People from Australia to Alaska*, Massachusetts and London, Harvard University Press.

Bayly, C. A. (2004), *The Birth of the Modern World, 1780-1914: Global Connections and Comparisons*, Maiden, MA, Blackwell.

Beaglehole, J. C. (1974), *The Life of Captain James Cook*, Stanford, Stanford University Press.

Besnier, Niko (1994), "Polynesian Gender Liminality through Time and Space", Gilbert Herdt (ed.), *Third Sex, Third Gender: Beyond Dimorphism in Culture and History*, New York, Zone Books.

Chappell, David A. (1997), *Double Ghosts: Oceanian Voyagers on Euroamerican Ships*, London and New York, Routledge.

Christian, F. W. (1910), "Rarotonga and Eastern Pacific", *United Empire* (n. s.), 1.

Clark, Geoffrey (2003), "Dumont d'Urville's Oceania", *Journal of Pacific History*, 38-2.

Connaughton, Richard (2000), *Omai: The Prince Who Never Was*, London, Timewell Press.

Connolly, Bob, and Robin Anderson (1987), *First Contact: New Guinea's Highlanders Encounter the Outside World*, New York, Viking.

Craig, R. D. (1993), *Historical Dictionary of Polynesia*, Metuchen, Scarecrow Press.

Crosby, Alfred W. (1972), *The Columbian Exchange: Biological and Cultural Consequences of 1492*, Westport, Greenwood.

Crocombe, Ron (2001), *The South Pacific*, Suva, Fiji, University of the South Pacific.

Davidson, J. W. (1967), *Samoa mo Samoa: The Emergence of the Independent State of Western Samoa*, Melbourne, Oxford University Press.

Daws, Gavan (1984), *Holy Man: Father Damien of Molokai*, Honolulu, University of Hawai'i Press.

Dening, Greg (1980), *Islands and Beaches: Discourse on a Silent Land, Marquesas 1774-1880*, Honolulu, University of Hawai'i Press.

Dening, Greg (1988), *The Bounty: An Ethnographic History*, History Monograph 1, Melbourne, Melbourne University Department of History.

Dening, Greg (1992), *Mr Bligh's Bad Language: Passion, Power and Theatre on the Bounty*, Cambridge, Cambridge University Press.

Dening, Greg (1996), *Performances*, Chicago, University of Chicago Press.

Diaz, Vicente M. (2010), *Repositioning the Missionary: Rewriting the Histories of Colonialism, Native Catholicism, and Indigeneity in Guam*, Honolulu, University of Hawai'i Press.

Diaz, Henry F., and Vera Markgraf (eds.) (1992), *El Niño: Historical and Paleoclimatic Aspects of the Southern Oscillation*, Cambridge, Cambridge University Press.

Douglas, Bronwen, Fanny Wonu Veys, and Billie Lythberg (eds.) (2018), *Collecting in the South Sea: The Voyage of Bruni D'Entrecasteaux 1791-1794*, Leiden, Sidestone Press.

Firth, Stewart (1997), "Colonial Administration and the Invention of the Native", Donald Denoon et al. (eds.), *The Cambridge History of the Pacific Islanders*, Cambridge, Cambridge University Press.

Flinders, Matthew (2010), *A Voyage to Terra Australis: Undertaken for the Purpose of Completing the Discovery of that Vast Country, and Prosecuted in the Years 1801, 1802, and 1803*, Volume 1, Cambridge, Cambridge University Press.

Freeman, Donald B. (2010), *The Pacific*, London, Routledge.

Frost, Alan (1976), "The Pacific Ocean: The Eighteenth Century's 'New World'", *Studies on Voltaire and the Eighteenth Century*, 152.

Fullagar, Kate (2012), *The Savage Visit: New World People and Popular Imperial Culture in Britain, 1710-1795*, Berkeley, University of California Press.

Gascoigne, John (1994), *Joseph Banks and the English Enlightenment: Useful Knowledge and Polite Culture*, Cambridge, Cambridge University Press.

Gilson, Richard (1980), *The Cook Islands, 1820-1950*, Wellington and Suva, Victoria University Press.

Gunson, Niel (1978), *Messengers of Grace: Evangelical Missionaries in the South Seas 1797-1860*, Melbourne, Oxford University Press.

Harrison, Terry, John Krigbaum, and Jessica Manser (2006), "Primate Biogeography and Ecology on the Sunda Shelf Islands: A Paleontological and Zooarchaeological Perspective", Shawn M. Lehman and John G. Fleagle (eds.), *Primate Biogeography: Progress and Prospects*, New York, Springer.

Herdt, Gilbert (ed.) (1994), *Third Sex, Third Gender: Beyond Dimorphism in Culture and History*, New York, Zone Books.

Hiery, Hermann J., and John M. MacKenzie (1997), "Introduction", H. J. Hiery and J. M. MacKenzie (eds.), *European Impact and Pacific Influence: British and German Colonial Policy in the Pacific Islands and the Indigenous Response*, London and New York, Tauris Academic Studies and the German Historical Institute London.

Human Rights and Equal Opportunity Commission (1997), *Bringing Them Home: Report of the National Inquiry into the Separation of Aboriginal and Torres Strait Islander Children from Their Families*, Canberra, Commonwealth of Australia.

Jolly, Margaret (2007), "Imagining Oceania: Indigenous and Foreign Representations of a Sea of Islands", *Contemporary Pacific*, 19-2.

Jones, Ryan Tucker (2014), "The Environment", David Armitage and Alison Bashford (eds.), *Pacific Histories: Ocean, Land, People*, London and New York, Palgrave Macmillan.

Kayanne, H., M. Chikamori, H. Yamano, T. Yamaguchi, H. Yokoki, and H. Shimazaki (2005), "Interdisciplinary Approach for Sustainable Land Management of Atoll Islands", *Global Environmental Research*, 9-1.

Kendrick, John (1999), *Alejandro Malaspina: Portrait of a Visionary*, Seattle, Montreal, McGill-Queen's University Press.

Keon-Cohen, B. A. (2000), "The Mabo Litigation: A Personal and Procedural Account", *Melbourne University Law Review*, 24-3.

Lal, Brij, and Kate Fortune (eds.) (2000), *The Pacific Islands: An Encyclopedia*, Honolulu, University of Hawai'i Press.

Laracy, Hugh (ed.) (1983), *Tuvalu: A History*, Suva, University of the South Pacific.

Linnekin, Jocelyn (1997), "New Political Orders", Donald Denoon et al. (eds.), *The Cambridge History of the Pacific Islanders*, Cambridge University Press.

Malo, David (1951), *Hawaiian Antiquities*, Nathaniel B. Emerson (tr.), 2nd ed., Honolulu, Bishop Museum Press.

Maude, H. E. (1964), "Beachcombers and Castaways", *Journal of the Polynesian Society*, 73-3.

Macdonald, Barrie (1982), *Cinderellas of the Empire: Towards a History of Kiribati and Tuvalu*, Canberra, Australian National University Press.

Meleisea, Malama (1987), *The Making of Modern Samoa: Traditional Authority and Colonial Administration in the Modern History of Western Samoa*, Suva, Fiji, University of the South Pacific.

Meleisea, Malama, and Penelope Schoeffel (1997), "Discovering Outsiders", Donald Denoon et al. (eds.), *The Cambridge History of the Pacific Islanders*, Cambridge, Cambridge University Press.

Newell, Jennifer (2010), *Trading Nature: Tahitians, Europeans, and Ecological Exchange*, Honolulu, University of Hawai'i Press.

O'Connell, J. F., et al. (2018), "When did Homo Sapiens First Reach Southeast Asia and Sahul?", *Proceedings of the National Academy of Sciences*, 115.

Otto, Ton (1992), "The Paliau Movement in Manus and the Objectification of Tradition", *History and Anthropology*, 5.

Sahlins, Marshall (1981), *Historical Metaphors and Mythical Realities: Structure in the Early History of the Sandwich Islands Kingdom*, Ann Arbor, University of Michigan Press.

Salmond, Anne (1991), *Two Worlds: First Meetings between Maori and Europeans, 1642-1772*, Auckland, Viking.

Salmond, Anne (1997), *Between Two Worlds: Early Exchange between Maori and Europeans, 1773-1815*, Auckland, Viking.

Salmond, Anne (2003), *The Trial of the Cannibal Dog: Captain Cook in the South Seas*, London, Penguin Books/Allen Lane.

Smith, Percy (1904), *Hawaiki: The Original Home of the Maori*, 2nd ed., Christchurch, NZ, Whitcombe & Tombs.

Summerhayes, Glenn (2019), "The Archaeology of Melanesia", Eric Hirsch and Will Rollason (eds.), *The Melanesian World*, Abingdon, Routledge.

Spate, O. H. K. (1977), "'South Sea' to 'Pacific Ocean': A Note on Nomenclature", *Journal of Pacific History*, 12-4.

Thomas, Nicholas (1989), "The Force of Ethnology: Origins and Significance of the Melanesian/Polynesian Division", *Current Anthropology*, 30-1.

Thomas, Nicholas (2018), *Discoveries: The Voyages of Captain James Cook*, 2nd ed., London, Penguin.

Trask, Haunani-Kay (1991), "Natives and Anthropologists: The Colonial Struggle", *Contemporary Pacific*, 3-1.

Trask, Haunani-Kay (1993), *From a Native Daughter: Colonialism and Sovereignty in Hawai'i*, Monroe, Common Course Press.

Turnbull, David (1998), "Cook and Tupaia: A Tale of Cartographic Méconnaissance?", Margarette Lincoln (ed.), *Science and Exploration in the Pacific: European Voyages to the Southern Oceans in the Eighteenth Century*, Woodbridge, U.K. and Rochester, N.Y., Boydell Press in association with the National Maritime Museum.

White, Geoffrey, and Lamont Lindstrom (eds.) (1989), *The Pacific Theater: Island Representation of World War II*, Honolulu, University of Hawai'i Press.

Williamson, R. W. (1933), *Religion and Cosmic Beliefs of Central Polynesia*, 2 volumes, Cambridge, Cambridge University Press.

Wolf, Eric R. (1982), *Europe and the People without History*, Berkeley and London, University of California Press.

Wong-Wilson, Noe Noe (2005), "A Conversation with Mililani Trask", *Contemporary Pacific*, 17-1.

コラム｜*Column*

東洋文庫における太平洋海域史資料

牧野元紀

東京駒込の東洋文庫はアジア研究の専門図書館であり、その蔵書は国宝・重文を含めて優に一〇〇万点を超える。所属の研究員も専任・兼任・客員をあわせて約三〇〇人を擁する日本では最大規模、世界でも五指に数えられる東洋学の殿堂である。

蔵書の割合を言語別にみると、漢籍が四割、洋書が三割、和書が二割、アジア諸語で記される書籍が残り一割を占める。日本の東洋学が漢学の伝統を継承していること、日本にとって古来最も近しいアジアの国が中国であったことを考えあわせると、漢籍が最多を占めるのは驚くにあたらない。東洋文庫の特徴は、むしろ洋書を多く所蔵するところにある。モリソン文庫やコルディエ文庫に代表される貴重書のコレクションは国内外に広く知られる。

東洋学はそもそも西洋以外の諸地域を対象とする人文社会諸科学の総称である。したがって、太平洋の島嶼も自ずとここに含まれる。戦前の日本では南洋として扱われたミクロネシアの島々、インドネシアと連続するメラネシアの島々、大半が英仏の植民地であったポリネシアの島々である。遠くはハワイ諸島やイースター島、さらにオーストラリアとニュージーランドのいわゆるオセアニアもそこに包摂される。東洋文庫の洋書部門においては、いずれもインドネシアの地域分類Ⅸに属する。該当の書架を一覧すると、アンボン島やニューギニア島のイリアンジャヤに続いて、オセアニアの総記が始まり、メラネシアとミクロネシアの混在がみられた後、ポリネシアとなる。そして最後にオーストラリアを対象とする研究書が並んでいる。

東洋文庫で太平洋海域を対象とした洋書は、沖縄(琉球)・台湾・フィリピン・インドネシアを扱うものがほとんどであり、他の島嶼を扱う研究書はさほど多くはない。しかし、そのなかには西洋人による探検航海が盛んとなった一八世紀から一九世紀に出版された稀覯本《きこうぼん》が少なくない。キャプテン・クックやラ・ペルーズの世界周航記には、彼ら探検家の目に映じた現地住民の風俗や動植物を緻密に描いた銅版画が多く挟まれている。いずれも新古典主義的楽園観に満ちた画風ではあるが、美麗かつ劇的であり、想像力をかき立てられる。当時のヨーロッパ人にとって太平洋海域が地球最後のフロンティアとして理想化されていたことがよくわかる。テキストとこれらの図版については、オリエンタリズムのその先の歴史資料としての価値をそろそろ再検討しても良いだろう。

太平洋海域史に関する文献資料の宝庫としての東洋文庫の特長をもう一つ述べておきたい。創設者であり三菱財閥第三代総帥であった岩崎久彌は生前に和漢籍約三万八〇〇〇点を東洋文庫に寄贈している（岩崎文庫）。そのなかには江戸時代の後半に流布した漂流記の類がいくつか含まれている。

　大黒屋光太夫とともにシベリア横断の末に日本への帰還を果たした磯吉の口伝に基づく『魯西亞國漂船聞書《おろしやこくひょうはくききがき》』、同じくシベリア横断後に大西洋を越えて南米大陸南端を廻り、太平洋を縦断して日本に戻った若宮丸乗組員からの聞書に拠る『環海異聞《かんかいいぶん》』が代表例である。光太夫らはラ・ペルーズの部下で途中シベリア経由でフランスへ戻ったジャン・レセップスとカムチャツカにて邂逅《かいこう》しており、若宮丸の生還者らはロシア初の世界周航を成し遂げたクルーゼンシュテルン艦隊と行動をともにした。それぞれの旅行記・航海記において彼ら日本人漂流民のことは詳しく言及されている。東洋文庫は双方の資料を所蔵するので、同じ閲覧机の上で両者を照らし合わせて読むことができる。少し時代が下ると、アメリカの捕鯨船に救出されハワイからカムチャツカ、アラスカを経て択捉島へ帰着した長者丸乗組員の口述記『蕃談《ばんだん》』もある。これはハーマン・メルヴィルが大作『白鯨』を世に出す時期と重なる。また、明治期から二度の大戦を挟んで今日までに出版された日本人の太平洋関与を扱う同時代の資料集や研究書も五〇〇点ほど所蔵している。

イースター島でのラ・ペルーズ一行『ラ・ペルーズ航海記』より（東洋文庫蔵）

　二〇一八年、東洋文庫ミュージアムは「ハワイと南の島々展――ハワイ日系移民渡航一五〇周年」を開催した。東洋文庫の蔵する多種多様な太平洋海域関連の文献や地図類の主なものを複数の学会・研究機関・専門家の協力のもと、学術的観点から公開した。ハワイを中心としつつも太平洋の海域世界全体の通史を念頭においた展示構成であり、広く一般から好評を得られた。太平洋の島々は決して楽園であり続けたわけではない。ネイティヴや移住者のたどった苦難の歴史も丁寧に踏まえなくてはならない。そういった前提をきちんと整理し止揚できたならば、太平洋海域史は今後の東洋学にとって魅力あるフロンティアたりえるだろう。日本列島からみると太平洋は他ならぬ「東洋」ではないか。東洋文庫ならではの珠玉の文献資料の数々をぜひご活用頂きたい。

問題群 | *Inquiry*

問題群｜*Inquiry*

太平洋世界の考古学

後藤　明

はじめに

太平洋に住んでいた人々は文字を持たなかった。この世界が文献資料で描かれ、世界史に登場するのは大航海時代の一六世紀以降である。それ以前は「先史時代」であり、その歴史を解き明かすのは考古学の役割なのである。そして太平洋における考古学は単に古い歴史を描くだけではなく、更新世から完新世、さらに人新世まで、島嶼という特異な環境における人類史の長期持続(la longue durée)を評価する学問として位置づけられる。

本章ではまずその大航海時代の状況を確認したあと、太平洋の人々の起源にかんする議論の流れや研究方法の変遷を概観する。さらに太平洋への移住の年代やルートについて近年の見解を展望し、人類最後の到達地である太平洋の島々の歴史が人類史全体に対して持っている意義を考察したい。

一、太平洋世界の黎明

大航海時代

西欧人による太平洋世界の「発見」は一六世紀はスペイン、一七世紀はオランダと覇権が移っていったが、一八世紀後半には英仏が台頭し、天文測量や航海技術の進歩によって島々の位置もより正確に記録されるようになった。「南方大陸」の発見がこの頃の航海の大きな目的であったが、その副産物として知られるようになったポリネシアでは首長制が発達し、南の小さな島に王を頂く社会が存在したことに彼ら西欧人は驚いた。このような驚きは一八世紀の思想家ルソーやディドロなどにも影響を与え、「ユートピア文学」の勃興にも関係している(ディドロ 一九九七)。

太平洋世界の全貌を明らかにしたのは、一七六八年に始まるイギリスのジェームズ・クックによる三度の探検であった。クックは一七七六年に第三回目の航海に出発し、一七七八年一月、初めてハワイ諸島に到達し、探検を支援したサンドウィッチ伯爵の名前からここをサンドウィッチ諸島と命名した。ポリネシア人は金属器を元来持ってはいなかったが、クック一行は木の柄に装着された鉄の輪と錆びたナイフ片を見たので、島を訪れた外部者がすでにいたことがわかった。

その後、クックは北太平洋から一一月に再びハワイに戻ってきた。折しもハワイ島では新年の祭り、マカヒキ祭の最中であった。クックらは大歓迎を受けたあと、一七七九年二月に出港するも嵐で船が破損し、数日後に修理のため再びハワイ島に戻ったところ住民の態度が一変し、クックは住民に襲撃されて命を落とした。クックの死に関しては年に一度来訪し歓待される豊穣の神ロノとして死んだのか、それとも単に住民の怒りを買ったのかなど、論争が繰り返された(サーリンズ 一九九五)。

なおクックは王族の一人としての若きカメハメハと会っている。カメハメハはその後ライバルを倒してハワイを統一した。この過程ではクック艦隊の下士官でハワイを熟知し、後に艦隊を率いたジョージ・バンクーバー(G. Vancouver)が大きく影響を与えていた(後藤 二〇〇八)。しかし同じ頃、ハワイ・ポリネシアは西欧人が持ち込んだ疫病の蔓延などもあり急速に変容していった。

憶測から学問的議論へ

クック艦長自身は東南アジアのオーストロネシア(南島)系言語とポリネシア語に共通性を見出していたが、ポリネシア人とメラネシア人が肌や髪の毛の特徴、また生業形態、さらに社会や宗教などの点においても異なっていることは大きな謎であった(Beaglehole 1967: 279)。そしてポリネシア人に関しては、インドなどの高文明地帯から移住した人々でないかという説が形を変えて唱えられた(Howard 1967: 50-52; Thomas 2021)。

たとえばニュージーランドでポリネシア協会を創立し『ハワイキ』(=東部ポリネシアで語られる「祖先の国」)を著したパーシー・スミス(Smith 1921)は、ポリネシア人の祖先はインドにあり、それがインドネシアのスラウェシ島付近に進出し、三度の波となってポリネシア各地に到来したと主張した。またマオリの母とイギリス人の父を持つピーター・バック(Peter Buck)、マオリ名ではテ・ランギ・ヒロア(Te Rangi Hiroa)もスミスの学説に影響され、ポリネシア人がインド起源であり、インドネシアでマレー・ポリネシア系統の言語を獲得し、キリバス付近からある一派はハワイ、またある一派はサモア方面、さらにはポリネシアの全域に渡っていったと考えた(Buck 1938)。

そして、ポリネシア人の起源に華々しい論争を巻き起こしたトール・ハイエルダール(Thor Heyerdahl)の登場である。彼は「長耳族」(=南米から到来しモアイ像を作った集団)を「短耳族」(=先住集団)が滅ぼしたという伝説が歴史的事実であると考え、新大陸起源説の証拠として南米起源のサツマイモや野生綿などをあげ、一九四七年に南米型の筏コンチキ号の実験を成功させた。その冒険譚『コンチキ号漂流記』はベストセラーになったが批判も多く、学説を補強する大著を別途書いている(Heyerdahl 1952)。

ハイエルダールを批判する考古学者ロバート・C・サッグス(Robert C. Suggs)は、マルケサス諸島で先駆的な発掘を行い、民族誌にはない土器片も出土しているが、漢民族の台頭で圧迫された中国南部の集団がマレー半島からメラネシアを通り、フィジーそしてトンガやサモアへ、さらに東部ポリネシアへ移動したと考えた。

移住の年代は、伝承を事実と考え世代数を掛ける(二五年程度)方法か、言語年代法(glottochronology)かによってしか推測するほかすべはなかったが、一九五〇年代から始まった放射性炭素C14による年代測定法によって、歴史深度が浅いとされてきた太平洋の島々にも数百年から数千年の歴史があることが証明された。篠遠喜彦はマルケサスの早期文化層に含まれる遺物がハワイやニュージーランドの初期文化に類似することを見出し、マルケサスを移動拠点とする古東ポリネシア(Archaic Eastern Polynesian)文化の提唱に至った。これが「オーソドックス・シナリオ」として、長く東部ポリネシア先史学の枠組みとなった(後藤 二〇二〇、野嶋 二〇二〇)。この図式にはポリネシア人が優れた航海技術によって新大陸と接触していた可能性も加筆された(e. g. Jones et al. 2011; Horsburgh and McCoy 2017)。

文字を持たない太平洋世界の歴史研究では、オーストロネシア系言語の歴史言語学的研究が重要である。かつては基礎語彙の共有度に基づく系統論だったが、近年では音韻構造や文法的特徴も含めた分析がなされ、また祖語の再構成と考古学との協働も試みられている。課題はポリネシア語の特徴が、台湾付近から来た集団が西部ポリネシアに長期間留まり、その後さらに東進したという考古学的な議論と整合するかという点である(Gray et al. 2009; Pawley 2018)。また血清学や人骨分析という自然人類学も重要であり、集団固有の疾病の系統、人骨の統計分析によってメラネシア人とポリネシア人の系譜関係が議論された。そして今日では遺伝子解析が注目されている。ミトコンドリアDNA分析では、ポリネシア人はメラネシア人ではなく、アジア系の特徴が強いという言語学の証拠と符合する傾向がある。二〇一〇年代以降は性染色体の解析からゲノム分析が現世集団および古人骨に適用されるようになった（e. g. Underhill and Kivisild 2007; Ioannidis et al. 2021）。

さらに土壌分析や湖底堆積層コアの分析による環境復元と同時に人為的な環境変革があったことや、また人類とともに移動した作物や家畜の遺伝情報の解析から移動ルートや起源地などの新情報が得られるようになっている。

二、太平洋海域世界への進出

第一幕——サフル大陸とニア・オセアニア

オセアニア世界への移住第一幕は、後期更新世に遡る。この頃、氷河期の海面低下でインドネシアの島々は大陸とつながり「スンダランド」を形成していた。一方、オーストラリア大陸とニューギニア島もサフル大陸を形成していた。スンダランドとサフル大陸の間にはマルク海があるので、サフル大陸で発見される四万年から五、六万年前（一説では七万年）前の遺跡を残した人類集団は必ず海を渡る必要があった。この集団はユーラシア大陸の南岸からスンダランドを経由してきたホモ・サピエンス集団であるが、シベリアで発見されたデニソワ人の遺伝子がパプア集団にも一定程度存在するので、ユーラシア大陸からサフル世界への進出過程は単純なものではない（Petraglia et al. 2010）。

紀元前九六〇〇年頃、完新世になると紀元前五〇〇〇年頃まで海面上昇によって海岸線が後退した。その結果、オーストラリア大陸とニューギニア島やタスマニアも分離された。この完新世中頃の気候変化が人々の環境認識にも変化をもたらしたことが神話や岩絵からも推測される。紀元前二〇〇〇年頃気候が寒冷化し、内陸では乾燥化が進み、海陸の環境差が大きくなったため、剝片石器の技法に地域差が見られるようになった（Bellwood and Hiscock 2018）。

島嶼世界では紀元前四万五〇〇〇ー前四万年頃までにビスマルク諸島、前三万五〇〇〇年頃までにはソロモン諸島に人類が移動していた。幅三〇キロのビシアズ海峡は陸上動物には移動の障害だった。ニューギニア島には少なくとも五二種の陸生哺乳類がいたが、ビスマルク諸島周辺の島々には四種類の有袋類と二種類のネズミが、おそらく人類によってもたらされた。この時代は狩猟・採集経済であり、魚骨の出土は少ないが貝類は利用されており、また陸上生物ではネズミ、コウモリ(とくにフルーツバット)、爬虫類が食されていた(O'Connor and Hiscock 2018)。

紀元前二万四〇〇〇年頃、ニューブリテン島産黒曜石がニューアイルランド島などに運ばれた。さらに前三万二〇〇〇年頃のブカ島(一八〇キロ海域)と前二万五〇〇〇年頃のマヌス島(二五〇キロ海域)では外洋性魚の出土と更新世末期のクスクス、カナリウムナッツなどの発見が人類渡海の証拠とされる(O'Connor and Hiscock 2018)。

初期農耕は重要な問題であるが、ニューギニア島高地ではタロイモや移動農耕でヤムイモ、バナナ、サトウキビを作る農耕が少なくとも紀元前四〇〇〇年頃には始まっていた。その頃高地の気候は今より若干温暖であり、種々の有用植物を提供した。また高地は標高一五〇〇—一七〇〇メートル付近では肥沃でマラリアのない環境だった。

いずれにせよ穀物の導入はなく、豚も紀元前一〇〇〇年頃、オーストロネシア系集団によってもたらされたと思われる。サツマイモも西洋人経由の導入ならば西暦一五五〇年より後、太平洋経由であればポリネシアの歴史深度を考えても西暦一〇〇〇年以降となる。したがって、サツマイモを食べ、威信財として豚を飼育するというニューギニア島高地の生活は居住初期から変わらず続く伝統であるというのは誤りである(Bellwood and Hiscock 2018)。

第二幕——オーストロネシア系集団とラピタ文化複合

第二幕は今から五〇〇〇年から三〇〇〇年ほど前に始まったオーストロネシア(南島)語族集団の南下である。一説では中国大陸の南部、より確実には台湾付近からスタートし、フィリピン、インドネシアを経由、すでに居住されていたニューギニア島北岸からメラネシアの島々を南東方向に移動し、ソロモン諸島以東で最初の人類集団となった。

南島語族の移動は急速だった(=急行列車仮説)のか、それとも先住の集団と交わりながら徐々に移動したのかについては意見が分かれる。しかしこの動きは彼らの使用する特徴的な土器の名称からラピタ(Lapita)集団の移動に対応すると認識され、彼らはメラネシアから西部ポリネシアのトンガ、サモア付近までの四〇〇〇キロを三〇〇年から五〇〇年の間にかなり急速に東進した(Specht 2018; Bedford et al. 2021)。

ラピタの始まりはビスマルク諸島付近で紀元前一三〇〇-前一二〇〇年頃とされる。ラピタ土器は貝殻の混和剤を混ぜた胎土に赤いスリップがかけられた球状の土器や浅鉢の器形が特徴で、皿や燭台もある。土器の上部を中心に刻文あるいは鋸歯《きょし》状の押し型紋によって、直線、曲線あるいは人面の形が施される。人面の模様は祖先崇拝と関係するのではないかともいわれている。

ラピタ土器の文様については土器型式学を適応した分析(石村 二〇一一)、文様モチーフの有無による統計分析など(Noury 2021)が試みられている。それらによるとラピタ土器の文様形式には単純な伝播的過程ではなく、複数の製作集団間での水平伝達が起こっていたようだ。しかし文様土器は長くは用いられず、紀元前七五〇-前五五〇年頃に製作が終わり、西部ポリネシアでは無紋土器となる。一方、メラネシアではその後の時代まで別系統と思われる貼り付け紋や押し付け紋、あるいは沈線文が施される土器が続く(例 マンガアシ土器形式)。

ラピタ式土器の起源は大きな課題である。最近フィリピンやマリアナ諸島では、紀元前一五〇〇年から前一〇〇〇年の間に類似の文様や赤スリップが施された土器が発見されている。ラピタの鋸歯印紋は入れ墨の原理と同じであり(入れ墨具は骨、貝殻、鼈甲《べっこう》など)、オーストロネシア系集団の入れ墨風習と関連すると思われる。土器以外の遺物は断面がレンズ状の石斧、貝斧、ビーズや腕輪を含む多様な貝殻装飾品や釣り針であり、近年東南アジアでも類似の資料の発見がある(小野 二〇一七)。

ラピタ集団は東南アジアからタロイモ、ヤムイモなどの根菜類やバナナやパンノキの実などの樹上作物、家畜の豚、犬、鶏をもたらした可能性があるが、作物と家畜がセットだったかどうかは確定的ではない。彼らはニューギニア付近の先住集団から一部の栽培植物を得たが、家畜も異なったルートで入ってきたようである。たとえば豚は四八〇〇年前には台湾に存在し、ルソン島に四五〇〇―四〇〇〇年前に導入されたが、オセアニアの豚はむしろ東南アジア大陸部からインドネシア南部を経て導入された可能性が高い。犬や鶏もラピタ期に遡るほど古くはなく、これらの家畜が東南アジアからセットとして到来したのかどうか議論の余地が残されている(Denham 2018; Summerhayes et al. 2021)。

一方、ラピタ集団は当初、海産資源が最適(optimal)に利用できる海岸に杭上住居を建てて暮らし、海産資源や野生の有用植物を広範囲に利用した。食性に関する人骨のアイソトープ分析では、海産資源から陸上の食料へと相対的依存度が変化したらしいことも示唆されている(Kinaston and Buckley 2013)。

バヌアツのテオウマ(Teouma)墓地遺跡で発見されたラピタ人骨のDNA分析では、この集団は現在のバヌアツの住民ではなく、ポリネシア人に近い遺伝的特徴を持っていたとされ、同様の傾向はフィジー出土の人骨からも推測されている。これらの地の現在の住民にはメラネシア的形質が強く、アジアからの集団とニューギニアやニア・オセアニアの先住集団とがどの程度遺伝的に交差したのかについては意見の相違がある。なおテオウマ墓地遺跡から発見された三六体の人骨は、頭蓋骨土器の中に埋葬されていた。その特異な埋葬風習は首狩りというより、民族誌に見られる頭骨崇拝の慣習であろう(山田 二〇一五)。

総じてラピタ集団をどこかですでに成立した集団として追究するのではなく、東南アジア的要素、ビスマルク諸島起源の要素がいかに統合して成立したのかという観点から現在は議論されている(Green 1991)。民族事例にもない規模の長距離交易システムがラピタの特徴であるが、ラピタとは確立された文化集団というより、異なった系譜をもつ集団に共有された実践(practice)ではなかったのか、また彼らのアイデンティティはいかなるものだったのかなどが重要な論点である(後藤 二〇〇三、Terrel 2018)。

三、島々の移動とその戦略

ポリネシア考古学の論点と方法論

ポリネシア考古学最大の課題は、(一)アボリジニやメラネシア系集団と形質上異なるように見えるポリネシア人はいつ、どこから、どのようなルートでやってきたのか。および、(二)周辺社会と異なる首長制あるいは王国、またそれに伴う儀礼や神話は他地域ですでに成立していたのか、それともポリネシアの島々で発達したのか、この二点である。そのために必要とされてきた方法論とその論点は以下の通りである。

(ア) 一九六〇年代から本格化した放射性炭素年代法の導入と層序のある遺跡の発掘によって、絶対年代の推測およびポリネシア内部で遺跡間の年代比較が可能となり、さらに測定速度や年代補正法の進化によって精度が向上してきた。しかし放射性炭素年代は統計的な値であり、同じ遺跡から出てきた年代サンプルが大幅に違っていた場合、どれを採用するかについて恣意性を排除できなかったが、九〇年代以降は研究者の間でどのサンプルを採用するかの基準の合意ができつつある。

(イ) 言語学的にはオセアニア語やポリネシア語は分岐過程の大枠が確定している言語学によって考古学的推論を補強する方法論が取られている。その結果、ラピタ土器の分布するトンガ・サモア付近にポリネシア社会の原型(祖ポリネシア社会)があり、そこから中央ポリネシアや飛び地へと移住が行われたこと、あるいはハワイやアオテアロア(ニュージーランド)は中央ポリネシアのどこから居住されてきたか推論され、考古学的資料との対比が行われている。ただし考古学、言語学双方のデータから二次的移住の可能性が否定できない(例 ハワイ・タヒチ間)。

(ウ) 考古学では人口規模や階層化など社会体制の大枠は推定できるが、親族構造あるいは宗教観念や信仰などの詳細について推測するのは容易でない。一方、ポリネシア祖語では首長や専門家(例 神官)、あるいは軍事指導者などを表す語彙、また宗教観念や神話の神々の名称なども再構成されているので、祖ポリネシア社会の内容が推測できる。またポリネシア祖語にまで辿れない語彙は、分岐後のある時点で、何らかの理由から創出された文化要素であるとの推測がなりたつ。

(エ) 古環境研究においては土壌に含まれる炭化材が人為的伐採の可能性を示唆し、いくつかの島では人類到来の証拠とされてきたが、自然発火による山火事など、あるいは人類と共に来たネズミによる森林破壊の可能性も排除できない。また花粉分析あるいは海底堆積物やサンゴに含まれる同位体元素の比率から古気候の復元もなされ、リモート・オセアニアへの移住を左右した要因(例 エルニーニョ現象)などについての考察が行われている。

リモート・オセアニアへの移住年代とルート

ラピタ文化の意義はニア・オセアニアから前人未到のリモート・オセアニアへと人類が進出した点である。ラピタ期の年代は固まってきているが、それ以降、ポリネシア中央および東部の島々の居住年代に関しては、ここ三〇年の間に編年枠に一〇〇〇年程度の振り幅が見られた。すなわち最初の居住が約二〇〇〇年前まで遡るという早い居住説と、現在広く支持される約一〇〇〇年前という遅い説の間の振り幅である。早い居住年代観については西部ポリネシアのラピタの時期と東部ポリネシアの初期居住の時期に年代幅があるのは不自然だとして、マルケサス、ハワイあるいはラパ・ヌイなどは今から二〇〇〇年から一五〇〇年前に居住されたと唱えられた(Kirch 1986)。

しかしその後、放射性炭素年代の新たな基準が示されると(Spriggs and Anderson 1993)、中央および東部ポリネシアの居住は今から一〇〇〇年前以降という結果となった(Wilmshurst 2011)。さらにベイズ統計法を適用する方法が採用され(Dye 2011)、居住年代は西暦一〇〇〇年前以降という理解が補強された(Rieth and Cochrane 2018)。同時に、急速に東進してきたラピタ集団がなぜ一〇〇〇年以上も移動をしなかったのかの謎が残ることになった。

「オーソドックス・シナリオ」では、最も古い年代を出したマルケサスが東部ポリネシア文化の拡散の中心であるとされたが、なぜ中央ポリネシアのクック諸島付近で途中下車しなかったのかは謎である。近年では拡散の中心がマルケサスだけではなく、ソサエティ諸島も含めた地域であると考えられること、そこからハワイ、ラパ・ヌイ(イースター島)、アオテアロアに居住されたとされる(印東 二〇二〇)。ただし篠遠らが示した、マルケサス、ハワイ、アオテアロアの初期の遺跡の古層から出土している装身具や擬餌針《きじばり》などの人工物組成をどう評価していくかが今後の課題である(野嶋 二〇二〇)。

現時点では、多くの研究者がポリネシア社会はラピタ集団の社会に由来すると考えている。しかしポリネシア文化はラピタ文化から直接発展したのではなく、西部ポリネシアにミクロネシア経由で別系統の要素が流入し、ラピタの要素と統合されて成立したとする研究者もいる(Addison and Matisoo-Smith 2010; Horsburgh and McCoy 2017)。これはかつての多重移住説の再評価ともなるが、発想の異なる学説の余地は残しておくべきだろう(後藤 二〇一七)。

移動の戦略

赤道付近を移動する場合、ほぼ垂直に上り下りする星座によって方位が推測できる。また各島の天頂を通る星座の高さを見て緯度を推測し、またその高さを保って東西移動(緯度航法)もできたであろう。しかし、経度を知るすべはないので、ポリネシア人は漂流によって偶然、島々を発見するしかなかったという意見が根強かった(Andrew Sharp説)。そしてラピタ集団やポリネシア人が移動したのは基本的に西から東であり、赤道付近では主な海流は東から西、風も北東ないし南東からの貿易風が卓越するので、漂流による偶然の移住ならば東から西、すなわちアメリカ大陸からポリネシアに至る方が自然である。この謎に挑戦したのが古代カヌーを復元し、実際に航海を試みるという実験考古学のグループ、もう一方ではコンピューター上で移動可能性を実験するシミュレーション研究を目指したグループである(後藤 二〇〇三、同 二〇二二)。

海域の距離と目標の島の目視角度を考えると、ラピタ集団が直面したであろう第一関門は中央バヌアツとフィジーのあいだであった(Irwin 1992)。シミュレーション実験では、七五度で逆風に上れるダブルカヌーが使われたと仮定して、ラピタの航海は一年の大半の時期に目視角度二〇度の目標で行うことができた。しかしサモアからの航海は最大でも目視角度が一〇度を超えず、風向きを考えると一年に二、三週間しかチャンスがない。また西部ポリネシアに対してクック諸島は島環境の多様性が低いと認識されていたため、移住には不利で回避されたことが一〇〇〇年も足踏みした理由ではないかという意見もある(Thomas 2008)。同時に、恒常的な東風が弱まるエルニーニョＥＮＳＯ(El Niño and the Southern Oscillation)のような気候変動を待って東進した可能性も唱えられている(Avis et al. 2008; Anderson 2018)。

また新しい島を探索に出たときに安全に帰ることができる方位である安全方位推測値ＳＢＥ(safe bearing estimate)が考古学年代と高い相関傾向にある。これはラピタ集団の移動方向であり、また西部ポリネシアから中央ポリネシアにかけての移動方位と合致する(北東ないし東北東から南東方向)。つまり人類は安全(=帰りの有利な風向き)を考えて東進した可能性が高い(後藤 二〇〇三)。

さらに社会的要因も関与したかもしれない。たとえば強制的な税徴収があれば、人々はそこにとどまるか、新しい島を探しに出るかをリスク・マネージメントとして天秤にかけるだろう(Bell et al. 2015)。またポリネシア社会にはオーストロネシア社会に特有の年功序列思考によって、年少者が新しい土地を求めて出ていく傾向が組み込まれているとすればポリネシア人の海上渡航は首長制社会と深く関わる「社会現象」だった可能性もあるのである。

またポリネシア人の移住は計画的で、往復が行われていた。その証拠として、石器石材の産地同定研究から入植当初から一四世紀ごろまで交易網や島間の交流が発達していたことがわかっている(Collerson and Weisler 2007)。またマルケサスで発見されている土器片にはフィジー・ビチレブ島起源の砂が混入しているとされるが、それは入植時ではなく、その後の初期交易網の中でもたらされたものであろう(Allen et al. 2012)。

彼らの舟は丸木舟の船体に浮木をつけたアウトリガー型式、とくにオセアニアでは片舷(シングル・アウトリガー)型であり、リモート・オセアニアへの移住用のより航海能力の高いカヌーはフィジー、西部ポリネシア、ポリネシア飛び地で使われ、カロリン諸島の航海カヌーにうけ継れた。さらにポリネシアの移住初期には船体を双胴にし、積載量を増したダブルカヌーが用いられたと思われる。しかし植民が成功したあと、ハワイやニュージーランドのような比較的資源の豊かな島々では長距離航海が放棄され、島ごとに沿岸用の多様なカヌーが作られた(後藤 二〇二三)。

ポリネシア人の航海術の実態は、記録の欠如や文化変容のために詳らかでなく、それが維持されているミクロネシアのカロリン諸島の事例を援用して考えることが多い。しかしポリネシア人の移住の人類史上の重要性は距離が長いだけでなく、赤道を挟んで緯度にして南北六〇度の範囲で同系統の集団が移動したことである。移動の目安にしてきた天体は南北両半球では異なりうる(例 北極星は南半球では使えない)。そのためプレアデスの出現を新年の指標とするもハワイとアオテアロアでは新年が半年ずれるというように暦に構造変化が生まれるのである(後藤 二〇二〇)。

ポリネシア人の航海術については、実験考古学やシミュレーション以外でも神話の再解釈などによって徐々に明らかになってきた(Terrierooiterai 2017)。ソロモン諸島にあるポリネシア飛び地のタウマコ(Taumako)で維持されていた航海術の研究から風のコンパスが重視されたことがわかっている(George 2018)、また航海を左右する風向きの変化は天の川が遮るからだという思考があり、それがポリネシアの航海術や暦では重要だった可能性がある(Goto 2022)。

四、島嶼環境における資源と環境認知および社会形成

新しい環境の資源

では人類は豊かな資源を求めて前人未到の島々へと渡っていったのだろうか？

トンガ諸島の西からニュージーランドの東にかけて安山岩線（Andesite Line）が走っており、東西で地質学的な差が存在する。その東では両生類や淡水魚が欠落し、サンゴ礁内の魚種の種類も大きく減少する（例 ニューギニア：二〇〇〇種、サモア：九〇〇種、ハワイ：四六〇種）。

植物相の多様性も減少するため、植物の利用戦略は多数種の使い分けから、ココヤシのように少数種の多目的利用へと変化した。同時にポリネシア人たちはアジアやニューギニア方面から食用および道具用の有用植物を五〇から六〇種持ち込み、そのうちハワイでは二六種類、アオテアロアでも六種類の有用植物が維持された。またポリネシア人は食用として豚、犬、鶏を導入したが、ラパ・ヌイは鶏のみ、アオテアロアでは確実なのは犬のみなどの違いがあった。動物にはおそらく意図せずに運ばれたナンヨウネズミ（*Rattus exulans*）も含まれ、ラパ・ヌイやハワイなどではこれが森林破壊につながった可能性がある。

このように、リモート・オセアニアに入植した集団は持ち込んだ資源と新しい島で手に入る自然の動植物を効率よく利用しようとしたが、いくつかの島では人類移住後、貝類や鳥類が減少し、または絶滅した（Steadman 2006）。アオテアロアでは飛べない鳥モアが絶滅したが、それについては直接の捕食ではなく耕地開発のための森林伐採と火入れによって環境が変革されたことが大きいと思われる。

さらにオセアニアの島々は地理的な面からも均質ではなく、島弧島（island-arc islands）、高い島（high islands）、隆起サ

ンゴ礁(raised reef island/makatea)、および環礁(atoll)と大別される。島弧島とはインドプレートと太平洋プレートの境界にできた大きな島々である(主にメラネシア)。高い島は火山由来の島であり裾礁(fringing reef)ないし堡礁(barrier reef)が取り囲む島で、ハワイやソサエティ諸島がこれに相当する。隆起サンゴ礁はサンゴ礁の一部が隆起するか海水面の変動で高くなってできた島、環礁は低い輪状の陸地が海を囲んだ島々である。これらの島では単独で存在するか、集合体として存在するか、あるいは環境の異なる高低の島々から構成されるかなどによって、居住の条件が異なる。

一般に大きい島ほど環境収容力は大きいが、降水量が多く標高の高い島は農耕の条件がよく集約的な土地利用のために森林破壊が進むことがありうる(Rollet and Diamond 2004)。一方、森林伐採によってしばしば土壌の流出と河川流域の低地の埋没が起こった場合、そこが逆にタロイモなど湿地帯に適した作物を植えるには有利になり、余剰生産にもつながるなど、人為と自然的作用のフィードバックが起こったという指摘もある。そして環境への負荷を考えるには、単に環境収容力ではなく社会的需要を考えることが、首長制社会であるポリネシアでは重要である。同時に、人々はそれぞれの島の自然条件に合わせた選択肢、あるいは柔軟的適応性(adaptive plasticity)を持っていたのである(Leppard 2019; 山口 二〇一九)。

ポリネシアの事例でよく話題にされるのがラパ・ヌイである。ラパ・ヌイでは乾燥性の脆弱な環境における巨大モアイ像の建造競争に伴う過度の森林伐採と乾燥性の気候という負のサイクルによる食糧危機、内乱、そしてモアイの破壊という「文明崩壊」が起こったとされ、今でもその語りはうけ継がれている(ダイアモンド 二〇一二)。しかし森林消失はナンヨウネズミによるチリヤシの実捕食が主な原因であり、従来説では湖沼から得られた花粉分析データの年代、武器とされた遺物の機能推定にも問題が指摘される。さらに人々は乾燥性の土地でも湿気を保つために作物を石で根覆いするなどの工夫をこらしており、遺跡数から推測した人口規模も比較的安定していた。人口激減が起こったのはむしろ西欧人が来て以降、文献記録に記された疫病や奴隷・略奪に起因する可能性が高い。すなわち従来の崩壊説は地球環境危機に警鐘をならしたい現代人の期待に沿ったストーリーではないか、という疑義が呈されている（後藤 二〇二二）。

ポリネシア首長制社会の形成

太平洋社会が人類史に持つ意義のひとつは、首長制社会から国家へ至るモデルケースを提供する点である（Kirch 1984）。ポリネシアの首長制社会の成立に関しては環境収容力と資源の偏在性という生態学的要因、地位獲得競争（status rivalry）というポリネシア社会固有の原理、地理的包囲（circumscription）による軍事的要因、ラピタ期に由来する威信財システム（prestige-good system）の変容などの原理から議論が行われてきた（後藤 一九九六）。マルクス理論を骨子とした政治経済学的分析では、エリートによる恒常資源財政（staple finance）と富裕財政（wealth-finance）の制御が肝心であるとされた（Earle and Spriggs 2015）。

ハワイでは海岸に初期の移住がなされたが、一五世紀頃から内陸の乾燥地にも耕地が拡大される。しかしそれは単に人口増加への対応ではなく、首長制社会の需要に沿ったものではないか（Kirch 1984）。このような推論の背景にはポリネシア祖語にはすでに首長を意味する *qariki（＊は言語学的に再構成された仮説的語彙を意味する）、さらに首長権とも密接に関わるタブー（*tapu）や霊威（*mana）などの語彙もすでに存在しており、首長制社会固有の原理があったのではないかと推察される（Kirch and Green 2001）。

さらに語彙の変化も注目すべきである。ハワイ語では、ポリネシア祖語にある親族集団を意味する *kainanga が土地を意味する ʻāina に変化したのは、階層分離が進み、独自の領域を持っていた親族集団が首長集団から領土を安堵されるかわりに税を徴収される封建的制度が成立し、アジア的国家とも対比される初期国家が誕生した（Kirch and Green 2001）。また資源管理と社会階層化とに関連して、生産システムの質的な違い（集約的な灌漑、乾燥地農法、樹上作物等)を資源の価値と資源を防衛するためのコストとのバランスから分析する研究もある(DiNapoli et al. 2018)。

また社会階層化の視点からポリネシアおよびミクロネシアではモニュメントの分布、規模や建築方法の変化、その性格や機能、および景観との関係、象徴性などの議論が行われてきている(Martinsson-Wallin and Thomas 2014)。重要な議論のひとつは、中央ポリネシアで共通に見られるマラエ(神殿)の成立の問題、さらにマラエの機能や社会集団に対応した宗教空間の成立過程である(Kirch and Green 2000; Kahn and Kirch 2014)。マラエと同根の語彙はサモア語やハワイ語にもあるが、同一の意味は持たない。また権力の指標とされる墓であるがトンガのように王墓が建造されるケースと、ハワイのように王の骨が秘匿されるなど宗教観念にも異なった経路依存(pass dependency)が見出せ(Leppard 2019)、一五世紀以降には国家的な社会形成過程がトンガ、タヒチ、ハワイなどで独自に始まった。

最後に基本的問いにもどろう。クック艦長らが遭遇したポリネシア社会は、どこかで完成してから到来したのではない。それは考古学と言語学の協業が示した先史時代の動態とポリネシア社会の多様性からそう言えるのである。アジア起源のオーストロネシア集団は、西部ポリネシアの長い滞在期間で階層的な社会や宗教体系の原型が形成されたのだろう。その後の移動再開時期から一四世紀頃までは、進化した航海術のおかげで島間の交流が盛んで、資源や技術、あるいは言語や宗教観念の交換といった二次的影響もあった。しかし一五世紀以降、各諸島は孤立する傾向となり、環境条件や島間の距離などの条件に対応した人口増加、社会階層化、戦争などが起こり、さらに宗教空間や墓制などが異なった経路で変化し、一部の島では国家に匹敵するレベルにまで発展した。

おわりに——人新世における太平洋考古学の課題

人新世とは人類が地球の環境に影響を与え始めた時代の始まりを意味する名称である。太平洋造山帯では避けられない火山の噴火や津波と同時に、地球温暖化現象による海水面の上昇の影響を真っ先に受けるのが太平洋の島々なのである。われわれの日常生活が太平洋の人々の生活と密接に関係しているという認識も持つべき時代に立っている。

トンガ人の思想家ハウオファ(Hau'Ofa)が唱えた「島々の海」(sea of the islands)という概念は、太平洋の島々は、面積は小さいが、交流によって広大な大陸に匹敵する規模を持つという思考転換であった。ラピタ期や初期ポリネシアの交易網はそのような思考で見るべきであり、同時に現在の国境を越えて広がるラピタ文化(e. g. Sing and Willie 2021)やカヌー復興運動(後藤 二〇二〇)が国家で分断された先住民のアイデンティティを再生しようとしている。

大航海時代以来、太平洋の島々は外部者によって研究され、「太古の自然における変わらぬ生活=楽園」、あるいは「先見の明のない競争と社会崩壊」(ラパ・ヌイ)など、時代ごとのイメージや偏見が投影されてきた(Thomas 2021)。それに対し考古学はハードデータを提示することでそのイメージを修正することに貢献した。

一方、先住民が主張する神話や起源伝承は考古学の成果と一致するとは限らない。先住民の中にも人類学や歴史学系の博士号を取得した研究者が現れている(e. g. Teriierooiterai 2013)。ポスト・プロセス考古学を経験した今、考古学者の語りがそれぞれの立場の文脈に依存するという、複数の考古学(archaeologies)の認識も生まれている。このような時代において「土地固有の理論を真剣に考える」(Marshall 2021)、という課題にも今後応答する必要がある。

参考文献

秋道智彌・印東道子編(二〇二〇)『ヒトはなぜ海を超えたのか――オセアニア考古学の挑戦』雄山閣(以下、秋道・印東編と略)。
石村智(二〇一一)『ラピタ人の考古学』溪水社。
印東道子(二〇二〇)「ポリネシア内移動年代の修正と新モデル」秋道・印東編。
小野林太郎(二〇一七)『海の人類史――東南アジア・オセアニア海域の考古学』雄山閣。

後藤明（一九九六）「人口モデル――島嶼的脈絡において」植木武編『国家の形成――人類学・考古学からのアプローチ』三一書房。

後藤明（二〇〇三）『海を渡ったモンゴロイド――太平洋と日本の道』講談社選書メチエ。

後藤明（二〇〇八）『カメハメハ大王――ハワイの神話と歴史』勉誠出版。

後藤明（二〇一七）『世界神話学入門』講談社現代新書。

後藤明（二〇二〇）「ポリネシア考古学のパイオニア・篠遠喜彦」秋道・印東編。

後藤明（二〇二一）「オセアニアへの人類進出と認知構造」『科学』九一―一二、岩波書店。

後藤明（二〇二二）「遠隔島嶼のレジリエンス――「限られた自然」への適応」稲村哲也・山際壽一編『レジリエンス人類史』京都大学出版会。

後藤明（二〇二三）『環太平洋の原初舟――出ユーラシア人類史学への序章』南山大学人類学研究所モノグラフ1。

サッグス、ロバート（一九七三）『ポリネシアの島文明』早津敏彦・服部研二訳、大陸書房。

サーリンズ、M（一九九五）『歴史の島々』山本真鳥訳、法政大学出版局。

ダイアモンド、ジャレド（二〇一二）『文明崩壊――滅亡と存続の命運を分けるもの』楡井浩一訳、草思社。

ディドロ、ドニ（一九九七）「ブーガンヴィル航海記補遺」中川久定訳、赤木昭三ほか編『ユートピア旅行記叢書』第一一巻、岩波書店。

野嶋洋子（二〇二〇）「ポリネシア人の拡散モデル――エモリー・篠遠仮説」秋道・印東編。

バック、ピーター（一九六六）『偉大なる航海者たち』鈴木満男訳、現代教養文庫。

山口徹編（二〇一九）『アイランドスケープ・ヒストリーズ――島景観が架橋する歴史生態学と歴史人類学』風響社。

山田仁史（二〇一五）『首狩りの宗教民族学』筑摩書房。

（略称 *AO* = *Archaeology in Oceania*; *JPS* = *Journal of the Polynesian Society*）

Addison, D. J., and E. Matisoo-Smith (2010), "Rethinking Polynesians origins", *AO*, 45-1.

Allen, M. A., et al. (2012), "The anomaly of Marquesan ceramics: a fifty year Retrospective", *Journal of Pacific Archaeology*, 3-1.

Anderson, A. (2018), "Seafaring in Remote Oceania", Cochrane and Hunt (eds.), *Oxford Handbook*.

Avis, C., et al. (2008), "Simulating Island discovery during the Lapita expansion", A. Di Piazza and E. Pearthree (eds.), *Canoes of the Grand*

Ocean, BAR International Series 1802.

Beaglehole, J. G. (ed.) (1967), *The Voyage of the Resolution and Discovery, 1776-1780*, London, The Boydell Press.

Bedford, S., and M. Spriggs (eds.), (2021), *Debating Lapita*, Canberra, ANU Press. [本章では Bedford and Spriggs (eds.), *Debating Lapita* と略す]

Bedford, S., et al. (2021), "Debating Lapita", Bedford and Spriggs (eds.), *Debating Lapita*.

Bell, A., et al. (2015), "Driving factors in the colonization of Oceania", *American Antiquity*, 80-2.

Bellwood, P., and P. Hiscock (2005), "Australia and the Austronesians", C. Scarre (ed.), *The Human Past*, London, Thames and Hudson.

Buck, P. (1938), *Vikings of the Sunrise*, New York, Stokes.

Cochrane E. E., and T. L. Hunt (eds.) (2018), *The Oxford Handbook of Prehistoric Oceania*, Oxford, Oxford University Press. [本章では Cochrane and Hunt (eds.), *Oxford Handbook* と略す]

Collerson, K. D., and M. I. Weisler (2007), "Stone adze compositions and the extent of ancient Polynesian voyaging and trade", *Science*, 317.

Denham, Tim (2018), "The 'Austronesian' dispersal in Island Southeast Asia", Cochrane and Hunt (eds.), *Oxford Handbook*.

Di Piazza, A. (2010), "A reconstruction of a Tahitian star compass based on Tupaia's 'Chart for the Society Islands with Otaheite in the Center'", *JPS*, 119-4.

DiNapoli, R., and A. E. Morrison (2017), "Human behavioural ecology and Pacific archaeology", *AO*, 52-1.

Dye, T. (2011), "A model-based age estimate for Polynesian colonization of Hawai'i", *AO*, 46-3.

Earle, Timothy, and Matthew Spriggs (2015), "Political economy in prehistory: a Marxist approach to Pacific sequences", *Current Anthropology*, 56-4.

George, M. (2018), "Experimenting *mana* as ancestral wind-work", *Time and Mind*, 11-4.

Goto, A. (2022), "Indigenous calendar of Oceanic seafarers", M. Soma et al. (eds.), *Symposium on Calenders Used in Asia and Oceania*, 11.

Gray, R. D., A. J. Drummond, and S. J. Greenhill (2009), "Language phylogenies reveal expansion pulses and pauses in Pacific settlement", *Science*, 323-23.

Green, Roger (1991), "The Lapita cultural complex: current evidence and proposed models", P. Bellwood (ed.), *Indo-Pacific Prehistory 1990*, Vol. 11, IPPA Association.

Hau'Ofa, E. (2008), *We Are the Ocean*, Honolulu, University of Hawai'i Press.

Heyerdahl, Thor (1952), *American Indians in the Pacific*, George Allen & Unwin.

Horsburgh, K. A., and M. D. McCoy (2017), "Dispersal, isolation, and interaction in the islands of Polynesia", *Diversity*, 9-3.

Howard, Alan (1967), "Polynesian origins and migrations", G. A. Highland et al. (eds.), *Polynesian Culture History*, Honolulu, B. P. Bishop Museum Press.

Ioannidis, Alexander G., et al. (2021), "Paths and timings of the peopling of Polynesia inferred from genomic networks", *Nature*, 597.

Irwin, Geoffrey (1992), *The Prehistoric Exploration and Colonisation of the Pacific*, Cambridge, Cambridge University Press.

Jones, T. L., et al. (eds.) (2011), *Polynesians in America*, Lanham, Altamira Press.

Kinaston, R., and H. Buckley (2013), "The stable isotope analysis of prehistoric human diet in the Pacific Islands with an emphasis on Lapita", G. R. Summerhayes and H. H. Buckley (eds.), *Pacific Archaeology*, Otago, University of Otago.

Kirch, P. V. (1984), *The Evolution of the Polynesian Chiefdoms*, Cambridge, Cambridge University Press.

Kirch, P. V. (1986), "Rethinking East Polynesian prehistory", *JPS*, 95-1.

Kirch, P. V., and R. Green (2001), *Hawaiki, Ancestral Polynesia*, Cambridge, Cambridge University Press.

Kirch, P. V., and J. Kahn (2014), *Monumentality and Ritual Materialization in the Society Islands*, Honolulu, Bishop Museum Press.

Leppard, T. P. (2019), "Anthropocene dynamics in the prehistoric Pacific: modeling emergent socioecological outcomes of environmental change", *Nature and Culture*, 14-2.

Marshall, Y. (2021), "Taking indigenous theory seriously", T. Thomas (eds.), *Theory in the Pacific, the Pacific in Theory*, London, Routledge.

Martinsson-Wallin, H., and T. Thomas (eds.) (2014), *Monuments and People in the Pacific*, Uppsala, Uppsala University.

Noury, A. (2021), "Along the roads of the Lapita people: designs, groups and travels", Bedford and Spriggs (eds.), *Debating Lapita*.

O'Connor, S., and P. Hiscock (2018), "The peopling of Sahul and Near Oceania", Cochrane and Hunt (eds.), *Oxford Handbook*.

Pawley, A. (2018), "Linguistic evidence as a window into the prehistory of Oceania", Cochrane and Hunt (eds.), *Oxford Handbook*.

Petraglia, M. D., et al. (2010), "Out of Africa: new hypotheses and evidence for the dispersal of Homo sapiens along the Indian Ocean rim", *Annals of Human Biology*, 37-3.

Rieth, T. M., and E. E. Cochrane (2018), "The chronology of colonization in Remote Oceania", Cochrane and Hunt (eds.), *Oxford Handbook*.

Rolett, B., and J. Diamond (2004), "Environmental predictors of pre-European deforestation on Pacific Islands", *Nature*, 431.

Sing, R., and E. Willie (2021), "Connecting with Lapita in Vanuatu: Festivals, sporting events and contemporary themes", Bedford and Spriggs (eds.), *Debating Lapita*.

Smith, S. P. (1921), *Hawaiki*, Auckland, Whitcombe and Tombs.

Spriggs, M., and A. Anderson (1993), "Late colonization of East Polynesia", *Antiquity*, 67.

Steadman, D. W. (2006), *Extinction and Biogeography of Tropical Pacfic Birds*, Chicago, The University of Chicago Press.

Summerhayes, G. R., et al. (2021), "Early Lapita subsistence: the evidence from Kamgot, Anir Islands, New Ireland Province, Papua New Guinea", Bedford and Spriggs (eds.), *Debating Lapita*.

Terrell, J. E. (2018), "Understanding Lapita as history", Cochrane and Hunt (eds.), *Oxford Handbook*.

Teriierooiterai, C. (2013), *Mythes, astronomie, découpage du temps et navigation traditionnelle*, Ph.D. dissertation, Pape'ete, Université de la Polynésie Française.

Thomas, T. (2008), "The long pause and the last pulse: mapping East Polynesian colonisation", G. Clark, F. Leach, and S. O'Connor (eds.), *Islands of Inquiry*, Canberra, ANU Press.

Thomas, T. (2021), "Theory in the Pacific, and the Pacific in theory", T. Thomas (ed.), *Theory in the Pacific, the Pacific in Theory*, London, Routledge.

Underhill, P., and T. Kivisild (2007), "Use of Y-Chromosome and Mitochondrial DNA population structure in tracing human migrations", *Annual Review of Genetics*, 41.

Wilmshurst, J. M., et al. (2011), "High-precision radiocarbon dating shows recent and rapid initial human colonization of East Polynesia", *Proceedings of the National Academy of Sciences*, 108-5.

問題群｜*Inquiry*

ヨーロッパ人との初期接触から新たな太平洋島嶼世界の生成へ

風間計博

一、太平洋島嶼における歴史の複合性

現在の太平洋島嶼諸社会は、一六世紀に始まったヨーロッパ人との邂逅《かいこう》と接触の歴史経験を深く刻み込んで編制されている。文字をもつ文化が発達してこなかった太平洋島嶼における広義の歴史資料としては、考古遺物、建築物や彫刻、歌謡や舞踊、口碑伝承があげられる。一方、歴史事象における行為者、場所や日時を特定し、内容の詳細を検討するには、文字資料が重要である。歴史家にとって、無文字時代は漠然とした歴史の端緒にすぎない。歴史家は史料があってこそ安堵する(Maude 1979: 27)。文書から再構成される太平洋島嶼の歴史は、大航海時代以降のヨーロッパ人来訪者による記録に依存している。外来の探検家と在地住民との断続的な初期接触は、前者による後者の鎮圧から始まった。探検家に続いて交易者、キリスト教宣教師、植民者、植民地官吏が広大な太平洋の各地にやってきた。そして従来の歴史における在地住民は、侵入者から一方的に衝撃を被る受動的存在として描写されてきた。

第二次世界大戦後、とくに一九六〇年代以降、太平洋島嶼植民地の多くは、新興国として独立を果たした。独立した国民国家には、正統な国史が必要である。脱植民地化の潮流は、独立を控えた個別地域単位の歴史を浮かび上がら

せた。そして歴史家は、島嶼の人々を「受動的犠牲者」ではなく、「能動的行為主体」として捉える傾向性を増大させた。歴史の再構成を試みるとき、外的影響のみならず太平洋島嶼住民から見た側面を充分に補塡し、「両側」を見据える必要性が生じた(Thomas 2010: 3)。この文脈において、「島中心」(island-centred)・「島民志向」(islander-oriented)の歴史が強調されることになった。在地の人々は、行為主体としてヨーロッパ人に抵抗し、交渉を経て創造的に順応してきた、というのである。オーストラリア国立大学のジェームズ・ダヴィッドソン(James Davidson)の先導したキャンベラ学派は、島嶼側の視点から、人類学的・民族誌的な歴史の提示を試みた(Armitage and Bashford 2014: 12)。

受動性の否定は、確かに在地住民の自律性や主体性の回復を保障する。同時に、被害者としての側面を隠蔽し、加害者を擁護しかねないという歪みが生じる(Chappell 1995)。人々が主体性を発揮し、ヨーロッパ人と同等の立場にあるとすれば、犠牲者の標識は捨象される。このように歴史家が人々の被虐性の強調から転換して権利回復を唱道すると、補償の根拠と正当性は縮減される。加えて、植民地史の「両側」という表現は二分法を前提とし、片方に「土着の共同体」が措定される。共同体は、他者との境界線が引かれて本来の土地に自生し、文化的均質性が仮定され、過去からの連続性と復元力(resilience)を保持する自律的存在であるとみなされる。共同体の人々は強制連行されない限り、土地に固定されて自ら移動する存在とは想定されてこなかった(Thomas 2010: 2-3)。固有の場所に住み続け、近隣の敵対者と戦い、ヨーロッパ人の圧力に抗う。しかし、不変的な共同体の前提は、移動と個別経験の記憶や伝承、新たな土地への定着、島外で得た習俗や知識、混成言語を持ち帰る過程を等閑視させる。

本章では、太平洋島嶼住民とヨーロッパ人探検家との初期接触、捕鯨者や交易者との遭遇、農園労働等における複合的な絡み合いを概観する。そして、新たな事物の導入、人口減少、労働交易による移動と帰還等の諸事象を取り上げ、太平洋島嶼世界の変貌を追う。在地住民とヨーロッパ人、異なる島嶼出身者間の相互関係を軸に据え、新たな太平洋島嶼世界がいかに生成してきたのか提示したい。なお、太平洋島嶼では、メラネシア、ポリネシア、ミクロネシアという地理的三区分が慣習的に用いられてきたが、これには人種的偏見や境界の恣意性に対する批判的な議論がある(Thomas 2010)[1]。三区分は言語・文化的差異に基づくが、かつて文化と人種概念が不可分だった点に留意する必要がある。二〇世紀初頭、文化人類学者フランツ・ボアズが人種と文化を峻別するまで、この誤謬《ごびゅう》は根強く保持されてきた(Linnekin 1997: 8)。ただし、三区分の名称は現在の政治的文脈において、人々自身により積極的に名乗られている(Matsuda 2012: 3)。その点を踏まえ、本章では三区分の用語を使用する。

二、ヨーロッパ人による探検と初期接触

ヨーロッパ世界の拡大――ポルトガル・スペイン・オランダ

アジア大陸や日本列島東岸住民は、先史時代から太平洋に面して生活していた。しかし、ラピタ人を除くと、アジアから遥か東へ大洋に漕ぎ出す人々はいなかった。一方、西から大海原の航海に挑んだのはヨーロッパ人だった。一五一三年九月、スペインのバスコ・ヌニェス・デ・バルボアがパナマ地峡を横断し、目前に広がる海洋を「南の海」と名づけ、スペイン国王の名において領有宣言した。この史実が、ヨーロッパ人による太平洋の「発見」とされる。しかし、当時のヨーロッパ人は太平洋という概念をもたず、「南の海」を香料諸島(モルッカ諸島)に通じるアジアの大きな湾と考えていた。また当時、すでにポルトガル人は東廻り航路で香料諸島に到達していた。一方、スペインは世界を二分割するトルデシリャス条約(一四九四年)の影響により、西廻り航路を探して香料諸島を目指した(増田 二〇〇四:四九頁)。

こうした情勢下、ポルトガル人フェルディナン・マゼランは、自国に対峙するスペイン王カルロス一世(カール五世)に仕えた。その援助を受け、「南の海」を越えて香料諸島に到る計画を実行に移した(増田 二〇〇四:五一―五二頁)。

一五一九年八月、船隊はセビーリャ港を出航し、南米南端に近いマゼラン海峡を通過し、一五二〇年一一月、太平洋に到達した。一五二一年三月、船隊はマリアナ諸島グアム島に到着し、チャモロ人と初接触した(Fischer 2013: 85)。三角帆のカヌーに乗った在地住民はヨーロッパ船を襲い、船尾のボートを盗んだ。マゼランは怒り、四〇人の武装隊を上陸させて多くの人々を殺害し、家屋を焼き払った。その後、マゼランはフィリピンで首長間の争いに巻き込まれて絶命した。この例に違わず、ヨーロッパ人と在地住民との初接触の多くは敵対的であり、暴力的衝突により頻繁に流血をみた。

偏西風を利用してアジアから米大陸に到達する航路が発見され、アカプルコとマニラを結ぶガレオン貿易が確立した。スペインは、寄港地のグアム以外の島々にはほとんど関与しなかった。例外的には、一六世紀後半ー一七世紀初頭、アルバロ・デ・メンダーニャによるソロモン諸島の「発見」や、ペドロ・フェルナンデス・デ・キロスによる、ニューヘブリデス諸島(現バヌアツ)のエスピリトサント島における新イェルサレム建設の試みと挫折があった。

一七世紀に入るとオランダが太平洋に進出した。オランダは、一六〇二年に東インド会社を設立し、ジャワ島バタヴィアに香料交易の拠点をおいた。東インド会社アントン・ファン・ディーメン総督による「未知の南方大陸」(*Terra Australis Incognita*)発見の命を受け、[(2)]アベル・タスマンは一六四二年、バタヴィアを出帆した。タスマンは、太平洋各地で在地住民と遭遇した(増田 二〇〇四：九〇頁)。オーストラリア南岸を東進し、その名を冠したタスマニアを発見した。さらにニュージーランド北島に到達し、敵対的な先住民マオリに遭遇した。タスマン一行は、翌年トンガ諸島トンガタプ島で鉄やビーズとブタ、ヤムイモ、ココヤシ果実等を交換し、フィジー諸島を巡り、ビスマルク諸島ニューブリテン島に到達した。

一八世紀に入ると、西インド会社の委嘱により、ヤコブ・ロッヘフェーンが南米南端ホーン岬から太平洋に入り、ポリネシアを廻った(増田 二〇〇四：九一頁)。ロッヘフェーンは、一七二二年の復活祭の日にラパ・ヌイ(イースター島)に上陸し、巨石像モアイを見た。その後、ツアモツ諸島経由でソサエティ諸島を回航し、サモア諸島を巡った。住民は果物を提示して交易を望んだというが、ロッヘフェーンらは結局、上陸しなかった。オランダは専ら経済的利得に関心があり、今日の目からみて多くの功績をあげたタスマンでさえ、金銀も南方大陸も発見できず全く評価されなかった。

楽園幻想と科学的探検航海――英国・フランス

一五七九年、英国のバッカニア(海賊)フランシス・ドレイクは太平洋に侵入し、マゼランの次に世界周航を成功させた。ウィリアム・ダンピアは、一六八七―八八年にかけてマリアナ諸島、フィリピン、香料諸島やオーストラリア北西岸を航海した(Fischer 2013: 90)。バッカニアは、国王や貴族から認可や出資を受け、手荒い経済活動を行っていた。彼らは、敵国の港湾やガレオン船を襲撃して財宝を略奪し、故国に富をもたらす英雄だった(増田 二〇〇四：九一―九四頁)。多才なダンピアは、博物学的関心の高揚に対応して、熱帯の島々から大量の植物標本を輸送し、英国王立協会に寄贈した。また、異郷の見聞を航海記として著した(増田 二〇〇〇：六六頁)。

一七六六年、サミュエル・ウォリスがドルフィン(*Dolphin*)、フィリップ・カートレットがスワロー(*Swallow*)の指揮官に任ぜられ、プリマス港から南方大陸探索のために出航した。船には、長期航海による壊血病対策の固形スープが積み込まれ、淡水製造用の蒸留器が持ち込まれた。悪天候により僚船を見失ったウォリスは、一七六七年六月、タヒチに到着した。友好的な住民はカヌーを漕ぎ出し、大きな葉を振って出迎えた。これが、初のヨーロッパ人との邂逅だった。ウォリスは、英国王ジョージ三世の名においてタヒチの領有を宣言した。

タヒチ人からすれば、外来者との遭遇には儀礼的贈与交換と演説を伴う必要があった。しかし、近隣のポリネシア人とは異なり、ヨーロッパ人は適切な対応を知らず、タヒチ人は困惑したと推察される。三日後には来訪者に敵対的行動をとり始め、島住民による盗みが関係を悪化させた。ウォリスは砲撃を命じ、五〇隻以上のカヌーを破壊した。人々は再び友好的態度に戻り、船員は交換によりブタやニワトリ、果物を入手した。タヒチ人が渇望したのは鉄釘だった。[3] 約一カ月間の滞在中、乗組員と在地女性との性的接触が頻繁に起こった。一方、住民はときに投石し、英国人の火器や大砲による応戦を誘発した。タヒチ人たちは反逆するも火器の威力に屈し、敗残の結果、女性を差し出したと解釈される(Meleisea and Schoeffel 1997: 128-130; 増田 二〇〇四 : 九八頁)。

ウォリス出航の同年末、フランス海軍士官ルイ・アントワーヌ・ド・ブーガンヴィル[4]率いるフリゲート艦ブードゥーズ(*Boudeuse*)がナント港を出帆した。ウォリスの初接触から一年と経たずに彼らはタヒチに着いた。住民はカヌーで押し寄せ、船員は性的歓迎を受けた。このような友好的な歓待は、ウォリスによる鎮圧の効果と考えられる。滞在中、鉄釘、ボタンや安物の装飾品をタヒチの人々に与え、船側は食料を入手した。ブーガンヴィルは、タヒチをエデンになぞらえたが、実際には周辺の島々との抗争、首長と平民の格差、奴隷の存在を見抜いていた。一七六九年三月に帰還したブーガンヴィルの『世界周航記』は評判を呼び、ディドロの小説『ブーガンヴィル航海記補遺』執筆の契機となり、啓蒙期フランスの思潮に大きな影響を与えた。

太平洋の全体像を明らかにし、南方大陸説を否定したのが、英国のジェームズ・クックによる三度の科学的探検航海である(増田 二〇〇〇 : 七四-七七頁)。クックは科学者や画家を乗船させ、観測や自然物の標本採集を行わせた。また底が平らな石炭運搬船を改良した探検船には、壊血病を防ぐ食料(レモン、酢漬けキャベツ、タマネギ等)が積み込まれた。エンデヴァ(*Endeavour*)による第一回航海(一七六八-七一年)の表向きの目的は、タヒチにおける金星の太陽面通過という天体観測だった。しかし真の目的は、南方大陸の発見とその領有宣言だった。船には貴族出身の博物学者ジョゼフ・バンクスが乗り込んでいた。タヒチでの天体観測を終えた船はニュージーランドに向かい、マオリの襲撃を受けながらも、南北二つの島から成る正確な地図を作成した。オーストラリアでは、後脚で跳ねる奇妙な動物(カンガルー）を観察し、同地に固有の植物を採集した。

第二回航海（一七七二―七五年）は、レゾリューション（*Resolution*）とアドヴェンチャー（*Adventure*）により西廻り航路を通った。探検船には、時計史上著名なジョン・ハリソン作の高性能クロノメータが積載された。この精密機器により、困難だった正確な経度測定と地図作成が可能となった。南緯七一度一〇分まで下り、クックは南方大陸の存在を否定した。

第三回航海（一七七六―八〇年）は、レゾリューションとディスカヴァリー（*Discovery*）により西廻り航路を通った。クックはタヒチで人身供犠《じんしんくぎ》を目撃し、その情報がヨーロッパにもたらされて、「高貴な野蛮人」（noble savage）の幻想を打ち砕いた。その後、異説もあるが、ヨーロッパ人初のハワイ諸島訪問者となった。ハワイ出帆後、ベーリング海まで北上し、ハドソン湾と北極海を結ぶ水路を探索し、北緯七〇度六分で引き返した。北太平洋航海では、北米先住民やロシアの毛皮商人と遭遇した。ハワイに戻ったクックは、在地住民との衝突によりあっけなく生涯を閉じた[5]。

こうした数多の探検航海により、ポリネシアやメラネシアの主要島の存在がヨーロッパ世界に紹介された。一方、スペインのグアム支配を除くと、ヨーロッパ人は資源の乏しいミクロネシアには進出しなかった。一八世紀初頭、イエズス会がパラオと西カロリン諸島ウリシー環礁に宣教拠点を設けたが、このときは宣教師が殺害されて撤退した。スペインを除くヨーロッパ人とミクロネシアとの接点として、一八世紀後半、英国東インド会社の船による西カロリン諸島付近の運航があげられる。一七八八年、ニューサウスウェールズに囚人植民者を運ぶ東インド会社の船が中国へ向かう途中、ミクロネシアの大きな二群島を「発見」した。船長の名前をとって、マーシャル諸島とギルバート諸島（現キリバス）と命名された（Fischer 2013: 96–97）。

三、太平洋島嶼住民とヨーロッパ人の相互関係

他者との遭遇と反応

クックの探検航海は、断片的情報しかなかった太平洋島嶼世界に関して、豊富な知識をまとめてヨーロッパに提供した(Thomas 2010: 26)。情報は文章化され、当時登場してきた「読む公衆」の想像力を刺激した。異国趣味の高揚や「高貴な野蛮人」への熱狂が一般的な反応だった。対照的に、勢力を強めたプロテスタント諸宗派は、異教徒の習俗に身震いした。クックはタヒチで目撃した人身供犠を記述し、ジョン・ウェバーの詳細な銅版画も流通した。キリスト教諸宗派は異教徒と戦う機運を高め、競って宣教師を太平洋に派遣した。

クックの探検航海に参加していたウィリアム・ブライは、バウンティ(*Bounty*)の船長となったが、一七八九年四月、トンガ沖で船員の反乱を受けて船を奪われた。バウンティの数奇な反乱物語は、後世に小説や映画の題材を提供した。その一方、タヒチ側の反応も興味深い。反乱者はビーチコマー(捕鯨船や交易船から降りて、島々に居住した主にヨーロッパ人の男性)となり、タヒチに火器と武力統一をもたらした。加えて、タヒチ人は外来物に創造的な刺激を与えられ、異質な力を馴化して自らの権威高揚に利用した。

ブライが反乱者を追跡してマタヴァイ湾に戻ったとき、奇妙な胴衣(*maro 'ura*)を見たという。胴衣には、反乱に加わった散髪屋スキナー所有の赤い毛髪(当時ロンドンで流行していたウィッグ)が縫い込まれていた。散髪屋は、聖なる頭部に触れることの許された高位の人物と見なされ、しかも毛髪は貴重な羽毛と同じ赤色だった。さらに胴衣には、英国戦艦の赤い標識旗が縫い込まれていた。これは一七六七年、ウォリスの部下が、英国王の名において領有宣言したときに立てた旗だった。赤い羽毛製胴衣は、首長や戦闘神オロの司祭が身に着ける高貴な衣装である。こうした流用

は、タヒチ人が大英帝国の象徴をなぎ倒して自らの神聖な象徴に摂取して、権威を強化した行為と解釈される(Meleisea and Schoeffel 1997: 134-135)。

さて、ヨーロッパ人と初めて遭遇したとき、島嶼の人々は異形《いぎょう》の他者をいかに認識したのだろうか。クックをロノ神と見なしたという説と同様に、祖霊や精霊、神が現れたという解釈がなされてきた。二〇世紀前半にヨーロッパ人と初接触したニューギニア高地の記録を見ても、侵入者は祖霊や悪霊として畏れられていた(豊田 二〇〇〇：二三〇頁)。他者との相互理解は困難であり、とくにメラネシアでは攻撃的反応が頻繁に喚起され、外来者を容易に寄せつけなかった。ポリネシアにおける外来者との邂逅は、緊張関係が暴力に至らず衝突を回避できた場合には、儀礼的贈与交換と演説を経て、ホストは訪問客を庇護することになった。そして、旅立つ者に食料を提供し平和的に送り出した。しかし、実際のヨーロッパ人との初期接触では、頻繁に衝突が起こった。侵入者は住民を攻撃し、火器によって人々を殺戮した。ヨーロッパ人が殺害されることもあった。島嶼の人々は外来の珍しい物資を盗もうとし、機をみて抵抗を試みた。しかし火器に圧倒され、多くの島では女性を差し出した。こうした接触が結果的に、性病や結核等、致死的な病気の流行を招来した(Meleisea and Schoeffel 1997: 129-131)。

探検船に乗った太平洋島嶼の人々

ヨーロッパ船が島嶼住民を乗せて遠方へ移動させた事例は、接触初期から見られる。一五二八年頃、マヌス諸島近傍の男性三人がスペインの航海者アルバロ・デ・サアベドラによって船に乗せられ、ミクロネシアに滞在した。メンダーニャは一五六八年、六人のメラネシア人をペルーへ連れて行ったが、彼らは帰還しなかった(Thomas 2010: 4)。一八世紀になると、複数のポリネシア人が探検船に乗りヨーロッパまで到達した(Smith 2010: 180)。乗船した人々は、ヨーロッパ人からどのように見られ、また新たな世界をいかに経験したのだろうか。

タヒチからブーガンヴィルに同行したアフトル(Ahutoru)は、一七六九年三月に初めてフランスを訪れたポリネシア人である。またクックの第二回航海において、ソサエティ諸島ライアテア島出身のマイ(Mai[Omai])が英国を初訪問した(一七七四年)。ハワイ諸島モロカイ島のクアレロ(Kualelo)は一七八八年一月、毛皮交易船に乗った。航海中、北米西岸や北極圏、中国やヨーロッパの港で異郷の人々と出会った。船を乗り換え、多様な人々が集う軍艦や商船の甲板生活を経験した。さらに、移民や難民が集い、不平等な階級から構成されるロンドンを見聞した(Thomas 2010: 1-6)。ライアテア島のマヒネ(Mahine)は一七七三年、クックに同行して太平洋の島々を歴訪した。彼はマオリの暴虐に戦慄し、ラパ・ヌイでは住民に好感を抱いたが、荒廃した土地に衝撃を受けた。マルケサス諸島では、自らの言語や習俗との共通性を再発見した(Thomas 2010: 19; Thomas 2014: 80)。探検船に乗ったポリネシア人たちは新たな接触を通じて、他島の住民との社会文化的な類似性や差異を見出した。

特異な能力を発揮したのは、一七六九年にタヒチでエンデヴァに乗ってクックの第一回航海に途中まで同行し、バタヴィアで病死したトゥパイア(Tupaia)である。ライアテア島出身のトゥパイアは、オロ神の司祭であり航海者であった。若き博物学者バンクスの不鮮明な手紙の解読から、トゥパイアがヨーロッパ流の素描を会得したことが判明した。タヒチ人やタヒチの光景を描いた絵は、従来バンクス作と思われていたが、実際には、トゥパイアのものだったと新たに解釈されたのである(Thomas 2010: 17-18)。またスミスによれば、トゥパイアの専門知識や頑なな態度はクックを苛立たせ、対抗的な感情を抱かせたという。他方、二五歳の博物学者バンクスは、四十歳代半ばのトゥパイアを指導者として仰ぎ、彼に深い友情を抱いていた(Smith 2010: 190)。

エンデヴァがタヒチを出帆すると、トゥパイアの存在感は増した。バンクスによれば、彼はポリネシアに分散する島嶼の位置を正しく紙に描き込んだ。航海記録は、島間の帆走に要する日数を彼が正確に予測したことを示唆している。また彼は、訪問した島の住民と対話できた。ポリネシア語方言を弁別し、子音体系の変化にも対応したという。

船医モンクハウスは、ニュージーランドのポヴァティ湾で「トピア(トゥパイア)の名前は、彼と話をする人々の間で絶え間なく反響していた」と記した。トゥパイアの名は世代を超えて、クックよりも長いあいだマオリの人々に記憶されていたという。彼は、島の住民と英国人とを結ぶ通訳者であり交渉者だった。

さらに彼は、ソサエティ諸島と他島の文化的類似性や差異を記録した。航海術に通暁し、在地住民と対話できる言語力と観察力により、住民から航海の統率者と見なされた。しかし探検船の乗組員たちは、トゥパイアの優れた能力を認めながらも、尊大に振る舞う彼を好意的には受け入れなかったという。バンクスによる敬愛とは異なり、クックは探検に役立つ通訳者、航海者、情報提供者としてトゥパイアを冷徹に見ていた(Smith 2010: 193)。

ミクロネシア・パラオ諸島のレブゥ(Lebuu[Lee Boo])は英国を訪問し、病死するまでの五カ月間滞在した。一七八三年八月、英国東インド会社の定期船アンテロープ(*Antelope*)は無人のウロン島近辺で座礁した。ヘンリー・ウィルソン船長と乗組員は、ボートを建造しながら一三週間を島で過ごした。ウロン島は英国と戦略的同盟を結んだコロール首長アイバドゥール(Ibedul[Abba Thulle])の支配下にあった(Smith 2010: 213)。偉大なコロール首長はウィルソンに厚い信頼をおき、息子を彼に託して、新たな人間に生まれ変わるよう英国に送り出した。「私は、あなたがリーブー(レブゥ)に、彼が知るべき全てのことを伝え、彼を英国人にすることを望む」と言ったと伝わる(Smith 2010: 223)。

パラオから渡英したレブゥは、船長の故郷ロザーハイズを拠点として過ごし、一七八四年一二月、天然痘のために死去した。ロンドン滞在時、彼はジョージ・キートと知り合った。キートは、ウィルソンの日誌に基づき、レブゥとの接触の回想記を著した人物である(Smith 2010: 213)。彼は、英国人になろうとしたレブゥの自己変革について、鏡の逸話をアイロニカルに記している。マカオの瀟洒《しょうしゃ》な家を訪問したとき、レブゥは巨大な鏡に自らを映した。初めて見る鏡は、彼という人間の全てを映し出していた。自分の姿を見て楽しみ、笑い、後ずさりし、再び見て不思議の世界に没頭した。やがて、英国で生活を送り変化を遂げた後、彼は病に罹った自分を再び鏡に映した。死の直前、レブウは部屋を歩きながら、変わり果てた自分の姿をあらためて鏡で見た。顔は膨張し変形していた。まるで自らの相貌を嫌悪するかのように、彼は頭を振り、踵を返した。変貌した彼は文明のなかに自身を投影したが、文明の堕落した影である伝染病によって、すでに深く破壊されていた(Smith 2010: 223)。

マーシャル諸島のラタック列島アウル環礁において、ウォレアイ環礁生まれのカドゥ(Kadu)[6]はロシアの探検船リューリク(*Rurik*)の航海に参加した。一八一七年三月、船はベーリング海峡に向けて出航した。カドゥは、アラスカ沖ウナラスカ島住民、ハワイ人やカリフォルニア先住民に遭遇した。博物学者アーデルベルト・フォン・シャミッソー[7]は、ヨーロッパ文明を批判し、無垢のカドゥを理想化した。「ウナラスカでもどこでも、上陸場所でカドゥは調査に参加した」。「自然物に注意を払い、使用価値のある釘や鉄屑、砥石《といし》を吟味して採集した。彼は、ラタックに帰って友人に与えるつもりだった」。シャミッソーは、カドゥが島での地位を上げる目的を理解せず、友人の寛大さを賞賛した(Igler 2013: 139-143)。

シャミッソーは、ホノルルで遭遇したハワイ人の性的な堕落を批判し、カドゥが汚染されることを恐れた。一方、カドゥは容易にハワイ人との対話を習得し、関係を享受したようだ。またアルタ・カリフォルニア先住民はスペイン支配に屈服し、フランシスコ修道会の命令下にあった。シャミッソーはカリフォルニア先住民に憐憫を感じたが、他地域の先住民より低く評価した。イグラーによれば、カドゥとの関係が彼の偏見を助長したという。自由なカドゥは、キリスト教に改宗した先住民の不自由な状況を嘲っていた(Igler 2013: 141)。ロマン主義に傾倒していたヨーロッパ人は、文明に接触して変貌した人々の姿を嘆き、一方的に理想的な人間像を「無垢な」島嶼出身者に投影した。一方、探検船に乗った島嶼の人々は、自力では行けない場所を訪問して新たな世界を経験し、島には無い事物や知識を貪欲に吸収した。

四、交易による資源の搾取と人口減少

捕鯨船・ビャクダン交易から農園へ

欧米の探検は海軍を動員した国家事業であり、探検者は幻の南方大陸や島の発見と領有を目的に太平洋を航海した。一方、一八世紀後半以降、鯨油目的の捕鯨者、毛皮商人、キリスト教宣教師等の民間人が本格的に太平洋に進出した。北米西海岸では、ロシア、英国、米国の商人がラッコやアザラシ等の海獣、クマやオコジョの毛皮交易を行っていた。毛皮は中国で取引され、陶磁器や茶、絹が北米に運ばれた（増田 二〇〇四：一二〇頁）。船員には、多様な出自のヨーロッパ人に加え、島嶼出身の男性がいた。自主的に船に乗る者のほか、騙され誘拐されてきた者も多かった（Denoon and van Meijl 1997: 156）。一九世紀前半、多くの男性は、捕鯨船や交易船乗組員、移動性の高い真珠潜水夫、ビャクダンやナマコ交易の労働者となった。また、キリスト教教育を受けたポリネシア人説教師は、故郷から離れた島々に派遣された（Munro 1995: 131-133）。一九世紀、島嶼出身者は、太平洋から米大陸まで活発に移動していた。

ハワイ人、タヒチ人、マオリ等のポリネシア人は、一九世紀初頭から船員になっていた（Fischer 2013: 158）。ハワイのカメハメハ一世は、経済的利益と海事技能を得るために、毛皮交易船に乗組員を提供した。米国捕鯨船は、一八三〇年代には乗組員が不足するとホノルルで人員補充をするようになり、ハワイ人船員はほどなく約三〇〇〇人に達した。オーストラリア船のマオリやタヒチ人と併せて、ポリネシア人は捕鯨船やアザラシ猟船の水夫の二割を構成していた。島嶼出身の船員は、危険と利益、多様な伝統を共有する多言語集団を生み出した。船上で生涯を送る者、故郷から遠隔の地に定住する者もおり、北米に集団居住したハワイ人もいた。一部のマオリは、ヨーロッパ人と同様に船を降りてビーチコマーになった。一方、故郷帰還者は財を親族に分配し、乗船経験の栄誉を誇った（Denoon and van

Meijl 1997: 156-157）。しかし一八五九年、米国のペンシルヴァニアで油田が発見され、鯨油の重要性は低下した。一八六一―六五年の南北戦争において、捕鯨船は攻撃されて打撃を受け、やがて捕鯨産業は衰退した（斎藤 一九八七：二四六頁）。

　中国との交易は、人々の移動と接触を促す強力な駆動力となった。輸出品としてビャクダンや乾燥ナマコが注目された[8]。ハワイ、ニューヘブリデス諸島南部、ニューカレドニア、ロイヤルティ諸島でビャクダンの生育する叢林《そうりん》が見つかった。シドニーを出航した交易者は、一八二九―三〇年にニューヘブリデス諸島エロマンゴ島に集中した（Fischer 2013: 158）。ニューヘブリデス諸島やニューカレドニアでは、政治的権威が狭い範囲に限定されており、住民は統率されていなかった。組織的伐採は困難だったため、交易者との間で詐欺や暴力が横行した（Meleisea and Schoeffel 1997: 143-144）。

　フィジーではビャクダンとナマコの双方を産し、強力な首長の下、比較的秩序ある交易が行われていた。安全な航行の保障や労働力の提供と引き換えに、首長は希少財の鯨歯《げいし》（*tabua*）、多様な物資や火器を受け取った。フィジーに君臨したザコンバウを経済的に支えたのは、ナマコ交易である。採集と乾燥加工は一八一〇年代から隆盛し、ザコンバウの船舶購入に貢献した。ビャクダンの収益はカメハメハ王朝のヨーロッパ式軍隊維持を可能にしたが、原木は一八三〇年頃に枯渇した。なお、タヒチのポマレ二世による武器購入の財源は、流刑植民地のオーストラリア南東部ニューサウスウェールズに輸出された塩漬けブタ肉だった。定期的なブタ肉の輸出（一八〇一―二六年）は、総量三〇〇万ポンドに達した。タヒチ住民はブタ飼養により、他の島嶼地域に先んじて市場経済に参入した（西野 一九八七：二八〇―二八三頁、山本 二〇〇〇：二九一頁）。

　メラネシアでも他地域と同様、接触初期には鉄製品が求められ、交易品は布、ビーズ、タバコからマスケット銃と火薬に拡大した。島の住民は、在地の財であるブタや貝を要求することもあった。当初、島の人々はヨーロッパ人に恐る恐る接していたが、抜け目なく利益を得る態度に変化した。両者は概ね良好な関係だったが、取引の失敗は殺傷沙汰を引き起こした。交易者が詐取や敵対した場合、次に来た者が報復対象とされた。メラネシア人は好戦的と評され、明らかな予兆なく攻撃をしかけた。交易者への攻撃は、邪術の嫌疑による場合もあった。初期訪問者が「奇妙な疫病」を流行させたように、ヨーロッパ人は病や死をもたらす邪悪な力をもつと信じられ、復讐が企てられることもあった(Meleisea and Schoeffel 1997: 143-144)。

在地住民は、ビャクダン交易の活動的な参加者だった。譲歩せずに取引し、従来の想定より優位な立場を保った(Munro 1995: 131)。当初、人々は木材運搬等のあらゆる仕事を担っていたが、近隣集団との戦闘、儀礼や作物収穫に時間を取られた。交易者は、島内の敵対や親族の義務による遅滞を避けるために、他島から労働者を連れてきた。海岸に基地を建設し、材木を保管して効率的に船積みした。一八五〇年代までに材木基地は増加した。基地ができると交易が促進され、住民は外来物資に依存するようになった。キリスト教宣教師は、交易地に拠点を置いた。改宗者の増加に伴い、交易者との衝突頻度は減じた。しかし、メラネシアのビャクダンは短期間で枯渇し、交易は約二〇年間で幕を閉じた(Fischer 2013: 159)。

一九世紀半ばには、農作物栽培、鉱物採掘、牧畜等の定住的な産業が主流になった(斎藤 一九八七：二五四頁)。島嶼出身者は、ニッケルや金、燐鉱《りんこう》の採掘労働に徴用された。一八六〇年代以降、農園経営者は、数万人規模の島嶼住民や中国人労働者を導入した。労働交易は、多様な人々が接触する新たな状況を生んだ(Munro 1995: 131)。

サモアでは一八五〇年代、ゴデフロイ社(Godeffroy und Sohn)が二万五〇〇〇エーカーの土地を得て綿花を栽培した(9)。米国で南北戦争が勃発し綿価格が急騰すると、交易者はメラネシア人をオーストラリア北東部クィーンズランドの綿花農園に導入した。フィジーでは首長の庇護下で綿花栽培が行われた。しかし南北戦争が終結して米国の綿花栽培は回復し、ココヤシ栽培のみが残された(Denoon and van Meijl 1997: 175)。トンガのコプラ生産をみると、首長が平民に命じる限り、ヨーロッパ人のココヤシ農園で栽培する必要はなかった。キリスト教布教者は、信仰とコプラ生産を結びつけ、交易者と同盟関係を築き首長と協調した。トンガではドイツ人交易者を通じて貨幣が導入され、中央集権化とキリスト教化が起こった。しかし、資本制経済が浸透したわけではなく、コプラ価格が下がれば、人々は生業活動に戻った(Denoon and van Meijl 1997: 175-176)。

人口減少と労働力徴集

太平洋島嶼各地では、初期接触時の敵対的関係や暴力的衝突とともに、男性船員と在地女性の性的接触が起こり、未知の感染症(性病・結核・麻疹等)がもたらされた。在地住民に免疫はなく、多くが病死して極度な人口減少が起こった(Meleisea and Schoeffel 1997: 144)。初期の人口減少に関する感染症の影響を査定するには、接触前の人口推計が必要である。しかし、探検者のあげる数値の多くは曖昧な印象にすぎない。他方、考古学者は、集約的農耕システム等の生産様式が人口を反映すると考える。人口は環境支持力の限界を超えることはないが、データ解釈は複雑である。さらに、数値の選択には政治的志向も影響し、人口推定値は必ずしも一定しない。ただし、初期接触から二〇世紀前半まで、感染症の死者に島外流出者を加えて、太平洋島嶼では壊滅的な人口減少が起こったのは確かである(Thomas 2010: 22-23)。

主に一九世紀以降の状況をみると、ポリネシア東端のラパ・ヌイでは一八六三年の人口約三〇〇〇人から一八七七年には一一一人[10]、マルケサス諸島では一八世紀末の八万人超から一九二〇年代に一五〇〇人[11]、ハワイでは一八二三年の一四万二〇〇〇人から一八九六年に三万九〇〇〇人まで減少した。メラネシアのソロモン諸島やニューヘブリデス諸島では、病死に加えて島外への人口流出が顕著だった。アネイチュム島では一八四八年の約四〇〇〇人から一九四〇年に一八六人になった。ミクロネシア全体でも人口が半減したと推測されている。コスラエでは一八二〇年代の三〇〇〇人から六〇年後には三〇〇人まで減少した(Fischer 2013: 122-123)。多くの島では家族成員の減少だけではなく、家族そのものが消滅した。司祭や長老の死は、生業や民俗医療等の知識や伝承の喪失を意味する。首長の死により、儀礼や社会生活が失われた(Thomas 2010: 23)。

労働交易も人口減少の主要因である。農園や鉱山での労働力需要が増すと、労働交易が活発化した。綿花栽培が衰退すると、北クィーンズランドでは一八六〇年代までに砂糖が主な輸出産物となった。サトウキビ農園は多くの労働者を必要とし、西太平洋は「労働者の貯蔵庫」となった。一八六三―一九〇四年までの間、六万二〇〇〇人の島嶼出身者が、クィーンズランドの農園で働いた。多くがニューヘブリデス諸島やソロモン諸島から来ていた。最盛期、クィーンズランドとフィジーの労働者は一〇万人にのぼった(斎藤 一九八七:二五四頁)。

一八六二―六四年には、ペルーでの綿花栽培やグアノ採掘のために、クック諸島やラパ・ヌイ等のポリネシア人、キリバス人が誘拐された。悪名高いペルーの奴隷交易である。被害者への処遇は酷く、死者数はペルー渡航中に三四五人、滞在中に一八四〇人、帰途航海中に一〇三〇人、計三二一五人と推計される。故郷の島でも、持ち込まれた天然痘や赤痢により多くの死者を出した(Maude 1981: 191)。メラネシア人の処遇も過酷だった。クィーンズランドの綿花やサトウキビ農園では病死する者が多く、現場では暴力も横行した。一八七一年、労働者徴集をめぐる凄惨な事件が起こった。フィジーの農園に送るために、ソロモン諸島ブーゲンヴィル島近辺で一八〇人が誘拐され、帆船カール(*Carl*)の船倉に押し込まれた。逃亡を試みた者は銃撃されて五〇人が死亡し、負傷した二〇人は無残にも海に放り出された。この事件の翌年、英国は「太平洋諸島民保護法」を制定した(Fischer 2013: 160)。

五、新たな太平洋島嶼世界の生成

受動的犠牲者／能動的主体の狭間から

ここで、島嶼出身の労働者は受動的犠牲者か、能動的行為主体か考えてみたい。まず、労働者は必ずしも誘拐されてきたとは限らず、自発的渡航がみられる点に留意すべきである。そのとき、個人の主体性と親族集団の関与が焦点となる。多くのメラネシア人にとって、遠方の農園行きは、個人の選択というよりも親族集団の決定だった。財獲得の戦略として、若者は農園へ送られた。仮にヨーロッパ人の強制がなかった場合、在地側の主体性が認められる。しかし若者は、親族集団の要求に従属していた。そうであるならば、「真の誘拐者」は、親族集団の長老という解釈が可能となる(Munro 1995: 135)。ただしこの議論においては、独立した個人の主体性と自由意志を至上とする西欧近代的な人間観と価値観が所与とされている点を、看過すべきではない。西欧的価値観を無批判に普遍とするヨーロッパ中心主義が、問われねばならない。

視点を変えると、労働場所や乗船地は限定され、人々に選択の余地は与えられていなかった。仮に労働が人頭税の支払いのために行われた場合、若者を必要に迫られて送り出した可能性があり、ここに親族集団の自発性の根拠は瓦解する。さらに、外来物資や現金獲得の欲望がヨーロッパ人により喚起されたのは自明である。親族であれ個人であれ、選択がどこまで自発性をもつのか、確定することは困難となる。

一方、人々は雇用条件をうまく制御し、相互に利益を得るための調整が行われたという。この解釈は、島民が能動的行為主体であり、実質的に文化横断的な裁定者であるとするキャンベラ学派の主張に合致するだろう。ただし、行為主体性がどこまで一般化できるかを問うには、契約奉公制度下の生活や労働状況、年季奉公人と雇用主の関係等を具体的に吟味する必要がある。年季奉公は、初期数十年間は過酷だったが、一八九〇年代は比較的良好な条件に改善された。一部の期間だけを取り出して結論づける方法は誤謬を生む。

犠牲者／加害者の粗雑な二分法は回避されるべきであり、労働交易に人々の自発性や行為主体性といった概念を安易に適用することは難しい。仮に労働者が誘拐され、現場の実情を知らないまま連行された場合、主体性は二重に損なわれている。年季奉公制度は通常三―五年契約であり、一般に労働者の扱いは厳しく、契約不履行には制裁が加えられた。他方、雇用者側は市民法に従えば、国家や公的制度が彼らの要求を満たしてくれた。主体性を強調する楽観論は、複雑な状況を平板化し、現実を狭める傾向性をもつ(Munro 1995: 135-136)。

二〇世紀に入ると、クィーンズランドで雇用された島嶼出身の労働者は、白豪主義の機運高揚により排除された。新たに発足したオーストラリア連邦議会では、労働者を島嶼に強制帰還させる「太平洋労働者法」が可決された。政府は白人労働者による砂糖生産に補助金を支払い、強制帰還による産業の危機を乗り越えた。島嶼出身の労働者は一九〇一年にはクィーンズランドに一万人いたが、一九〇六年には四五〇〇人まで減少した。強制帰還者は、ケアンズ港で「さらば、クィーンズランド、白いオーストラリア、キリスト教徒」と叫んだという。長期滞在が許可された少数者は、白人を選好する厳しい雇用状況に晒された。キリスト教礼拝を続けて文化的同化を試み、カナカ・ピジン英語の使用を抑制した。しかし彼らは、低水準の生活と教育により社会的に周縁化され、より劣位に置かれたアボリジニに類する状態だった。本土を逃れてトレス海峡諸島に再定住する者もいた(Denoon and van Meijl 1997: 160-161)。

一九世紀以降のビャクダンやナマコ交易、労働力徴集は、人口減少のみならず、島々に大きな変容をもたらした。一〇万人のメラネシア人がヨーロッパ人居留者の生活に接し、工業製品、酒やタバコの味を知った。英国人やドイツ人居留地は、後の植民地時代に引き継がれた。農園の年季奉公が一般化し、人々は三年契約を全うして物資や現金を故郷に持ち帰った。帰還者の地位は高まり、労働で得た物資や現金が、妻を娶《めと》る際の婚資として期待された。さらに、農園の共同生活において形成された共通語のピジンは、多言語のメラネシアで普及した(Fischer 2013: 161)。ニューヘブリデス諸島アンバエ島では、クィーンズランドから戻った若者が、政治・宗教的指導者になった。従来の生産活動は、ブタを儀礼的に供犠する年配男性間の競合的な階層関係に支配されていた。一方、帰還者やキリスト教信徒は反旗を翻し、自主的に教会を建て、ブタの供犠等、多くの因習に対抗した。旧来の習俗を保持する異教徒への対抗手段として、現金獲得のためにコプラが生産された(Denoon and van Meijl 1997: 175-176)。

一方、交易拠点となった太平洋各地の主島では、天然の良港にヨーロッパ人の基地や居留地が作られた。そこには、男性のみの船員集団とは異なり、ヨーロッパ人妻が定住した。妻や娘たちは、華美な服装や生活様式を島々に持ち込んだ。ヨーロッパ人居留地には、使用人以外の在地住民の立ち入りが禁止され、人々は後背の村落に留めおかれた(Fischer 2013: 125)。太平洋各地の農園労働者たちは、ヨーロッパ人の生活を観察し、また共同生活の場で他島出身者と接し、現金や物資、新たな知識や習俗を故郷に持ち帰った。船上や農園では過酷な待遇や差別を受けたが、単に雇用者に隷属したとは限らず、島嶼各地とヨーロッパとの文化的交錯状況を経験した。こうして、多様な人々の織り成す歴史過程のなかで、新たな太平洋島嶼世界が生成したのである。

欧米列強による太平洋の植民地分割

最後に、俯瞰的な観点から太平洋の植民地分割についてみてみたい。ヨーロッパ人入植者の圧倒的な暴力により先住民から土地を簒奪して建国した移民国家が、ニュージーランドとオーストラリアである。ポリネシアのハワイも米国に併合され、先住民は少数派となった。一方、フィジーやニューカレドニアを除く島嶼では、ヨーロッパやアジアからの移民人口が、在地住民人口を凌駕することはなかった。一六世紀以来、スペイン統治下のグアムを除けば、一方的に領有宣言をしても、ヨーロッパ人が島嶼を実質的に支配したわけではなかった。むしろ、探検船や捕鯨船の船員が食料や水の補給を求め、交易者が個別の資源獲得を目的に立ち寄って基地を作り、少数の植民者が農園経営や鉱物採掘のために定住した。こうした資源搾取の延長線上に、一九世紀半ば以降、欧米列強による植民地分割の競合が起こった。

フランスは積極的に植民地獲得に乗り出した。一八四二年、タヒチとモーレアの保護領化を宣言し、一八五三年にニューカレドニアを植民地化した。米国は農業用肥料の原料を確保するため、一八五六年にグアノ島法を成立させて中部太平洋に進出した(西野 一九八七：二三四頁)。英国は一八四〇年にワイタンギ条約を結んでニュージーランドの主権を握り、一八五〇年にオーストラリア植民地政府を樹立した。一八七四年、英国はザコンバウからフィジーの主権を委譲された。フィジーには、英国西太平洋植民地の総督府が置かれた。

遅れて参入したドイツは一八五七年、サモアに交易拠点を置いた。英国とドイツは、一八八四年にニューギニア分割協定を結び、太平洋広域を二分した。ドイツは境界線北側のニューギニア北部からソロモン諸島西部、マーシャル諸島やミクロネシアの広域を支配した。英国は南側のギルバート諸島とエリス諸島(現ツバル)を植民地化した。いうまでもなく、このような欧米列強による太平洋分割に、島嶼住民の行為主体性が発揮される余地は、ほとんど与えられていなかった。

ミクロネシアは、第一次世界大戦のドイツ敗戦により、南進をめざす日本の委任統治領(南洋群島)となった。そして、メラネシア各地やミクロネシア全域を巻き込んだ太平洋戦争を経て、太平洋島嶼世界は脱植民地期へと至るのである。

注

(1) 一九世紀前半に三度の世界周航を成し遂げたデュモン・デュルヴィルは、パリ地理学協会に太平洋の人種・地理的区分を示す論文を提出した(一八三一年)。人間の特徴を人種として明確化し、地図上に境界線を引いた(Thomas 2010: 140-142)。島嶼住民は、具体的な分布域と身体的・文化的特徴の対応関係が与えられて対象化された。

(2) 一六―一八世紀にかけて、ヨーロッパでは南方大陸の存在が信じられていた。地球全体の均衡を考えて、南半球にも巨大な陸塊があるという地理学者の空想的仮説である。

(3) 太平洋島嶼には金属を精錬して加工する技術はなく、硬い道具の材料として石や貝殻、骨が用いられた。そのため、太平洋全域で鉄釘やナイフ等の鉄製品が強く求められた。

(4) 本章では探検家の人名をフランス語の発音に対応させて「ブーガンヴィル」、その名をとったソロモン諸島にある島名を英語に対応させて「ブーゲンヴィル」と表記を使い分けている。

(5) 船がハワイに戻ると、窃盗を契機として船員が住民を銃殺し、クックは混乱のなかで殺害された。クックがロノ神と見なされたか否か等、謎の多い死の解釈をめぐり、多くの論争が起こった(サーリンズ 一九九三、Obeyesekere 1992; Meleisea and Schoeffel 1997: 133)。

(6) カドゥはカロリン諸島ウォレアイ環礁で生まれ、探検船に乗る四年前にマーシャル諸島に渡ったというが、イグラーは彼をマーシャル諸島人と記述している(Igler 2013: 129-130)。

(7) フランス生まれのシャミッソーは、プロイセンで教育を受けた博物学者・詩人である。ロシア帝国の探検船に乗り込み、太平洋各地を探訪した(Igler 2013: 132)。

(8) ビャクダン(白檀)とは、心材が芳香を放つ常緑樹である。仏像や美術彫刻等に用いられ、また香油の原料として珍重された。乾燥ナマコは中華料理の高級食材である。

(9) ドイツ・ハンブルクの大企業ゴデフロイ社は、一八五七年にバルパライソ支社からサモアのアピアに駐在員を派遣して出張所を開設した。商品をココヤシ油からコプラに切り替えてコプラ交易を独占したが、普仏戦争時にハンブルク港を封鎖されて経営が傾き、一八七九年一二月に倒産した(斎藤 一九八七:二五九―二六一頁、西野 一九八七:二八五頁)。

(10) ロッヘフェーンは一七二二年に四〇〇〇人、クックは一七四四年に七〇〇―九〇〇人、英国海軍提督フレデリック・ビーチは一八二五年に一五〇〇人と推定した。さらに一八六二年のペルー船の誘拐により約一〇〇〇人が連れ去られたという(西野 一九八七:二八八頁)。

(11) マルケサスの人口を保守的に推定すると、一八〇〇年からの四〇年間に、三万五〇〇〇人から二万人まで減少したという(Thomas 2010)。前注も含め、文献により推定値は異なる。

参考文献

斎藤尚文(一九八七)「「文明」との邂逅」石川栄吉編『民族の世界史14 オセアニア世界の伝統と変貌』山川出版社。
サーリンズ、マーシャル(一九九三)『歴史の島々』山本真鳥訳、法政大学出版局。
豊田由貴夫(二〇〇〇)「メラネシア史」山本真鳥編『オセアニア史』山川出版社。
西野昭太郎(一九八七)「変貌」石川栄吉編『民族の世界史14 オセアニア世界の伝統と変貌』山川出版社。
増田義郎(二〇〇〇)「ヨーロッパ人の太平洋探検」山本真鳥編『オセアニア史』山川出版社。
増田義郎(二〇〇四)『太平洋――開かれた海の歴史』集英社新書。
山本真鳥(二〇〇〇)「ポリネシア史」山本真鳥編『オセアニア史』山川出版社。
Armitage, David, and Alison Bashford (2014), "Introduction: The Pacific and its Histories", D. Armitage and A. Bashford (eds.), *Pacific Histories: Ocean, Land, People*, London and New York, Palgrave Macmillan.
Chappell, David A. (1995), "Active Agency vs. 'Passive' Victimization: Decolonized Historiography or Problematic Construct?", Alaima Talu and Max Quanchi (eds.), *Messy Entanglements: The Papers of the 10th Pacific History Association Conference*, Tarawa, Kiribati.
Denoon, Donald, and Toon van Meijl (1997), "Land, Labour and Independent Development", Donald Denoon (ed.), *The Cambridge History of the Pacific Islanders*, Cambridge, Cambridge University Press.
Fischer, Steven Roger (2013), *A History of the Pacific Islands*, 2nd ed., London, Palgrave Macmillan.
Igler, David (2013), *The Great Ocean: Pacific Worlds from Captain Cook to the Gold Rush*, Oxford, Oxford University Press.
Linnekin, Jocelyn (1997), "Contending Approaches", Donald Denoon (ed.), *The Cambridge History of the Pacific Islanders*, Cambridge, Cambridge University Press.
Matsuda, Matt K. (2012), *Pacific Worlds: A History of Seas, Peoples, and Cultures*, Cambridge, Cambridge University Press.
Maude, Henry E. (1979), "Pacific History: Past, Present and Future", *Essays from the Journal of Pacific History*, Palmerstone North, Massy

University.

Maude, Henry E. (1981), *Slavers in Paradise: The Peruvian Slave Trade in Polynesia, 1862-1864*, Stanford, Stanford University Press.

Meleisea, Malama, and Penelope Schoeffel (1997), "Discovering Outsiders", Donald Denoon (ed.), *The Cambridge History of the Pacific Islanders*, Cambridge, Cambridge University Press.

Munro, Doug (1995), "Labour Trade Studies: What and Where?", Alaima Talu and Max Quanchi (eds.), *Messy Entanglements: The Papers of the 10th Pacific History Association Conference*, Tarawa, Kiribati.

Obeyesekere, Gananath (1992), *The Apotheosis of Captain Cook: European Mythmaking in the Pacific*, Princeton, Princeton University Press.

Smith, Vanessa (2010), *Intimate Strangers: Friendship, Exchange and Pacific Encounters*, Cambridge, Cambridge University Press.

Thomas, Nicholas (2010), *Islanders: The Pacific in the Age of Empire*, New York, Yale University Press.

Thomas, Nicholas (2014), "The Age of Empire in the Pacific", D. Armitage and A. Bashford (eds.), *Pacific Histories: Ocean, Land, People*, London and New York, Palgrave Macmillan.

問題群｜*Inquiry*

移民国家オーストラリア
——流刑植民地から多文化社会へ

藤川隆男

はじめに

移民植民地・移民国家としてのオーストラリア史を、太平洋海域世界・イギリス帝国を含めたグローバル・ヒストリーと結びつけて論じるというのが、本章に与えられた課題である。二世紀以上にわたる歴史をグローバル・ヒストリーとして語れば、概説的にならざるをえないが、先住民との関係、人種・ジェンダー、最新のデジタル・ヒストリーの成果に力点を置きながら、人の流れを中心にして、その歴史を検討したい。

オーストラリアには、五万年くらい前から人類が生活し、小さな集団に分かれて特定の領域で採集・狩猟生活を送っていた。物質生活は石器時代の段階にとどまっていたが、後に「ドリーミング」と呼ばれるようになる豊かな精神文化を保持していた。オーストラリア本土の先住民は、現在ではアボリジナルの諸民族と呼ばれるが、ヨーロッパ人との接触の頃には二〇〇を超える言語集団が存在し、そのあり方も多様であったと思われる。一七八八年、この地に、世界で最初に産業革命を経験し、当時最も近代化した社会・政治システムを持つイギリスからの入植が始まった。ただし、入植してきたのは、主にイギリスが不要とした人間、囚人であった(藤川 二〇〇〇：七八–七九頁)。

土地の収奪を目的とする入植者との衝突によって、東南部オーストラリアのアボリジナルの諸民族社会は大きな打撃を受けた。しかし、先住民社会の人口を激減させた最大の要因は、天然痘をはじめとする伝染病だったと考えられている。おそらく入植当初五〇万人以上いた先住民は一九世紀を通じて激減し、言語集団の半分以上が事実上消滅した。一九世紀前半の移民による急激な人口増加は、実際には、先住民人口の崩壊を埋め合わせていたにすぎない(藤川 一九九二:五三—八三頁、藤川 二〇〇〇:七九—八〇頁、Boyd 2015: 73-96)。

先住民の人口は、一七八八年から継続的に八万人以下まで減少した後に、おそらく一九三〇年代に増加に転じた。現在は総人口の約三%を占める程度であるが、遠隔地での存在感は大きく、二〇一六年のセンサスによれば、北部準州では人口の四分の一以上が先住民である(Vamplew 1987: 4; ABS, Estimates)。そのほとんどすべてが非先住民の血も引くいわゆる「混血」であり、ここでは直接扱わないが、暴力や搾取が日常的に存在する入植者による支配の下での共存が、歴史研究の重要なテーマとなっている。(1)

オーストラリアは、移民の世紀において最初にアジア人に対する移民制限を導入した国である。一九〇一年の連邦成立とともに始まった白豪主義(後述)を巡る人種問題の歴史は、アジアとの関係や今日の多文化主義を考えるうえで、検討が必要な課題であり、比較的多くの研究がある。(2)一方、人種に比べると、ジェンダーの問題は日本では研究が手薄である。しかし、オーストラリアの学界においてフェミニズム的研究を先導したのが、ベヴァリー・キングストン(Beverley Kingston)やマリリン・レイク(Marilyn Lake)などの歴史家だったことを考えると、日本でもこの分野の研究の進展が望まれる。(3)

日本における多文化主義研究に気になる傾向があるので、指摘しておきたい。とりわけ一九八〇年代以降の多文化主義を扱う研究者の間で、主流派(オーストラリア人)やアングロ・ケルトという概念が安易に使われすぎている(藤川 二〇〇〇:三九一—四二頁)。また、この曖昧な概念を歴史世界に投影するのは、暴走に近い。この傾向に関しては、ガサン・ハージ(Ghassan Hage)の影響がとりわけ強いと思われるが、歴史的理解に「主流派オーストラリア人」の概念を用いるのには、ていねいな説明が必要であろう(ハージ 二〇〇三 参照、藤川 二〇二一:八九―九〇頁)。

デジタル・ヒストリーは、遠読と呼ばれる手法の登場や地図との連動、ネットワーク分析の利用によって、歴史研究のアプローチの方法を変えつつある。また、個人でもビッグデータを利用できるようになり、今後の歴史研究の景観は様変わりするだろう。高等学校教育では「歴史総合」という科目が始まったが、その先の世界が眼前にある。オーストラリアでは、地方の主要新聞を含む非常に多くの歴史的新聞の内容を、国立図書館のサイト内のTroveで検索可能である。議会文書も議会図書館のサイトでPDFファイルを入手できるだけでなく、GLAM Workbench、Commonwealth Hansardのサイトからは、XMLファイルとして大量に入手できる。またタスマニアの流刑囚関連の文書や移民関係のビッグデータも利用可能、デジタル・ヒストリーの豊かなフィールドがある(藤川他 二〇一九:五二―五六頁)。以下では、単に従来の歴史研究を辿るだけでなく、このような新しい可能性にも言及したい。

一、流刑の時代

イギリスによるオーストラリア入植が始まったのは、フランス革命の一年前、急激な政治・社会改革が起こっていた時期であり、産業革命の怒濤に世界が飲み込まれようとしていた時期でもあった。この二つはオーストラリア植民地(当時はボタニー湾植民地と呼ばれていた)の形成に決定的な影響をもたらした。

オーストラリアの植民地が本格的に発展するのは、ナポレオン戦争以降である。戦争が終結すると、イギリスでは解雇された兵士が労働市場に溢れ、社会問題が深刻化した。窃盗などを犯した多数の犯罪者を流刑地オーストラリアに送ることは、イギリスの社会的安全弁として機能するだけでなく、囚人労働を用いて発展した牧羊業は、機械化を加速する毛織物産業に安価な原料を提供した。一八五〇年にイギリスは、羊毛の四七%をオーストラリアから輸入するようになった。一方、オーストラリアにおける近代社会の創設においても、流刑囚の労働力は不可欠であった。一八三〇年の時点で、植民地の人口の約七〇%を流刑囚と元流刑囚が占めていた(藤川 二〇〇〇:九二、一〇〇頁)。

流刑植民地の建設の理由と流刑囚の性質は、オーストラリアのアイデンティティに関わる問題として、歴史研究の関心を集めてきた。とりわけ後者については、流刑囚をイギリスの犯罪者階級の一員と見なす研究者の見解から、罪を犯した一般的な都市的労働者という見解へと、一九八〇年代以降大きく転換した。さらに女性流刑囚については、犯罪者階級という判断には、売春婦だという道徳的な非難も含まれていたが、女性流刑囚も企業家精神に富む労働者だと言われるようになり、肯定的な見方が主流になった。その背景には、事実の発掘が進んだという側面だけではなく、学界のポストモダニズム的傾向が個人の主体性(エージェンシー)を特に強調する傾向があることと、オーストラリアにおける新自由主義的なエートスが、自立した個人の企業家精神を称揚したことがあると思われる。さらに近年では、帝国との関係を追究する研究も多い。(4)

実際のデータを見ると、流刑囚の総数は一六万人を超えるが、そのうちの八〇%は移民に最適とされる一五―三五歳の年齢層に属しており、女性の割合も約一五%で初期の労働需要に適合していた。熟練労働者の割合は、イギリスの労働者階級と変わらず、識字率はイギリスの労働者の平均をかなり上回っていた。犯罪歴を見ると、八割が窃盗犯であり、その約半数は初犯だったので、流刑囚が犯罪者階級の一員だったという見方は、事実として否定されたと言える。ただし、囚人労働の性質に関して抑圧的な側面を軽視する近年の傾向については、鞭打ち刑や過酷な労働、辺境の監獄への移送など、厳しい刑罰にも留意する必要がある(藤川 二〇〇〇:九二―九三頁)。

流刑囚と帝国との関連が重要視されている背景には、グローバル・ヒストリーの流行もあるが、流刑囚に関連する巨大なデータベースが誕生したことも重要である。それによって、この分野はオーストラリアのデジタル・ヒストリーの最前線となっている。イギリスのオールド・ベイリー監獄に関するDigital Panopticonと連動する形で、VDL Founders and Survivorsのプロジェクトは、タスマニアに送られた囚人と子孫七万三〇〇〇人に関する一五〇万件に及ぶデータへのポータルサイトを設置し、現在も拡大を続けている。このサイトでは、個々の流刑囚に関するイギリスにおける裁判記録や流刑の記録、タスマニアに到着して以降の状況の記録などを、誰もが手軽に検索できるようになっている。データからは、囚人たちが彫っていた入れ墨の種類さえもわかる(藤川他 二〇一九:五三頁、VDL)。歴史家が与える歴史像に対して疑問を持ち、新たな問いを発し、自ら検証できる世界、パブリック・ヒストリーの領域が急速に開かれつつある。

二、自由移民の時代

イギリス本国では、一八二〇年代の後半から奴隷制度廃止運動が活発化し、三三年には奴隷制廃止が決まった。それと並行して植民地改革運動も活発化した。監獄改革と歩調を合わせて、奴隷と同じように囚人が強制労働に従事させられる流刑制度にも批判が高まった。三〇年代になると、エドワード・ギボン・ウェイクフィールド(Edward Gibbon Wakefield、一七九六―一八六二年)を中心とする、組織的植民論者と呼ばれる人びとが登場する。彼らは、政府援助による植民の実施や帝国統治の改善を要求するキャンペーンを展開し、自ら南オーストラリアとニュージーランドに自由移民による植民地を建設するだけでなく、オーストラリアへの移民の主力を流刑囚から自由移民に転換させた(5)(藤川 一九九六:一一九―一二七頁、細川 二〇一四:一一―五一頁)。

一九世紀半ば、イギリスからオーストラリアへの渡航費は、イギリスの非熟練労働者の一年分の賃金に相当した。北アメリカに対抗して、オーストラリアが自由な移民労働力を得るには、移民に渡航費を援助する制度が不可欠であった。植民地改革運動の最大の貢献は、公有地の売却による収入を移民補助に振り向けた点である。一八三一年のリポン条令によって、組織的植民論者の要求に従い、公有地の無償譲渡が廃止され、最低販売価格が一エーカー当たり五シリングに設定された。これがさらに四二年には一ポンドに引き上げられた。売却収入の半分以上を移民補助に使う方針が示され、四〇年代には移民の半数が補助移民になり、囚人移民の割合は四分の一に低下した(藤川 一九九六：一二二―一二三頁)。

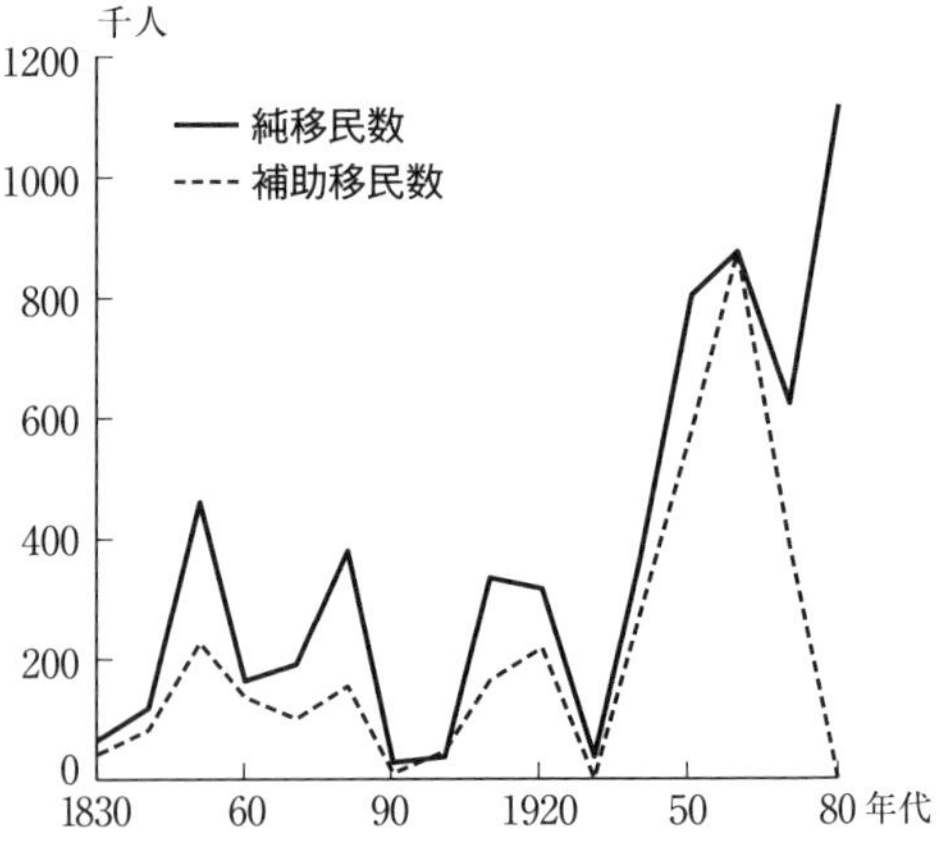

図 1 オーストラリアへの移民(歴史統計やセンサス等から著者作成)

移民システムとしての補助移民が流刑制度に取って代わる。一八五三年にオーストラリア東部植民地への流刑が完全に廃止され、六八年には、西オーストラリアへの流刑も廃止された。一八三〇―一九八〇年の間に、オーストラリアに入国した人から出国した人を引いた純移民数は約四八〇万人、この間に政府の補助を受けた移民の数は約三三〇万人に達する。補助移民の多くは帰国しなかったと考えられるので、この間の移民の増加の過半数は補助移民によるものと考えていいだろう(6)(Vamplew 1987: 4-7)。

補助移民制度の長期的な特徴としては、次のような点が考えられる。

① 補助移民の対象者の大部分がイギリスやアイルランドの住民だったので、移民の流入は社会の多様化を促すよりも、むしろ本国との紐帯を強める働きをした。

② 補助移民は男女比が厳格に一対一になるように選抜されたので、植民地の女性不足を補った(Harper and Constantine 2010: 212-230)。

③男女比を除けば、出身階層や年齢分布は流刑囚と似ており、その代替労働力として機能した。

移民補助の原資となった公有地は、先住民から無償で奪い取った土地である。先住民のアボリジナルの諸民族は、武力的な抵抗を止めれば、ミッションや居留地による保護(統制)に置かれたり、定期的に食料や毛布の配布などを受けられたりした。しかし、一九七〇年頃までは、市民としての権利を大幅に制限されており、地方都市の周辺部の町から隔離された場所には、伝統的な生活手段を失って、都市の雑業などに生活の糧を見出したアボリジナルたちが、キャンプと呼ばれる集落を作るようになった(藤川 一九九九a:三一-三九頁)。

一九世紀前半の経済発展の主役は牧羊業であったが、一八五〇年代のゴールドラッシュによって、金が一時最大の輸出品目になった。しかし、七〇年代には羊毛が再び最大の輸出品目に返り咲いた(Vamplew 1987: 188)。一九世紀後半のオーストラリアの経済は、イギリスへの羊毛と金の輸出、イギリスからの潤沢な資本の供給によって、繁栄の時代を謳歌し、所得水準はおそらく世界で最も高くなった。移民には強力なプル要因が働いていたのである。

さて補助移民についてもデータベースが利用できる。ゴールドラッシュ以後に、最も多くの補助移民を受け入れた植民地はクィーンズランドである。GLAM Workbench のサイトに接続し、Click on this link to open the GLAM CSV Explorer をクリックすると、binder が起動し、しばらく待つとクィーンズランド植民地に行った補助移民(一八四八-一九一二年)リストへのURLを入手できる。遊んでみると面白い。

三、帝国との紐帯と白豪主義

一九世紀末でもオーストラリアにおける移民の比重は大きく、一八九一年には人口の三二%が海外生まれであった。しかし、第二次世界大戦に向かってその割合は大きく低下し、一九四七年には一〇%に下落した(図2参照)。移民減

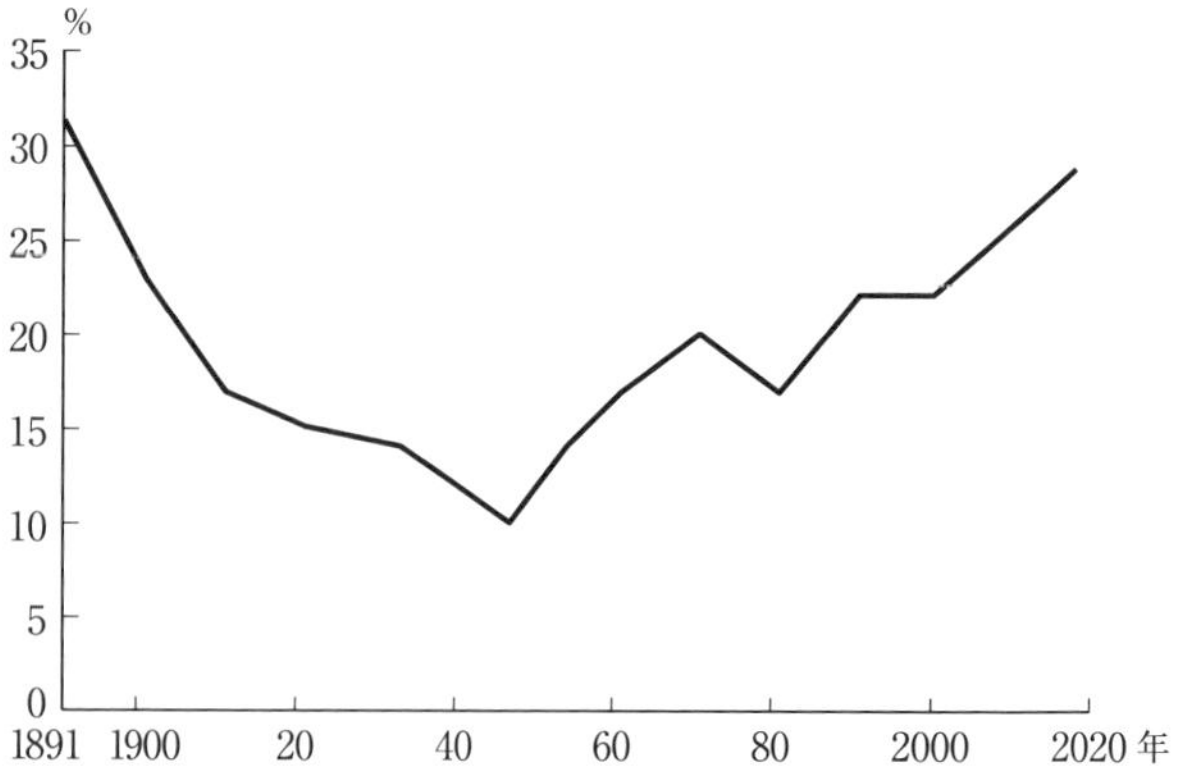

図2　オーストラリアの外国出生者の割合（ABS censusより作成）

少の最大の原因は、一八九〇年代の初めにオーストラリアを襲った金融恐慌である。金融システムへの打撃は、世界恐慌以上に深刻であり、経済が回復するのに一五年の歳月を要した。この危機に対処するために、オーストラリアでは構造改革が進む。大ストライキ後に労働党が誕生し、政党政治が出現する。さらにオーストラリア連邦が成立し、国内市場の統一と国民統合の強化が同時に進行する。連邦の成立と国民統合の強化は、労働運動の体制内化、有色人種移民の排除と女性参政権の拡大につながった（藤川 二〇〇〇：一一九―一三六頁）。

一九世紀の移民の大部分は、イギリス諸島出身の人びとだったが、ゴールドラッシュを契機に中国からも移民が流入する。オーストラリアの諸植民地は、一八五〇年代から移民制限を一時的に実施し、一八八〇年代末までには、全植民地が中国人移民を包括的に制限する移民制限法を制定した。一九〇一年にオーストラリア連邦が成立すると、中国人だけではなく、すべての有色人種の移民に、言語テスト、すなわち入国管理の役人が恣意的に選ぶヨーロッパ語の書き取り試験を課すと決めることで、非白人を事実上排除した。これ以降、「白人のオーストラリア」の防衛が国是となり、日本ではこれを「白豪主義」と呼ぶようになった。言語テストは一九五八年、有色人種に対する差別的移民政策は一九七〇年代初めまで続いた。南オーストラリアのアデレードにある移民博物館に行くと、言語テストを実際に体験できる。

二〇世紀前半も移民の圧倒的多数は連合王国出身者であった。とりわけ両大戦間期には、帝国定住計画の下に、積極的に本国からの移民に対する補助が行われた。一方、イギリスのほうでも、出移民のうちオーストラリアなどの帝国内に向かう移民の割合が、アメリカ合衆国への移民数を凌駕するようになり、移民を媒介にした帝国の紐帯は強化されたように見えるが、同時に、オーストラリア総人口に占める移民の割合は低下し続けた(Harper and Constantine 2010: 3)。

白豪主義成立と崩壊の原因については、長年にわたって論争が続いてきた(7)。近年では、グローバルなパースペクティヴが強調される一方、キース・ウインドシャトル(Keith Windschuttle)のような保守的な歴史家が経済的要因を強調するなど、歴史戦争(8)(文化戦争)の影響も受けている。また、研究者の間では、アジア人を主な対象とする移民制限政策と、それと並行して行われてきた差別的な先住民政策を個別の事象として理解するべきか、それとも両者を併せて白豪主義を考えるのかについても、立場に違いがある。

前者の立場は、現実に移民政策は連邦政府、先住民政策は州政府によって実施されており、両者の接点がほとんどないことを強調する。また、学問分野による研究対象の分裂も影響していると思われる。他方、後者を支持する研究者は、人種差別的体制としてのオーストラリアを問題としており、オーストラリアを、人種主義が内在化された社会として包括的に理解する。こうした立場の違いは、現在のオーストラリアの多文化主義理解でも顕在化する。移民を中心とした多文化主義か、先住民をも含めた包括的な多文化主義か、その場合に先住民の独自な役割や権利はどう考えるべきか。文献を読む場合には、パースペクティヴの違いを十分理解したうえで、内容を把握する必要がある。

一九〇一年に連邦議会で移民制限法が成立し、白豪主義が確立した。その手段を討議する連邦議会では、すべての党派の代表者だけでなく、希望するすべての議員が発言を認められ、その内容は広く新聞を通じて国民に伝えられた。実は、その討議の内容を記した連邦議会議事録は、GLAM Workbench、Historic HansardからＸＭＬファイルで容易に利用できる。デジタル・ヒストリーの手法で分析を行ってもよいし、既存の研究を精読し、検証するのもよい。

日本で討論の全文を読んでいる研究者を私は一人しか知らないので、やってみる価値はあるだろう。

四、白人民主共和国

オーストラリア連邦は、有色人種移民を基本的に排除した単なる人種主義的白人国家ではない。それは、イギリス帝国という枠組み（軍事的保護と民族的結合）の内側での白人民主共和国創造の試みでもあった。オーストラリア連邦が成立した当初、労働党、保護貿易派、自由貿易派の三つの党派が存在したが、いずれもイギリス帝国との紐帯を重視することには変わりなく、帝国という枠組みを前提とした、特殊な国民国家の構築を目指したのである。民主共和国として国民統合を推進するために、ジェンダー関係[9]や階級関係にも大きな変化が起こった。白豪主義を単に先住民との関係を含むシステムと理解するのではなく、さらにイギリス帝国内における自治植民地の国民統合のプロセスの一部としても、理解する必要がある。

一八九四年に南オーストラリア、続いて西オーストラリアでも女性に参政権が認められ、彼女たちの権利は連邦憲法でも確認されたが、他の州の女性にはまだ参政権がなかった。これを解消したのが、一九〇二年の連邦選挙法である[10]（Museum of Australian Democracy, "Commonwealth Franchise Act 1902"）。これによってすべての女性が男性と同等の選挙権を獲得した。しかし、この選挙法は同時に、オーストラリア、アジア、アフリカ、太平洋諸島の先住民の選挙権を否定した。南オーストラリアでは先住民にも選挙権が認められていたが、この法律によって剝奪された。ただし、ニュージーランドのマオリはこの規定から除外された。その理由の一つは、ニュージーランドがオーストラリア連邦に加わる場合に、先住民問題が阻害要因にならないようにする配慮であった（Senate, 29 May 1902）。

移民制限法は、非白人の侵入を防ぐ城壁であったが、憲法第五一条によって、連邦にはオーストラリア先住民を除く人種に対して特別法を制定する権利、移民以外にも帰化と異邦人を管轄する権限が与えられており、すでに国内に居住する非白人に対しても特別な管理と統制を行うことが可能であった(Museum of Australian Democracy, "Commonwealth of Australia Constitution Act 1900")。国内の非白人の中でとりわけ重要であったのが、クィーンズランドに導入されていた通称「カナカ」と呼ばれるメラネシア人契約労働者であり、サトウキビ生産を担う主要な労働力であったが、その国外排除が課題になった。そのために制定されたのが、「太平洋諸島労働者法」である。この法律によって、一九〇六年までに全メラネシア人労働者を国外に輸送することが決まった。しかし、実際は、人道的理由からオーストラリアに残ることを認められた者もいた。

初代首相のエドモンド・バートン(Edmund Barton、一八四九―一九二〇年、在職一九〇一―〇三年)は、第二読会の冒頭で次のように述べている。「この法律は、昨日全体委員会で扱われた法律〔移民制限法〕のように、単に政府の政策を具現化したものではなく、人種の純潔、平等で適切な生活水準を保持するための、全オーストラリアの政策である」(House of Representatives, 2 October 1901)。政府は、この目的を達するために、白人労働者の圧倒的な支持の下に、砂糖産業から非白人労働者を奪ったわけであるが、それには産業界の強い抵抗もあり、オーストラリア政府は輸入関税と白人労働への補助金の導入によって、これを埋め合わせようとした。

参政権の付与によって、女性は新たな国民国家の担い手と見なされたが、同時に、一八九〇年代の不況期に大規模なゼネストに見舞われ、国家的な分裂の危機を経験したこともあり、政府は、労働者も社会的合意のプロセスの当事者として取り込もうとする政策を打ち出した。それが強制仲裁裁判制度である。複数の州から始まり、一九〇四年に連邦にもこの制度が導入された(竹下 一九八二：六一―一九頁)。この制度の適用には、係争の当事者として労働組合を登録する必要があったので、労働者の組合への参加が激増し、一九二一年にはその半数以上が組合員になった。こうして労働組合は、国家システムの一部として、社会的地位を確立したのである(藤川 二〇〇〇：一三四―一三五頁)。

強制仲裁裁判制度が採用した、「適切な生活水準を保持する」ための生活(生存)賃金、家族賃金という概念は、女性には強い副反応を引き起こした。生活賃金とは、男性労働者が家族(夫婦と子供三人)と生活するのに必要な賃金という意味で、女性には、扶養する家族がいるいないにかかわらず、彼女自身の生活に必要なだけの賃金だけが保障されることになった。その結果、長らく女性の賃金は男性の五〇―七五%に留まったのである(藤川 二〇〇〇:一三五頁)。

アボリジナルの人びとに対する政策は、同化と隔離政策の間を揺れ動いた。また、憲法によって先住民の管理が州政府に委ねられたので、州によっても違いがあった。ただし、北部準州は連邦直轄地で、先住民も連邦が管理していた。その中で共通して見られる一つの特徴的な政策は、混血のアボリジナルを同化させようとする政策である。同化させる。すなわち、キリスト教化し、文明化する方法として、各政府は、「混血」の児童の多くを親から引き離し、施設に収容したが、子供には十分な教育が与えられず、非熟練の労働者として社会に放出された。収容された子供たちは、「盗まれた子供たち」、「盗まれた世代」と呼ばれ、現在もその補償が課題となっている(Australian Human Rights Commission 1997)。一般社会にいるアボリジナルの人びとに対しても、保護という名目の下に、労働条件・生活・移動など多くの規制と搾取が行われ、先住民は二級市民あるいは市民とさえ呼べない立場に追いやられた。武力による弾圧も終わったのではなく、一九二八年、北部準州で起こったコニストンの虐殺では、少なくとも三一人が殺害され、実際の死者は一〇〇人を超えると言われている。

五、二つの世界大戦

一九一四年に第一次世界大戦が始まると、二大政党がいずれもイギリスへの全面協力を申し出たが、ヨーロッパへの派兵の準備は、九月に総選挙で大勝した労働党によって進められた。志願兵の募集が始まり、彼らはオーストラリア帝国軍と命名された。オーストラリア帝国軍は、ニュージーランド軍と合体し、オーストラリア・ニュージーランド軍団「アンザック」(ANZAC)として、ヨーロッパ戦線やトルコ、中近東で戦った[11](藤川 二〇〇〇：一四三―一四四頁)。

しかし、イギリス本国への忠誠は無条件ではなかった。一九一六年四月、アイルランドで独立を目指すイースター蜂起が起こり、イギリスがこれを弾圧すると、オーストラリアでは、アイルランド系のカトリック住民が帝国に批判的になり、帝国の枠組みから自立したオーストラリア・ナショナリズムの担い手となっていく。志願兵が激減したこともあり、一九一六年一〇月、徴兵制導入の是非を問う国民投票が行われたが、労働運動やカトリックの反対で、徴兵反対派が勝利した(藤川 一九九九b：一〇二―一〇六頁、藤川 二〇〇〇：一四四―一四五頁)。

多文化主義の時代になり、先住民や女性への差別が強調され、旧来の歴史が批判的に検討されるようになったが、歴史戦争の影響もあり、先住民の兵士としての戦争への参加や従軍看護婦に光を当て、国民国家への貢献を強調する研究が増えている。研究費や職員への政府予算の重点配分、出版等の助成、テレビの番組、博物館や公共施設での特別展など、いわば戦略的にこの種の歴史が生み出されている。戦争を通じたマイノリティの国民統合の施策が眼前で展開しているのであり、歴史が創造される仕組みにも、十分に気を付けた方がよい。前に述べたTroveという歴史的新聞検索サイトに関して、データベースにある新聞記事数の年代別推移を見ると、第一次世界大戦前後に最も多くの記事が集まっていることがわかる。それはヴィクトリア州政府の補助金などによって、総数が押し上げられているからである。一般的データベースでさえ、システムの呪縛を受けている(GLAM Workbench, Trove newspapers)。そうした補助金の影響もあり、デジタル・ヒストリーに関して言えば、オーストラリアの国立文書館のサイトで、第一次世界大戦に従軍した兵士の記録を検索できる(NAA, Discovering Anzacs)。また、各州の州立図書館やニューサウスウェールズ大学のサイトには、戦争に関連した特別のコーナーが設けられている。

両大戦間期、日本とオーストラリアが旧ドイツ植民地を委任統治領として獲得した結果、両国は赤道を挟んで対峙するようになった。オーストラリアの日本への警戒心、とりわけ日本人移民に対する警戒心は高まり、オーストラリアは、委任統治領にも非白人移民制限を拡張するだけでなく、日本がヴェルサイユ会議で提案した、人種平等を宣言する連盟規約案に最も強く反対した(藤川 二〇〇〇:一四六頁)。日本人移民の拡大を危惧した結果であった。

両大戦間期には、すでに述べたように帝国定住計画を筆頭とする補助移民制度によって、多数の移民が本国から到着し、その割合が一九二二年からの一〇年間にはイギリスからの移民数の四分の三以上に達した(Harper and Constantine 2010: 57-58)。イギリス本国もオーストラリアも、外部世界よりもいっそう帝国に目を向けた時代であった。この時期に関して、近年、注目を集めているのが子供移民の問題である。二〇世紀になると、イギリスから子供だけが単独で送られる移民の主要な目的地が、オーストラリアに変わり、第二次世界大戦をはさんで、約六〇〇〇人がキリスト教系のヴォランティア団体によって斡旋された。しかし、二〇世紀末になると、子供を集めるのに使われた詐欺的な方法やオーストラリアの受け入れ施設における虐待などが明らかになり、多方面からの批判の対象となった。また、二〇〇九年、政府は公式の謝罪を行った(Harper and Constantine 2010: 248)。

戦争中に関しては、従軍した男性の代替労働力として、女性が本格的に労働市場に参入したことはつとに指摘されてきた。しかし、女性のヴォランティア活動が活発化したことは、それほど指摘されることはなかった。兵士たちに送る日用品や衣類の製作、オーストラリアに戻った傷病兵の介護、寡婦や戦争遺児たちへの援助、赤十字、ＹＭＣＡ、地方女性協会(ＣＷＡ)などへの協力、そして何よりも莫大な戦費を贖《あがな》うための戦時公債の販売促進に、多数の女性、とりわけ中産階級の女性が組織的に参加した。戦後も彼女たちは、戦死者の慰霊に関して大きな発言権を得た。兵士が帰還すると、多くの女性は労働市場から退場したが、ヴォランティア活動が衰えることはなく、女性の活躍する公的領域は拡大した。パブリック・ミーティングの調査からは、公共圏の転換点の一つが第一次世界大戦にあったことがわかってきている(12)。

第一次世界大戦は帝国の戦争であったが、第二次世界大戦はオーストラリア自身の戦争であり、オーストラリアがアジア太平洋国家となる転機になった。オーストラリア本土、ダーウィンやタウンズヴィルが繰り返し日本軍の爆撃を受け、ダーウィンからはすべての一般市民が退去した。アメリカ合衆国軍がオーストラリア防衛の要となり、以後、イギリスよりもアメリカとの軍事同盟がオーストラリアにとっての生命線となった。経済的なパートナーとしてもアメリカの比重が拡大した。戦争遂行のために拡大した連邦政府の権限は、戦後も増大し続けた(藤川 二〇〇〇：一五二―一五三頁)。

六、多文化主義の時代へ

人口が少ない北部オーストラリアへのアジア人の侵略という悪夢が、第二次世界大戦によって、現実のものとなる寸前まで進んだ。労働党は伝統的に移民導入に批判的であったが、チフリー労働党政権(一九四五―四九年)は、「人口増大か、それとも滅亡か」という標語を掲げて、大規模な移民導入計画を立案した。初代の移民大臣に就任したアーサー・コールウェル(Arthur Calwell)は、人口の一%、年間七万人の移民導入目標を設定した。イギリスとアイルランドからの移民だけではこれを満たすことができないので、コールウェルは、ヨーロッパ大陸諸国にも門戸を開いた。そして、この方針は野党の支持も得て、戦後移民政策を特徴づけることになった(Richards 2008: 174-178)。それでもイギリスからの移民は、一九四七―七二年の入移民の半数近くを占めていた。コールウェル自身は厳格な白豪主義の信奉者であり、非英国系の移民の導入自体は、非ヨーロッパ人の移民制限の緩和に影響を及ぼすことはなかった(Zubrzycki 1995: 1-10)。

両大戦間期と戦後移民を比較した時に見られる、もう一つの大きな特徴は、工業生産や大規模開発に従事するような移民を求めるようになった点である。両大戦間期には、帝国定住計画に見られるように、イギリスの家族をオーストラリアの農牧地帯に入植させて、国土開発を図るという意図が鮮明であったが、移民は戦後、工業を中心とする高度経済成長に必要な労働力の供給源になった。**図2**を見てもらいたい。オーストラリアの住民に占める外国出生者の割合は、一九四七年に一〇％未満に低下したが、積極的な移民政策の成果もあって、現在では約三〇％に達している(Parliament of Australia, Top 10 countries)。

一九七一年までには、ヨーロッパ大陸で出生した住民数が連合王国で出生した住民数を上回り、オーストラリアの多文化社会化が始まった(Richards 2008: 178)。家族移民が奨励され、これもヨーロッパ大陸からの非英語系移民の増加に貢献した。異なる文化と言語を持つ移民の大量流入に対しては、驚くほど反対は少なく、都市を中心に静かに多文化社会への移行が続いた。

二〇世紀の移民については、Australian Bureau of Statisticsのサイトで膨大な量のデータが入手可能であり、そこで入手できるセンサスはデジタル・ヒストリーで利用できる最大規模のデータでもある。ただし、移民の動向を手早く知るには、Parliament of Australiaのサイトを使うという簡便な方法もある。

戦後、アジア諸国の独立と平等の要求、冷戦下で共産主義勢力と対立した資本主義諸国が人種差別的だという批判を封じる必要性(アメリカからの圧力)、日本を筆頭とするアジア諸国との経済的関係の拡大などを背景として、一九五八年に白豪主義の象徴である言語テストが廃止されたのを皮切りに、アジア人に対する移民制限措置は徐々に緩和された。イギリスが一九七二年にヨーロッパ共同体への参加を決定し、イギリスとの紐帯の多くが切断されるなか、労働党のホイットラム政権は、白豪主義を廃止し、多文化主義社会への移行を宣言した。これはすでにオーストラリアに定着していた非英語系のヨーロッパの諸民族との平和的な共存を追認するような政策であり、それに続く自由党のフレーザー政権によるインドシナ難民の受け入れたことで、アジア人を含む多文化主義がオーストラリアにようやく本格的に定着した(Mence 2017: 51-55)。

アジアからの移民の急速な流入は、実質的な多文化社会の始まりを告げる出来事であったが、他方で、一九八四年にアジア系移民の増加に反対する歴史家ジェフリー・ブレイニーによる移民論争が起こった。それ以来、難民と移民及び先住民の問題はオーストラリア政治を左右する争点となった(13)。

結びにかえて——経済移民の時代

オーストラリア統計局によれば、一九八四―八九年の五年間に、オーストラリアが受け入れた家族移民は約三三万人、技能移民は約一五万人、難民は六万人であった。しかし、九〇年代の末には家族移民と技能移民の比重が逆転し、二〇一〇年以降は毎年技能移民の数(二〇一三―一八年に約六二万人)が家族移民(同約二八万人)の二倍以上になっている。二大政党がともに新自由主義政策を推進するオーストラリアでは、経済力の強化が移民政策の最重要課題となり、投資家、専門職の人びと、技術者などに優先的に移民枠が割り当てられている。一方、難民の実数には大きな変化はない(Parliament of Australia, Migration to Australia: a quick guide to the statistics)。

経済を優先する移民政策は、白豪主義やイギリス系移民の優越を過去のものにした。二〇一七―一八年度の移民の出身国別内訳をみると、インドが二一%、中国を中心とする東アジア一六%、これに対してかつての母国は九%弱を占めるにすぎない。二〇一六年のセンサスでは、外国生まれの人口では、連合王国が一〇九万人で一位であるが、中国が三位で五一万人、インドが四位の四六万人で年々その差は縮小している。この時二位のニュージーランドは、両国に抜かれ二〇二一年には四位に転落したと推定されている。さらに二〇一九年には、四〇万人以上の留学生が高等教育機関に在籍しており、その八〇％以上がアジアからの留学生であった。教育は今や観光業を凌ぐ外貨獲得の源泉であり、アジア系のプレゼンスをいっそう高める要因となっている。[14]

オーストラリア人の多くは、多文化主義を肯定し、多様な文化の共存を是としているが、特定の文化に公的な援助を与えることには消極的である。移民政策を左右するのは、多文化主義ではなく、個人を単位とするカラーブラインドな新自由主義政策になっている。

注

（1） 青柳（一九九九）はこの分野の先駆的業績である。栗田（二〇一八）からは、最近の都市先住民の状況がよくわかる。藤川（二〇一六）も参照。

（2） 藤川（一九九〇）は、本格的な白豪主義研究の始まりを告げるものであり、最近のものでは、関根他（二〇二〇）が、多文化主義や先住民の観点から、人種の問題を考察している。

（3） この分野では、藤川（一九九七）が研究史を概観しており、窪田（二〇〇五）と藤川（一九九五）は先住民研究とジェンダーの問題を扱う。藤川（二〇一二）は、日本における数少ないオーストラリアのジェンダー史研究である。

（4） 植民地建設の理由に関する日本語文献としては、ブレイニー（一九八〇）を参照。流刑囚像の修正については、Nicholas（1988）とRobinson（1988）を参照、また最近の帝国史と関連する動向は、Harling（2014: 83）を参照。

（5） 植民地改革運動の広がりについてはウィンチ（一九七五）を参照。

（6） 一八五〇年までの純移民数は大まかな推計である。

（7） 古い時代の論争については、藤川（一九九〇：三七三―三七七頁）を参照。近年については、Atkinson（2015: 4-5）を参照。ただし、アトキンソンによる研究史の評価と彼自身の研究のオリジナリティの主張については疑問符が付く。例えば、二〇世紀に現れた有力な研究Lake（2008）のオリジナリティは、冒頭の中国人自身の記述とアメリカの教育試験方式とナタール方式の連続性の明確化にある点は、研究史を読み込んでいればすぐにわかる。レイク自身、中国人の文献を見付けられなければ、この本はなかったと私に述べている。白豪主義をめぐる初期の日豪関係については、竹田（一九八一）がまとまっている。
（8）歴史戦争については、藤川（二〇一八）を参照。
（9）The Australian Women's Register はオーストラリアの女性に関する包括的なデータベースであり、必須のツールである。
（10）オーストラリア憲政史についてはMuseum of Australian Democracy のサイトが便利である。
（11）アンザックと帝国的連関については、津田（二〇一二）を参照。
（12）オーストラリアのパブリック・ミーティングに関する研究成果は、二〇二三年度中に刀水書房から出版される予定。
（13）この時期の難民、先住民、多文化主義研究は日本でも比較的手厚い。関根（二〇二〇）を参考に関連文献に当たってほしい。
（14）Australian Government Department of Home Affairs 2019: 3; Parliament of Australia, Population and migration statistics in Australia; Parliament of Australia, Overseas students in Australian higher education: a quick guide などを参照。

参考文献

青柳清孝・松山利夫編（一九九九）『先住民と都市――人類学の新しい地平』青木書店。

ウィンチ、ドナルド（一九七五）『古典派政治経済学と植民地』杉原四郎・本山美彦訳、未來社。

オーストラリア辞典・年表、http://bun45.sakura.ne.jp/, viewed 03/09/2021.

窪田幸子（二〇〇五）『アボリジニ社会のジェンダー人類学』世界思想社。

栗田梨津子（二〇一八）『多文化国家オーストラリアの都市先住民――アイデンティティの支配に対する交渉と抵抗』明石書店。

関根政美・塩原良和・栗田梨津子・藤田智子編著（二〇二〇）『オーストラリア多文化社会論――移民・難民・先住民族との共生をめざして』法律文化社。

竹田いさみ（一九八一）「白豪政策の成立と日本の対応――近代オーストラリアの対日基本政策」『国際政治』六八号。

津田博司（二〇一二）『戦争の記憶とイギリス帝国――オーストラリア、カナダにおける植民地ナショナリズム』刀水書房。

ハージ、ガッサン（二〇〇三）『ホワイト・ネイション――ネオ・ナショナリズム批判』保苅実・塩原良和訳、平凡社。

藤川隆男（一九九〇）「白豪主義の「神話」」『規範としての文化』平凡社。

藤川隆男（一九九一）「オーストラリアとアメリカにおける中国人移民制限」『世界の構造化』〈シリーズ世界史への問い〉9、岩波書店。

藤川隆男（一九九二）「北アメリカとオーストラリアにおける先住民の人口規模」『帝塚山大学教養学部紀要』第三一輯。

藤川隆男（一九九五）「アボリジナルの女性史研究――動向と展望」『女性史研究』第五号。

藤川隆男（一九九六）「人口論・移民・帝国」松村昌家他編『新帝国の開花』〈英国文化の世紀〉1、研究社出版。

藤川隆男（一九九七）「オーストラリア女性史の発展と展望」『西洋史学』第一八七号。

藤川隆男（一九九九ａ）「移住する先住民」青柳清孝・松山利夫編『先住民と都市――人類学の新しい地平』青木書店。

藤川隆男（一九九九ｂ）「オーストラリアにおけるアイルランド系移民」樺山紘一他編『岩波講座　世界歴史』第一九巻、岩波書店。

藤川隆男（二〇〇〇）「第三章オーストラリア史」山本真鳥編『世界各国史二七　オセアニア史』山川出版社。

藤川隆男（二〇一一）「オーストラリア連邦の結成とジェンダー」粟屋利江・松本悠子編『人の移動と文化の交差』〈ジェンダー史叢書〉7、明石書店。

藤川隆男（二〇一六）『妖獣バニヤップの歴史――オーストラリア先住民と白人侵略者のあいだで』刀水書房。

藤川隆男（二〇一八）「オーストラリアの「歴史戦争」――新自由主義の代償」橋本伸也編『紛争化させられる過去』岩波書店。

藤川隆男他（二〇一九）「歴史研究におけるビッグデータの活用――オーストラリアを中心に」『西洋史学』二六八号。

藤川隆男（二〇二〇）「公共圏の歴史的構造――自然言語処理による新聞データの分析を通じた一九－二〇世紀オーストラリアの公開集会と世論形成の構造の解明」『Clio』三四号。

藤川隆男（二〇二一）「書評関根政美・塩原良和・栗田梨津子・藤田智子編著『オーストラリア多文化社会論』」『オーストラリア研究』第三四号。

ブレイニー、ジェフリー（一九八〇）『距離の暴虐――オーストラリアはいかに歴史をつくったか』長坂寿久訳、サイマル出版会。

細川道久（二〇一四）『カナダの自立と北大西洋世界――英米関係と民族問題』刀水書房。

Atkinson, David (2015), “The White Australia Policy, the British Empire, and the World”, *Department of History Faculty Publications*, Paper 4.

Australian Bureau of Statistics (ABS), Estimates of Aboriginal and Torres Strait Islander Australians (31/08/2018), https://www.abs.gov.au/statistics/people/aboriginal-and-torres-strait-islander-peoples/estimates-aboriginal-and-torres-strait-islander-australians/latest-release, viewed 03/09/2021.

Australian Government Department of Home Affairs (2019), “Australia’s Migration Trends 2017-18 Highlights”, Commonwealth of Australia, https://www.homeaffairs.gov.au/research-and-stats/files/migration-trends-highlights-2017-18.PDF, viewed 03/09/2021.

Australian Human Rights Commission (1997), "Bringing them home report", https://humanrights.gov.au/our-work/bringing-them-home-report-1997, viewed 11/12/2022.

Boyd, Hunter (2015), "The Aboriginal legacy", Simon Ville and Glenn Withers, (eds.), *The Cambridge Economic History of Australia*, Cambridge: Cambridge University Press.

GLAM Workbench, Historic Hansard, http://historichansard.net/, viewed 11/12/2022.

GLAM Workbench, Commonwealth Hansard, https://glam-workbench.net/hansard/, viewed 11/12/2022.

GLAM Workbench, Trove newspapers, https://glam-workbench.net/trove-newspapers/, viewed 11/12/2022.

Harling, Philip (2014), "The Trouble with Convicts: From Transportation to Penal Servitude, 1840-67", *Journal of British Studies*, 53.

Harper, Marjory, and Stephen Constantine (2010), *Migration and Empire*, Oxford: Oxford University Press.

House of Representatives, 2 October 1901, 1st Parliament: 1st Session, https://historichansard.net/hofreps/1901/19011002_reps_1_4/#debate-2, viewed 11/12/2022.

Lake, Marilyn, and Henry Reynolds (2008), *Drawing the Global Colour Line: White Men's Countries and the International Challenge of Racial Equality*, New York: Cambridge University Press.

Mence, Victoria, et al. (2017), "A History of Department of Immigration, Commonwealth of Australia", https://www.homeaffairs.gov.au/news-subsite/files/immigration-history.pdf, viewed 03/09/2021.

Museum of Australian Democracy, Commonwealth Franchise Act 1902, https://www.foundingdocs.gov.au/item-sdid-88.html, viewed 11/12/2022.

Museum of Australian Democracy, Commonwealth of Australia Constitution Act 1900, https://www.foundingdocs.gov.au/item-sdid-82.html, viewed 11/12/2022.

NAA, Discovering Anzacs, https://discoveringanzacs.naa.gov.au/Search/General?query=, viewed 11/12/2022.

Nicholas, Stephen (ed.) (1988), *Convict Workers: Reinterpreting Australia's Past*, Cambridge: Cambridge University Press.

Parliament of Australia, Overseas students in Australian higher education: a quick guide, https://www.aph.gov.au/About_Parliament/Parliamentary_Departments/Parliamentary_Library/pubs/rp/rp2021/Quick_Guides/OverseasStudents, viewed 11/12/2022.

Parliament of Australia, Migration to Australia: a quick guide to the statistics, https://www.aph.gov.au/About_Parliament/Parliamentary_Departm

ents/Parliamentary_Library/pubs/rp/rp1617/Quick_Guides/MigrationStatistics, viewed 11/12/2022.

Parliament of Australia, Population and migration statistics in Australia, https://www.aph.gov.au/About_Parliament/Parliamentary_Departments/Parliamentary_Library/pubs/rp/rp1819/Quick_Guides/PopulationStatistics, viewed 11/12/2022.

Parliament of Australia, Top 10 countries of birth for the overseas-born population since 1901, https://www.aph.gov.au/About_Parliament/Parliamentary_Departments/Parliamentary_Library/pubs/rp/rp1819/BornOverseas, viewed 11/12/2022.

Richards, Erick (2008), "Migrations: Career of British White Australia", Deryck M. Schreuder and Stuart Ward, (eds.), *Australia's Empire*, Oxford: Oxford University Press.

Robinson, Portia (1988), *The Women of Botany Bay: A Reinterpretation of the Role of Women in the Origins of Australian Society*, Sydney: The Macquarie Library.

Senate, 29 May 1902, 1st Parliament: 1st Session, https://historichansard.net/senate/1902/19020529_senate_1_10/#debate-3, viewed 11/12/2022.

The Australian Women's Register, https://www.womenaustralia.info/, viewed 11/12/2022.

Vamplew, Wray (ed.) (1987), *Australians Historical Statistics*, Broadway, N.S.W., Australia: Fairfax, Syme & Weldon Associates.

VDL, VDL Founders and Survivors Convicts 1802-1853, https://www.digitalpanopticon.org/VDL_Founders_and_Survivors_Convicts_1802-1853, viewed 11/12/2022.

Zubrzycki, Jerzy (1995), "Arthur Calwell and the Origin of Post-War Immigration", Bureau of Immigration, Multicultural and Population Research.

コラム｜*Column*

オーストラリア先住民族と歴史の場所

――エアーズ・ロック

窪田幸子

オーストラリア中央部の都市、アリススプリングスの周囲には乾いた赤い大地が広がっている。この町から三五〇キロメートルほど南西に巨大な砂岩の一枚岩がある。標高差三三五メートル、周囲九・四キロメートルの世界で二番目に大きな単一の岩山として、世界的に有名な「エアーズ・ロック」である。オーストラリアの先住民であるアボリジニの聖地であり、日本でもオーストラリア観光の目的地として、また近年人気を集めた映画の舞台としても知られ、人気が高い。

オーストラリアの入植は一七八八年にはじまるが、内陸への入植は時期がおくれ、白人が最初にこの地を訪れたのは一八七五年のことである。当時の南オーストラリア植民地の首相、ヘンリー・エアーズの名前からこう名づけられた。砂漠のどこまでも続く地平線にぽっかりとあらわれる巨大な赤い一枚岩は、訪れる人々を圧倒する特別な存在感がある。一九四〇年代になるとしだいに観光客が増加し、道路も整備された。一九五八年には四〇キロメートルほどはなれたオルガ山とともに「エアーズ・ロック＝オルガ山国立公園」として登録され、航空機滑走路も建設され、エアーズ・ロックの登り口にチェーンも装着された。こうして一九七〇年代には、エアーズ・ロックはオーストラリアを代表する観光地となり、世界中から人々をひきつけるようになった。

エアーズ・ロックの観光化の歴史には、先住民であるアボリジニと植民国家オーストラリアの関係の歴史的な変化がよく反映されている。オーストラリアにおいて、アボリジニの権利は長い間顧みられることなく、入植者による一方的な収奪と迫害、開発が続けられてきた。エアーズ・ロックを含むこの地域の伝統的土地所有者はアボリジニの一部族であるアナングの人々であったが、アナングの土地でも、彼らの反発や抵抗をほとんど無視する形で、鉱山開発、牧場運営、観光開発が進められていったのである。

オーストラリアでは戦後になって、アボリジニの権利回復の動きが始まった。一九五八年に国民投票によって差別的な扱いが改められ、アボリジニは他の国民と同等の権利を得た。教育、社会福祉、最低賃金、選挙権などが認められるようになり、彼らの立場は大きく変化した。先住民による土地権、先住権の主張が活発になり、議論がさかんになった。一九七六年にはオーストラリアではじめてアボリジニの土地権を認める法律が成立した。これに則り、アナングは一九七九年にエアーズ・ロックを含む一三万二〇〇〇ヘクタールの土地権申請を審判所に提出した。この土地権申請は成功裏に受理されたのだが、国立公園は公的所有地であるとして、土地権の範囲から排除された。それでも、一九七七年には、エアーズ・ロック＝オルガ山国立公園は、アボリジニ名である「ウルル＝カタ・ジュタ国立公園」と改められた。このことは、アボリジニ文化を尊重する姿勢がオーストラリア全体に広がりつつあったことを示している。

一九八三年にようやく、改正土地権法にもとづいて、連邦政府のボブ・ホーク首相が国立公園をアナングの人々に返還すると約束し、八五年一〇月二六日、アナングにウルル＝カタ・ジュタ国立公園の土地権利書を手わたす儀式が行われた。この時期、アボリジニの土地権申請は、各地で数多くおこされていた。当時のオーストラリアでは大きな注目を集めており、関心も高かった。この式典でオーストラリア総督が、ウルルの土地の砂をひとつかみし、アナングの代表者の手の平に砂をこぼし手渡したのだが、このアボリジニの土地権が認められたことを示す象徴的な場面は、その後繰り返し報道で使われた。

返還と同時に、アナングは国立公園協会に「ウルル＝カタ・ジュタ国立公園」を九九年間リースするという契約を交わした。観光業への打撃を回避することが主な目的であった。一方で公園の管理にはアナングも参画することが条件とされた。一二月には共同運営委員会が立ち上げられ、国立公園協会とアナングの代表者による共同運営がはじまった。ウルルの近くには大きなリゾートホテルと観光施設のコンプレックスが建設され、一九八七年には世界遺産リストに加えられ、九五年には文化センターもオープンし、観光地として人気が高まっていった。ウルル観光の目玉は、この一枚岩に登ることであった。頂上からは三六〇度にひろがる砂漠の水平線が楽しめる。風の強い日や気温の高い日は危険とされ、実際に死亡した観光客もあるものの、登山する観光客は引きも切らなかった。一方でウルルの壁面には岸壁画があり、岩場のそれぞれに神話もある。これらを巡るツアーや、少し離れた場所からウルルの日の出、日の入を見るツアーも行われるようになるなど、登山以外の観光が模索されてきた。

ウルルはアナングの人々の聖地であり、以前から観光客が登山することへの批判はあった。一九九〇年には、「アナングの文化を尊重して、登らないでほしい」との看板が登山口に建てられた。そして、二〇一〇年の共同運営委員会で、将来的にウルル登山を禁止とすることが登山にかわる代替的観光が十分に整備されることとともに、観光客のうち登山をする人が二〇％以下になること等の条件付きで提案され、了承された。こうして、二〇一九年一〇月二六日にウルルへの登山は禁止となったのであった。

二一世紀の現在、オーストラリアでは様々な場面でアボリジニの文化を重視し、彼らの世界観を尊重することはごく当り前のことになってきている。ウルルはそのようなアボリジニをめぐる歴史的変化を象徴する場所となったのである。

問題群｜*Inquiry*

ハワイの内側から見るハワイ史

矢口祐人

はじめに

二〇一九年七月、ハワイ島のマウナ・ケア山の頂に通じる「サドルロード」には、ハワイの先住民であるネイティヴ・ハワイアン(以下「ハワイアン」)が多数集まっていた。山頂に建設が予定される望遠鏡の工事を阻止するためである。通称TMT(Thirty Meter Telescope)と呼ばれる、この望遠鏡はレンズの直径が三〇メートルにもなり、それを格納するドーム形の施設は幅が六〇メートル、高さ五〇メートルを超えることが予想される大型プロジェクトだ。聖なる山であるマウナ・ケアにそうした施設は不要だと主張するハワイアンが反対の意思表示をしていたのだ。

七月一七日、ハワイ州政府は反対運動のために長い間延期となっていた工事の再開を強行すべく、道を陣取って工事車両の通行を阻《はば》むハワイアンらを強制的に排除しようとした。その際、ハワイ語で「クプナ」と呼ばれる年配者たちが、敢えて抵抗をせずに、自ら進んで逮捕された。孫やひ孫もいる年配のハワイアンの男女が次々と当局に連行される様子はニュースやSNSで世界に発信され、州政府の強権的なやり方に批判が集まった。結果として再び工事は延期となった(二〇二三年春の時点で、建設再開の見込みは立っていない)。

ＴＭＴはアメリカのみならず、日本政府も予算を出資する大規模国際プロジェクトである。マウナ・ケアは富士山をはるかに超える高さ(四二〇七メートル)で、その山頂付近は天文観察に世界で最適の地とされる。そこに史上最大級の望遠鏡ができれば、まだ解決されていない数々の宇宙の謎が解けることが期待される。世界中の多くの研究者がこのプロジェクトの完成を待ち望んできた。

ハワイ州全体では望遠鏡建設を容認する声の方が多いと言われているが、ハワイアンの多く、とりわけ先住民としての意識を強く抱く人びとはこれに激しく反対している。この理由を適切に捉えるには、ハワイ諸島の近代史を理解し、太平洋における帝国の利権争いとハワイアンの抵抗の系譜を考える必要がある。ハワイアンにとって、ＴＭＴ計画への反対はひとつの科学プロジェクトの是非を問うものに終わらず、アメリカをはじめとする列強が太平洋島嶼地域に繰り返し介入し、覇権確立のために島々を奪ってきた過去を問題視する運動でもある。ＴＭＴ反対はハワイアンから国家を奪い、近代社会で周縁化してきた植民地主義的な価値観に対する抵抗なのである。

本章はハワイの島々がアメリカに領有されるに至ったプロセスを考察する一方、その歴史を新たにハワイアンの視点から問い直す動きを概観する。それは白人の視点を中心とする従来の歴史叙述が、アメリカによるハワイの領有と開発を必然とする社会認識の形成と深い共犯関係にあったことを批判するものである。ＴＭＴへの反対は聖なる山の伝統と環境を守ろうとする運動にとどまらず、これまでのハワイや太平洋諸島の歴史の再考を促す流れとも深く関係している。

一、ハワイの内側から外を見る

今日、「ポリネシア系」と呼ばれる人びとの一部がハワイに渡った時期についてはさまざまな説があるが、一般的には今から一五〇〇から一八〇〇年ほど前と言われている。かれらは小型のカヌーに乗り、何千キロにもわたって海を移動した。北はハワイから南はアオテアロア(ニュージーランド)、東はラパ・ヌイ(イースター島)に至るまで、太平洋の広大な海は決して移動の障壁ではなく、島と島を結ぶ「道」として交流を可能にするものだった(Hau'ofa 1994, Matsuda 2012: 5)。

ハワイ諸島に渡った人びとはやがて太平洋の他の島々との行き来をやめ、独自の社会と文化を築いていった。生活は総じて豊かで、一八世紀半ばには一〇〇万ほどの人口があったと推測する研究者もいる(Stannard 1989)。

イギリス人の海軍士官ジェームズ・クック(James Cook 一七二八ー七九年)が一七七八年に辿り着くまで、ハワイは西洋では知られておらず、ヨーロッパの航海図にもその存在が記されていなかった。しかしクックの「発見」により、ヨーロッパやアメリカからの船が次々とやってくるようになった。当時、欧米人は中国との交易で富をあげるのを目論んで、盛んに太平洋を行き来していたが、ハワイは食料や水を補給し、船員を休ませるのに理想的な中継地点とされた。ハワイには中国で香として好まれる白檀の木があるのも魅力だった。その後、ハワイは捕鯨船の中継基地にもなり、やがて島内で白人資本家がサトウキビ栽培を開始し、アメリカなどに大量に輸出するようになった。わずかな期間のうちに、世界中からさまざまな人、モノ、情報がハワイに入ってきた結果、ハワイの政治、経済、社会は大きく変容した。その過程でハワイアンは立憲君主制のハワイ王国を築いたものの、疫病で人口が激減し、欧米列強の政治に翻弄され、政治的、経済的な力を失っていったのである。

ただし、このような歴史の捉え方は多分に欧米的なものである。そもそもクックがハワイを「発見」したというのは正しくない。誰かがハワイを見つけたとすれば、それはクックの到着よりはるか前からハワイにいた人びとの先祖であろう。

欧米との接触後も、ハワイはなすすべもなく受け身で欧米人に支配されたわけではない。ハワイ島の有力者であったカメハメハはハワイで知られていなかった銃や大砲などを積極的に入手し、ライバルを倒し、ハワイ諸島で覇権を握るようになった。

一方、自らハワイの外に出て行った者も少なくなかった。歴史家のデビッド・チャンによると、今日のハワイアンの先祖は、もともと壮大な宇宙観を持っていた。ハワイは決して小さな島に閉ざされた限定された世界ではなかった。クックの来島を契機に、少なからぬハワイの人びとが「外の世界に向かって野心と自信を持って、自らの目的を満たすために」世界へ出ていったのはそのような文化があったからである(Chang 2016: 29)。

チャンはこれまでのクックによるハワイ「発見」を中心に始まるハワイ史が、欧米視点の歴史であると指摘する。歴史家はクックがハワイを見つけた時のように、ハワイを外から望遠鏡で覗くがごとく眺めてきたと批判する。その望遠鏡の向きを逆にして、ハワイの内側から外を見なければならない(Chang 2016: 26)。

これまで欧米(と日本)の歴史家がほぼ見過ごしてきたハワイに残る口述史や民話、ハワイ語で残された記録を丁寧に調査すると、従来の歴史家の語りが、西洋・白人・男性中心だったことがよくわかる。その語りにおけるハワイアンの社会は、欧米などの外界から押し寄せる波に呑み込まれ、弱体化し、やがて国家の喪失を招いたとする、衰退の歴史である。たとえ欧米の影響に批判的な歴史観であっても、そのような語りはハワイの人びとを無力で受身の被害者としてしまい、欧米の帝国主義とハワイの植民地化に正当性と必然性を与えてしまうのである。チャンはそのような歴史の視点を揺さぶり、ハワイアンの目から捉える歴史を構築する必要を説く。それはハワイ諸島と外の世界の関係をハワイから見ることで、ハワイアンが主体となる過去を浮き彫りにし、歴史を先住民の眼差しから書き換える試みである。

二、ハワイとキリスト教

ハワイと欧米との出会いの例として、キリスト教の影響が知られている。

一般的には一八二〇年にボストンから組合派の宣教師集団が到着し、キリスト教の布教を始めたことで、ハワイ社会の改宗が急速に進んだとされる。白人キリスト教宣教師の影響は新しい神の信仰にとどまらず、生活スタイル全般に及んだ。裸体を見せることやフラを踊ることは淫らなものとされた。宣教師が始めた学校では、ハワイ王国の指導者の子供たちが英語で教育を受けるようになった。宣教師は聖書をハワイ語で普及させるために、アルファベットを用いてハワイ語を表記することで、ハワイ語の文字化の契機も作った。印刷機を導入したのも宣教師だった。宣教師とその家族はやがてハワイ社会に深く根差すようになり、王国政府で仕事をしたり、サトウキビ農場を経営したりして、ハワイの政治経済に多大な影響を与えるようになった。つまり、白人宣教師の到来はハワイ社会が根本的に変容した一大要因とされている。

これに対してチャンは、ハワイ語を含む詳細な史料調査をもとに、ハワイにキリスト教がもたらされたのは、ハワイアンの主導で行われたと主張する(Chang 2016: 80-81)。白人宣教師が「暗黒」のハワイに「光」をもたらしたのではない。クックの到来以降、アメリカを含め世界各地に散ったハワイアンのなかにはキリスト教に触れ、ハワイにこの信仰をもたらすために尽力した者もいた。とくにアメリカ北東部に渡ったオプウカハイア('Opukaha'ia ?―一八一八年)はその代表である。ハワイへ宣教師が送られたのは、オプウカハイアらアメリカに渡ったハワイの若者たちの信仰と活動が大きな要因であった。

またハワイアンにとって、キリスト教信仰は他の太平洋の島々の人びとと接触する重要な契機にもなった。太平洋島嶼でのキリスト教布教は白人宣教師のみならず、多くの場合はハワイからの宣教師によって行われた。ハワイアンの宣教師は単に「白人の宗教」を広めるエージェントとなったわけではない。その活動はハワイと他の太平洋の島々とのネットワークを構築し、太平洋島嶼地域の住人として新たなアイデンティティを生み出す契機ともなったのである。

キリスト教の宣教と普及をハワイアンの視点から考えることは、アメリカから渡った白人宣教師の活動の意義を否定するものではない。ただ同時に、ハワイのキリスト教史を、私たちは白人のみならず、ハワイアンの視点からも理解しなければならないとチャンは指摘する。キリスト教の影響を一方的に讃えるものでも、糾弾するものでもない。重要なのは、何も知らない無垢なハワイアンが「外からもらった」ものでも「押し付けられた」ものでもないという点である。当時も、自らその意義を考え、ときにはオプウカハイアのようにハワイの外に出て、この新しい信仰をハワイの社会と文化に主体的に取り込もうとした人びとがハワイには数多くいたのである。

三、王国の崩壊とアメリカ合衆国に対する抵抗

ハワイ王国史においておそらくもっとも重要な事件は、一八九三年一月のクーデターであろう。デビッド・カラーカウア王(King David Kalakaua 一八三六―九一年)のもとで弱体化した王権を強化するために憲法改訂を望むリディア・リリウオカラーニ女王(Queen Lydia Lili'uokalani 一八三八―一九一七年)に抵抗する白人男性の利権集団である「安全委員会」のメンバーが、在ホノルルの駐米公使であるジョン・スティーブンズ(John Stevens 一八二〇―九五年)と共謀し、武器を持って国家転覆を謀った。スティーブンズの指示でハワイ沖にいたアメリカ海軍もアメリカ人の安全と財産を守る名目でホノルルに上陸し、クーデター側を支援した。リリウオカラーニはアメリカと敵対することを避け、アメ

リカに強く抗議しながらも王の座を降りた。その後、安全委員会のメンバーはサンフォード・ドール(Sanford Dole 一八四四—一九二六年)を大統領に据えたハワイ共和国を樹立した。一八九八年には米西戦争を機に、アメリカ連邦議会がハワイ併合を「ニューランズ決議」で決め、一九〇〇年の「組織法」で正式にアメリカの領土とした。

アメリカ合衆国の公使であったスティーブンズが「安全委員会」のメンバーと共謀したことは違法であるのみならず、戦争行為でもあった。一九九三年の王国転覆一〇〇周年に際し、アメリカ合衆国連邦議会はこのことを認め、ハワイアンに謝罪した。近年のハワイ史では、ハワイ王国の滅亡にアメリカが関与したことはもちろん、それが女王とハワイの国民の意向を無視したものであったことが批判的に指摘される。

しかしこのような視点は、あくまでアメリカ政府から見たハワイ史に過ぎないとノエノエ・シルヴァは批判する。シルヴァは当時のハワイ語資料を調査し、多くのハワイアンが併合に反対し、アメリカ合衆国に抗議していたことを示した。ほとんどのハワイアンが女王を強く支持し、併合に反対する文書に署名していた(Silva 2004: 151)。ハワイ語資料にはアメリカが標榜する「自由」や「民主主義」の理念を適切に理解し、それを用いて逆にアメリカの不正義を批判するハワイアンの声が数多く残っている。シルヴァは「ハワイ語を読めない歴史家は当時、どれほど強い抗議があったか全く理解できないし、その著述から学ぶ読者たちも結局、そのことが省かれているから、誤った」歴史しか知らない、と批判する(Silva 2004: 155)。

ハワイアンによる激しい抵抗の歴史は、二一世紀に入ってシルヴァのような研究者がハワイ語資料を丹念に読むようになるまでほとんど認知されてこなかった。ハワイアンは被害者でありながらも、時代の流れのなかでなすすべなく国を手放したというイメージが長いあいだのうちに作られてきた。ようやく一九九三年の謝罪決議でハワイアンが「その主権を直接放棄したことは一度もない」という事実がアメリカ政府に認められたが、シルヴァのような研究からは、単に放棄しなかっただけではなく、大国アメリカの方針に徹底的に抗っていたことがわかる。当時のハワイアンの指導者らは、ハワイ王国の崩壊は単にスティーブンズの越権行為に帰されるものではなく、それを放置したアメリカ政府全体の責任であることを繰り返し指摘していたのである。このような史料は、アメリカがハワイの人びとの意思を徹底的に無視して併合を決めた様子を浮かび上がらせている。

この点を理解しなければ、謝罪決議以降、アメリカ政府がアメリカ本土の先住民(インディアン)に与えたのと同様の「国家内国家」(domestic dependent nations)としての「自治」をハワイアンに与えようとすることに、かれらが猛烈に反発する理由がよくのみこめないだろう。通称「アカカ法案」(Akaka Bill)として知られるこの政策は、ハワイアンを先住民として公式に認めるが、独立国家としての主権を与えるのではなく、国内での一定の自治権を許容するものに過ぎない。しかしハワイアンの活動家らは、自分たちは国家の放棄に同意したことは一度もないし、アメリカの違法行為を認めたこともないと主張する。またハワイ王国は今でも存在しているという重要な事実が無視されていると批判する。アカカ法案は連邦政府によるハワイアンの「救済」に過ぎず、主権国家の回復からはほど遠い解決なのである。

四、テリトリーから州へ

一九五九年八月二一日、ハワイはアメリカの州となった。その約七カ月前に州となったアラスカに次いで、アメリカ合衆国五〇番目の州である(それ以降、州になったところはまだない)。

ハワイ王国が倒され、ハワイ共和国がアメリカに併合されると、一九〇〇年以降ハワイはアメリカの「テリトリー」となった。アメリカの連邦法が適用されつつも、住民は連邦議会に正式な代表を送ることもできず、大統領を決める選挙人を選ぶこともできなかった。州知事も選挙ではなく大統領の任命によるものだった。テリトリーは「準州」などとも和訳されるが、事実上の植民地であった。したがって、一九五九年に「テリトリー」が終わり、州になったのは大半の住人には喜ばしいこととされた(日本語でもよく州に「昇格した」という表現が用いられる)。今日まで、八月の第三週金曜日は「ステートフッドデイ」としてハワイ州の祝日となっている。

ハワイを州とすべきかどうかについては、太平洋戦争以前から議論があった。連邦議会の南部白人保守派はアジア系住民の多いハワイを州にすることに強く反対していた。黒人に権力が渡ることを強く警戒していた白人議員は、ハワイが州になれば非白人が連邦議員に選出される可能性があり、白人以外が政治権力を持つようになることを恐れたのである。

そのような人種主義的反対にもかかわらず、ハワイが州になったひとつの要因は、ハワイ社会の多文化主義を積極的に評価する進歩的な機運がアメリカにあったからだとされてきた。ハワイが州になることで、アメリカ全体が人種と民族が交わる「るつぼ」になっていくのではないかと期待する研究者もいた。州になった直後の一九六一年に刊行されたローレンス・フックスの大著 *Hawaii Pono* は、「良い」「バランスの取れた」という意味のハワイ語「ポノ」を敢えてそのタイトルに用いて、ハワイにある「良い」多民族・多文化主義を讃える書であった。実際、州になった後は、ハイラム・フォン(Hiram Fong 一九〇六―二〇〇四年)やダニエル・イノウエ(Daniel Inouye 一九二四―二〇一二年)などのアジア系アメリカ人が連邦議会議員となり、二〇世紀後半のアメリカの政治構図を変える原動力ともなった。

しかし近年の研究では、ハワイに住むハワイアンには州となることに強く反対していた者がいたことが明らかにされている。例えばテリトリー議会の上院議員だったハワイアンのアリス・カモキライカワイ・キャンベル(通称カモキラ Kamokila 一八八四―一九七一年)は、一九四六年一月にホノルルで開催された公聴会で、「連邦議会でわずかばかりの票を得るために私たちの伝統的な権利や特権を放棄する必要はない」と述べ、ハワイが州となって連邦議会に代表を送ることに明確に反対した。彼女はむしろハワイは独立政府を持つべきだと主張していた(Saranillio 2018: 118)。ハワイ王国が倒されて五四年目にあたる一月一七日に、リリウオカラーニ女王がクーデター時に住んでいたイオラニ・パレスで行われたこの会で、彼女は自身と女王の姿を重ねて、ハワイをアメリカに明け渡すことに強く抵抗したのであった。

州になることに反対するカモキラの姿勢は、ハワイのアジア系住人、とりわけ日系人に対する強い警戒心に満ちていた。アメリカの日系人は第二次世界大戦のヨーロッパ戦線などで活躍し、戦後のハワイでは愛国心に満ちた移民としての立場を築きつつあった。戦後の日系社会はハワイで強い政治的、経済的影響力を持つようになった。カモキラは日本をはじめとするアジアから来た移民とその子孫たちにハワイが奪われてしまうことを懸念していた。アジア系住民に対する彼女の発言は時に差別的ですらあった。

それでも、当時、カモキラの発言を支持したハワイアンは少なからずいた。州になることは名実ともにハワイがアメリカの一部に組み込まれることを意味しており、ハワイ王国の回復がますます遠のくと思われたのである。ハワイが州になることでもたらされる観光産業の振興や軍事基地の拡大で利益を得るのは、関連企業で利権を持つ白人とアジア系住人であるのも明らかだった。カモキラの差別的発言は看過されるべきではないが、今日、州「昇格」の価値を徹底的に否定する彼女の主張は傾聴に値する。それは近年の研究者が言うところの「移住植民地主義」(settler colonialism)の視座から、移住者とその子孫の利害を中心に据えるハワイ社会を批判する姿勢であった(Fujikane and Okamoto 2008; Saranillio 2018: 128)。

チャンやシルヴァらによるハワイアンの視点を踏まえ、ハワイが五〇番目の州となったことを批判的に検討するディーン・サラニリオのような新しいハワイ研究が出されるようになったのは二一世紀に入ってからである。それまでは「州になったのは良いこと」という前提が一般市民のみならず、研究者にも強くあった。しかしとくに二〇〇九年の州制度五〇周年記念を巡る反対運動を契機に、州への移行を移住者植民地主義とそれに抗うポストコロニアリズムの視点から再検討する試みがなされるようになっている。

五、セトラー・アロハ・アーイナ

ハワイ大学文学部で教鞭をとるキャンデス・フジカネはハワイ生まれの日系四世の研究者である。「移住植民地主義」の見地からハワイの歴史と文化を批判的に検証してきた彼女は自らを「セトラー・アロハ・アーイナ」(「土地を愛する移住者」)と呼び、移民の子孫としてハワイアンの土地を守る活動に参加している。とりわけマウナ・ケアのTMT反対運動に積極的に関与し、二〇二一年にはその経験をもとに*Mapping Abundance For a Planetary Future*を刊行した。

フジカネは欧米のカートグラフィ(地図制作)と、それと不可分な関係にある「不足感と欲望を永続させるネオリベラリズム的世界観」を強く批判し、ハワイアンの視点に基づいてアイナ(土地)の「豊かさ」(abundance)を理解する必要性を訴える。

ハワイ州政府と天文台関係者はこれまで一貫してマウナ・ケア山頂地域を「何もない」「不毛」の土地と位置付けてきた。そもそも生物も少なく、ハワイアンの遺跡がたくさんあるわけでもない乾燥した土地なのだから、環境に細心の注意を払って建設を進めれば、自然に対する悪影響は極めて限定的に抑えられ、その結果、これまで出来なかった研究を可能にする素晴らしい望遠鏡を設置することができる。これまで山頂付近には望遠鏡を建設しても悪影響を被るものがほとんどないことを示す「科学的」で「客観的」な地図などが裁判所に何度も提出されてきた。

しかしフジカネは、それは真実からほど遠いもので、「科学」を使って誤った説明をする身勝手な操作に過ぎないと批判する。彼女の研究はハワイアンが受け継いできた膨大なモオレロ(話・歴史)、オリ(祈禱)、メレ(歌)を渉猟し、科学者が生み出す地図とはまったく別の姿のマウナ・ケアを浮かび上がらせている。山頂付近は決して「何もない」「不毛」の土地ではない。ハワイアンが長く崇めてきた神々が住み、ハワイに住む人とさまざまな生命の根源となる光と水がある。

フジカネはマウナ・ケアを守る活動家ケラニ・フローレスの言葉を引き、欧米の「望遠鏡効果」が生み出す自然観を強く批判する(Fujikane 2021: 125)。望遠鏡を使い、ある部分の一点のみを拡大する視点では、全体はわからない。それはマウナ・ケアという山全体に豊かな生態系があり、ハワイアンの歴史、生活、文化と切り離せないものであることを認めない姿勢である。水の流れひとつとっても、山の一部だけを切り取ってその周辺の影響を「科学的」な図で説明したところで、雨や雪解け水は縦横無尽に山の表面から土地の奥まで滲み渡り、流れているのだから、これは現実を無視した机上の空論に過ぎない。望遠鏡施設が日々排出する汚水は人間の力で徹底的に管理できるという「科学的保証」も、自然の力を無視した空虚な約束である。TMT側の「望遠鏡効果」は、山と島を全体から俯瞰することを拒み、自らの欲望を満たす近視眼的なもので、真実から目を逸らすものである、という。

フジカネのTMT批判は「科学対伝統」、あるいは「科学者対先住民」という二項対立で理解されるべきものではない。むしろフジカネはTMTやハワイ州政府が用いる「科学」や「真実」が極めて「非科学的」なものであることをハワイアンの視点から暴こうとしている。「調査」や「データ」が資本の論理や政治権力と不可分であることをハワイアンのさまざまな「語り」から明らかにし、科学者の手による「客観的」指標や環境アセスメントがいかに不正確で不誠実なものになり得るかを指摘する。これまでの欧米を中心とした視点でハワイの過去を語ってきた「正しい」「客観的」な歴史を、ハワイの「内側」から再考して批判するハワイアンの研究者による歴史観と強く共鳴するものである。

おわりに

ハワイ諸島の歴史はこれまでハワイの外からハワイを見る白人の視点で書かれたものが定番とされてきた。ラルフ・カイケンドールやガヴァン・ドーズなど、ハワイ在住の著名な白人歴史家による仕事はハワイ史の古典として、大きな影響を与えてきたが、それはあくまで外から来た白人を中心とする移民から見たハワイの過去だった。ハワイの白人を一方的に讃えるものではなかったし、ときにアメリカによる帝国主義的政策に批判的なものでもあった。

しかしチャンが指摘するように、その歴史にはハワイアンの視点が欠けていた。史料は白人側の価値観が反映された英語のものが圧倒的で、往々にしてハワイの王らは統治能力に欠けた指導者として描かれていた。ハワイに残された伝説なども、ハワイ語のわかるアマチュアの白人好事家が収集し、英訳したものが「客観的」な一次史料として扱われてきた結果、誤訳や白人に都合の良い恣意的な訳が多い。一九世紀のハワイは世界随一の識字率を誇り、ハワイ語の文書は政府関連のものから新聞、神話、民話まで膨大に残されているのにもかかわらず、丁寧に読みこんで分析する研究者はこれまで皆無に等しかった。

ようやく二一世紀に入り、チャンやシルヴァのような研究者によってこの問題が強く指摘されるようになり、全く異なるハワイ史の様相が浮き彫りにされるようになった。さらにフジカネのような研究は、これまでのハワイの学術言説とその科学的世界観を根本から問い直そうとしている。

ハワイ諸島史の争点を理解するには、ハワイとイギリス、アメリカ、日本などの列国との関係も大切であるが、何よりもハワイアンの視点から考える姿勢が不可欠である。それなしにTMTをめぐる根強い反対運動をはじめ、今日の太平洋島嶼地域の社会と文化を理解することはできない。「望遠鏡をひっくり返す」ことで、今後さらにハワイの内から外を眺める歴史を作っていかなければならない。

参考文献

Chang, David (2016), *The World and All the Things Upon It: Native Hawaiian Geographies of Exploration*, Minneapolis, University of Minnesota Press.

Daws, Gavan (1974), *Shoal of Time: A History of the Hawaiian Islands*, Honolulu, University of Hawai'i Press.

Fuchs, Lawrence (1961), *Hawaii Pono: A Social History*, New York, Harcourt, Brace and World.

Fujikane, Candace, and Jonathan Okamura (2008), *Asian Settler Colonialism: From Local Governance to the Habits of Everyday Life in Hawai'i*, Honolulu, University of Hawai'i Press.

Fujikane, Candace (2021), *Mapping Abundance for a Planetary Future: Kanaka Maoli and Critical Settler Cartographies in Hawai'i*, Durham, Duke University Press.

Hau'ofa Epeli (1994), "Our Sea of Islands", *The Contemporary Pacific*, 6-1.

Kuykendall, Ralph, and A. Grove Day (1961), *Hawaii: A History*, Englewood Cliffs, Prentice Hall.

Matsuda, Matt K. (2012), *Pacific Worlds: A History of Seas, Peoples, and Cultures*, Cambridge, Cambridge University Press.

Osorio, Jonathan Kay Kamakawiwo'ole (2002), *Dismembering Lahui: A History of the Hawaiian Nation to 1887*, Honolulu, University of Hawai'i Press.

Osorio, Jon Kamakawiwo'ole (2010), "Memorializing Pu'uloa and Remembering Pearl Harbor", Setsu Shigematsu and Keith L. Camacho (eds.), *Militarized Currents: Toward a Decolonized Future in Asia and the Pacific*, Minneapolis, University of Minnesota Press.

Saranillio, Dean Itsuji (2018), *Unsustainable Empire: Alternative Histories of Hawai'i Statehood*, Durham, Duke University Press.

Silva, Noenoe K. (2004), *Aloha Betrayed: Native Hawaiian Resistance to American Colonialism*, Durham, Duke University Press.

Stannard, David E. (1989), *Before the Horror: The Population of Hawaii on the Eve of Western Contact*, Honolulu, University of Hawai'i Press.

問題群｜*Inquiry*

先住民マオリのアオテアロア・ニュージーランド史

深山直子

一、プレ・コンタクト時代のマオリ社会

人類の到来

アオテアロア・ニュージーランド[1]（以下、NZ）は北島・南島を主とする島々から構成されており、オセアニアの南端に位置している。人類到来以前には、コウモリを除いて哺乳類がいなかったため、キーウィのような飛ばない鳥をはじめ数多くの固有種が生息する独特な自然環境が発達したところである。

オーストロネシア諸語を話す人びとは、三三〇〇年前に東南アジア島嶼部よりオセアニアに移動し、約二五〇〇年の間で広い地域に点在する島々へと拡がっていった。拡散の出発点から遠く離れたポリネシア、なかでもその南端にあるNZの島々へは、その終盤に辿り着いた。なおも研究が続けられているところではあるが、考古学などの研究成果により、一三世紀後半に東ポリネシア方向からアウトリガーカヌーあるいはダブルカヌーに乗って到来した人びと[2]が、初めてこの島々に定住するようになったという説が有力である（Howe 2003; 印東 二〇一七）。彼らがマオリの祖先だと考えられる。

ところで、マオリ自身もまた、文字は持たないものの豊かな口頭伝承を育むなかで、世界やＮＺの島々の起源、あるいはポリネシアにおける人類の移動に関わる話を伝えている(Best 2005)。加えて、マオリ社会を構成する部族集団はそれぞれ、祖先がカヌーでＮＺにやってきた経緯についても、伝承を受け継いでいる。一九七〇年代までは、マオリの祖先はハワイキという地から七艘のカヌーからなる大船団によって到来したという「大船団説」が広く信じられていた。しかし今やその説は、ヨーロッパ系民族学者の主導のもとマオリの伝承を都合よく取捨選択したうえで、創作されたものであると評価されている(Howe 2003)。

部族社会構造の発達

マオリの祖先は、複数回にわたって断続的にＮＺに到来し、各地に定着していった。北島・南島は、オセアニアのなかでは相対的に大きな島で自然資源が豊かであったために、狩猟・採集・漁労に高く依存した生活が可能であった。さらに北島の温暖な地域では、人びとが他島から持ち込んだサツマイモやタロイモなどの園耕も盛んに行われるようになった。年月が経つにつれて人口は増加し、それに伴い分節的な部族社会構造が発達していったものと考えられる。概念上では、共に航海してきた人びとがワカという集団になり、世代を経て人数が増えると複数の部族イウィに、イウィの人数が増えると複数の準部族ハプーに、ハプーの人数が増えると複数の拡大家族ファーナウに、分裂していったと説明できる。各部族集団については、ワカが理念的連合体であるのに対して、イウィは有事において凝集する政治的集団、ハプーは集住し生業において協力する経済的集団、ファーナウは住まいを共にする日常的集団、とおおよそ理解できる。また首長、平民、奴隷という階層化した身分があり、加えて専門的職能者がいた。首長の階層において、始祖から長子の出自をもつものはより高い権威を有するとされた(Ballara 1998)。

ただし、部族集団の成立経緯や特徴あるいは相互の関係性を、画一的かつ静態的に捉えることはできない。ひとつのイウィが複数のワカからの出自を主張することもあれば、ファーナウがハプーに昇格することもあり、部族集団は恒常的に拡張や消滅、統合や分裂をしていたという。また、各部族集団の領域は明確な境界線を引けるものではなく、連続するとも限らなかったが、人びとは居住・利用する土地に紐帯を感じ、そこでの資源を重視した。だからこそ、土地はしばしば部族集団間の紛争の種にもなった(Ballara 1998)。

二、イギリスによる植民地化とマオリ社会の変質

ヨーロッパ人の到来

ヨーロッパにおいて一五世紀にいわゆる大航海時代が始まると、各国は競って自らにとって未知の大陸・島や航路をみつけるために、船を探検航海に送り出した。記録上、ヨーロッパ人として初めてNZを確認したのは、オランダの命を受けた探検家アベル・タスマンらである。一六四二年のことであるが、上陸には至らなかった。「New Zealand」という名称は、オランダ人によって名付けられたラテン語名「Nova Zeelandia」に由来する。およそ一世紀後の一七六九年、イギリスの命を受けた海軍士官ジェームズ・クック率いる一行が到来し、北島東岸から上陸した。彼らは科学的調査を主たる目的としていたため、詳細な地図や動植物に関する記録を作成し、加えてマオリと一定の関係を築いたことによって、NZに関する基本的な情報をヨーロッパにもたらした。クックは結果的に計三回NZを訪れ、それ以降、欧米から探検家が次々と到来するようになった(King 2003)。こうしてヨーロッパにNZの存在が知れ渡ると、捕鯨やアザラシ猟、あるいは亜麻や木材といった資源の獲得を目的とするヨーロッパ人が、NZ周辺にやってくるようになった。当初、彼らとマオリとの接触は浅く断続的なものに留まっていたようだ。ところが一九世紀に入り、キリスト教の聖公会、メソジスト、カトリックといった各宗派の宣教師が新天地での信徒獲得のため

に、まずは北島そして南島のあらゆる地域に赴くようになると、マオリ社会に大きな変化を引き起こした。ヨーロッパの多様な物質文化が流入し、同時にキリスト教という宗教はもとよりヨーロッパの文字や知識も浸透するようになったのである。鉄器、なかでもマスケット銃の影響は甚大で、部族集団間の土地や資源を巡る紛争が激化した大きな要因になったと指摘されている(Ballara 2003)。

ワイタンギ条約の締結

イギリスは一八三〇年代までは、NZに対する政治的介入に消極的であったが、フランスやアメリカがNZの植民地化に関心を示すようになったことに対して、警戒心を強めていった。同時に、ヨーロッパからの来訪者が増加し治安が不安定化するなかで、入植者さらにはマオリのあいだでも、秩序と統制を求める声が強まっていた。そこでイギリスは一八三二年に、既に自治植民地であったオーストラリアのニューサウスウェールズに移住していたジェームズ・バスビーを、駐在事務官に任命した。バスビーは翌年にNZに到着し、北島北部のワイタンギに居を構えた。そしてマオリの部族集団間の紛争を抑止すると同時に他国の脅威に対抗するためには、マオリ社会における主権の確立が必要と考え、「独立宣言」を起草した。一八三五年に北島北部のマオリ首長たちは「ニュージーランド部族連合」としてこれに署名し、イギリスに自分たちの「保護者」になるよう依頼するに至り、イギリスはこれを承認した。その後も、イギリスはNZの植民地化にはなかなか踏み切らなかった。ところが一八三〇年代末に、ロンドンを拠点とする民間の「ニュージーランド会社」がNZの土地購入と移住の希望者を募り、一八四〇年には彼らを乗せた船舶が初めてNZに到着するという出来事が起きた。このような動向のなかでイギリスは一八三九年、ウィリアム・ホブソンをニューサウスウェールズの総督の下にある副総督という職位に任命してNZに派遣し、イギリスがNZに対して主権を確立しそこを実質的に植民地化する方針に転換した。そして既に「ニュージーランド部族連合」による「独立宣言」を承認していたため、NZの法的位置付けを変更しつつ、マオリに対して一定の人道主義的配慮をすることを可能にするために、条約締結という手段を選んだのである(Orange 1997)。

条約はホブソンやバスビーらによって英語で作成され、宣教師によってマオリ語に訳された。一八四〇年二月五日、ホブソンはワイタンギに約五〇〇人のマオリを招集し、このワイタンギ条約の内容を説明し締結を迫った。マオリの間で議論になったが、翌日には四〇人以上の首長が署名に合意した。その後七カ月以上にわたって、複数のイギリス側の使者が条約の複製を持って各地を回り、結果的に計五〇〇人以上の首長から署名を集めた。他方ホブソンは、一八四〇年五月の時点ですでに、イギリスの主権確立を宣言していた。ワイタンギ条約は全三条から成り、その英語版の要約は以下の通りである。

第一条：全ての首長たちは、主権のもとに有する全ての権利と権力を、イギリス女王に委譲すること。

第二条：イギリス女王は首長、部族、個々の家族や個人に、彼／彼女らが集団あるいは個人として所有している土地、不動産、森林、水産資源、その他財産を、彼／彼女らが望む限り、完全に排他的で支障なく所有することを確認し保証すること。ただし、首長は、土地所有者が手放すことを望む土地に対する、排他的な先買権をイギリス女王に委譲すること。

第三条：イギリス女王はニュージーランドの原住民(3)を保護し、イギリス臣民としての全ての権利と特権を付与すること。

ワイタンギ条約の締結を受けてイギリスは、NZが一八四一年からはニューサウスウェールズから切り離された直轄植民地になることを承認し、ホブソンをNZの総督に任命した。しかしながら、NZにおいて自治の要求が高まるなかで、一八五二年ニュージーランド憲法法を制定し、NZを自治植民地とした(King 2003)。

イギリスが主導したワイタンギ条約締結に関しては、当時から現在に至るまで、手続きの不当性や、英語版とマオリ語版の齟齬《そご》など、多くの問題が指摘されている。しかしより根源的な問題は、条約締結直後よりマオリに諸々の権利や資源を認めるという内容がイギリスや入植者から軽視あるいは無視されて、実質的にほとんど効力を発揮しなかった点にあろう(Orange 1997)。

植民地化とマオリの抵抗

一九世紀前半には既にマオリと入植者の間で商取引がみられたといい、マオリが急速にヨーロッパ人のもたらした資本主義に順応していったことがうかがえる。ワイタンギ条約に国家による土地の先買権が謳われたこともあって、一九世紀後半は、マオリからの土地の収奪が加速し入植者人口が急増するなかで、マオリ社会に危機感が募った。一八五八年には、北島中央部の複数の部族集団が連合し、イギリスの王制に対抗するために、ワイカト地方の首長のひとり、ポータタウ・テ・フェロフェロを「マオリ王」として擁立し、「マオリ王」運動を組織した。一方タラナキ地方では、一八六〇年に、土地の売却を拒否するマオリと、イギリス軍の派遣を受けた植民地政府との間で戦争が起きた。タラナキの部族集団は、「マオリ王」率いる部族集団連合に援護を要請したために、ワイカトもまた戦場となった。一八六三年、政府は抗戦したマオリを制圧し、「反乱」の罰としてタラナキとワイカトを中心に、大規模な土地の没収を行った。一九世紀半ばに諸部族集団と政府のあいだに起きた一連の戦争は、現在はニュージーランド戦争と呼ばれている(Jones and Bigss 1995)。

その一方で、一八六二年と六五年には原住民土地法が制定されて、国家による先買権が撤廃され、さらに原住民土地裁判所が設立された。マオリ社会では従来、部族集団ごとに領域の土地をいわば「所有」してきたわけだが、原住民土地裁判所はその権利を西洋近代法における自由土地保有権に変換することを目的とし、一区画の土地に所有者として登録できるのは一〇人までと規定した。マオリの土地は、境界線で区切られて個人所有化され、所有者の裁量によって売却やリースが可能になった。これもまた大きな要因となって、一九三九年までに北島の約半分がマオリの手を離れた(Ballara 1998)。

さて、一七六九年にクックらが到来した際には、マオリ人口は一〇万人程度だったと推測されている。ところが入植者が持ち込んだ疾病が免疫を持たないマオリに蔓延したことや、マスケット銃によって部族集団間の紛争における死亡率が上昇したことなどにより、一八四〇年から六〇年にかけて人口の三割が減り、九六年には四万二〇〇〇人と人口統計データ上では最低を記録した。ヨーロッパ人のあいだにはマオリを「死に果てる人種」とみなす見解も強かったが、二〇世紀に入ってからは増加傾向に転換した。対して、ヨーロッパ系入植者人口は一八四〇年頃から増加し、五〇年代末にマオリ人口を上回ると八〇年代まで急増し、その後も増加し続けた(Pool 1991)。

植民地主義的な収奪、特に土地の収奪はマオリ社会に甚大な影響を及ぼした。様々な物質文化が失われ、従来の生業や生活が困難になるだけでなく、土地に根差していた部族集団は弱体化を余儀なくされ、首長の権威は不安定化した。伝統的な技術や知識も、消散の危機に晒された。特にマオリ語に関しては、マオリに対する同化主義政策の一環として一九世紀半ばより英語教育の制度化が進むと、その相対的地位が下がっていった(Waitangi Tribunal 2003)。

このような植民地化に対して、マオリは多様な抵抗を試みた。一八三〇年代から二〇世紀初頭にかけて各地で、マオリの信仰・伝統とキリスト教の習合を特徴とするテ・パパフリヒア、パイ・マーリレ、ハウハウ、リンガトゥー、パリハカなどと呼ばれる宗教運動が勃興した。武力を肯定するものから否定するものまで幅があったが、預言者の存在と千年王国的思想を有し、マオリが抱える苦悩や困難を自ら解決しようとする点で共通している(内藤 一九九七)。その一方で一九世紀後半になると、マオリが裁判あるいは国会で、土地の収奪について訴えたりワイタンギ条約の遵守を主張したりするケースが増加した。裁判では条約の法的効力を確認する判決が下されたことがあったものの、次第に政治的状況に迎合するようになり、一八七七年のウィ・パラタ裁判の判決において条約は「単純無効」と明言された。この判決はその後、長く影響力を持つことになった(Ward 1999)。また一九世紀末以降は、ヨーロッパ系住民から独立した政治体制を希求する運動が部族集団を横断するかたちで顕在化した。例えば、先述の「マオリ王」運動はニュージーランド戦争後にも政治運動として継続し、一八九〇年にマウンガカワにて「マオリ王」を長とする独自の「国会」を設置した。あるいは、北島各地の多様な運動が合流して、一八九二年にワイタンギにて別の「マオリ国会」を設置した。ただこういったヨーロッパ系住民との統合をよしとはしない分離主義的な政治運動は、NZ政府にその正当性が認められることなく、二〇世紀に入ると下火になっていった(Cox 1993)。

政治体制の成熟とマオリの政治参加

一八五二年にNZが自治植民地となると独自の政治体制が整備されていき、二院制の国会が設置されて下院議員は選挙により選出されることになった。翌年に初の総選挙が実施されたが、選挙権は成人男性のイギリス臣民かつ不動産に対する一定の権利を有しているものに限定されたため、大半のマオリに選挙権は認められなかった。ところが、政治家の間でマオリの選挙権に対する声が強まり、一八六七年に下院にて一般議席とは別にマオリ議席四席が確保されると、マオリの成人男性は不動産に関する条件を満たさなくても、マオリ議席への選挙権に限っては認められるようになった。そして一八七九年には、成人男性のイギリス臣民であり、一定期間のNZ及び選挙区の居住暦があるマオリを含む全てのものに、選挙権が認められることになった。また、一八七〇年代からはヨーロッパ系女性たちを中心に女性参政権運動が進み、マオリ女性の一部もそれに参加するなかで、九三年には世界に先駆けてマオリを含む全ての成人女性に選挙権が認められた。なお、一九六七年にはマオリであるか否かにかかわらず、一般議席とマオリ議席いずれにも立候補することが可能になり、七五年に、マオリは一般議席とマオリ議席どちらに投票するか、選択制になった。さらに一九九三年に小選挙区比例代表併用制が導入されるとマオリ議席数は変動制となった(Atkinson

2003)。二〇二二年三月時点では七議席を数える。

さて、NZは政治体制が成熟していくなかで、一九〇七年にイギリスの自治植民地からドミニオン(「自治領」)にその地位が変わった。また、一八九九年に南アフリカで勃発した第二次ボーア戦争、一九一四年にヨーロッパで勃発した第一次世界大戦に参戦し、二〇年より国際連合の前身である国際連盟の初代加盟国になった。さらに一九三一年に、イギリスが自治領に対して本国と対等な地位を認めたウェストミンスター憲章を発表すると、NZは四七年に憲章を採用することを決め、徐々にイギリスからの自立性を高めていった。

一九世紀末から二〇世紀にかけては、マオリとヨーロッパ系入植者双方の出自を持ち、中高等の男子校テ・アウテ・カレッジで西洋近代型教育を受けたマオリが、緩やかにまとまる「ヤング・マオリ党」を組織した。なかでもアピラナ・ンガタ、マーウイ・ポーマレ、ピーター・バック(テ・ランギ・ヒーロア)は、政治家そして実務家として、マオリの生活改善や近代化に心血を注いだ。二〇世紀初頭にはラータナと呼ばれるマオリの宗教運動が活発化し、政治運動も展開するようになり、一九三〇年代以降はラータナ信徒がマオリ議席を獲得するようになった。この頃、現在も継続する労働党と国民党の二大政党システムが成立するなか、ラータナの国会議員が労働党を支えることが多かったこともあり、労働党は半世紀にわたってマオリ議席を独占した(Walker 2004)。

マオリ社会の都市化

先述した通り、一九一四年勃発の第一次世界大戦に、NZがイギリス側として参戦した際、主にニュージーランド戦争で政府側に立った部族集団から、軍隊を志願するものが現れ、「草創期マオリ部隊」を結成した。そして一九三九年に第二次世界大戦が勃発すると、ンガタをはじめとするマオリ政治家らによってマオリ部隊が結成され、政府もまた「マオリ戦争協力組織」を結成して兵士の確保に努めた。この「第二八(マオリ)部隊」は、その勇敢な戦いぶりと共に知られることになった。部隊と協力組織は共に、部族集団に基づいて組織化されていたが、他方、イギリスあるいは政府に対して反感を持ち、参戦を望まない部族集団も少なからず存在した。とはいえ大局的に見れば第一次、第二次世界大戦の経験は、マオリにニュージーランド人という意識を芽生えさせ、彼らの国民化を導いたといえよう(Gardiner 1992)。

さて、第二次世界大戦前はマオリ人口の八割は地方、その多くは帰属する部族集団の領域に居住していた。ところが第二次世界大戦以降、都市における産業化が進み労働力の需要が高まったこともあって、主に若年層が急速に都市に移入した。都市に居住するマオリ人口は、一九五六年に三五%、六六年には六二%にも達した(Pool 1991)。彼らは都市という西洋近代文化が卓越する空間で、経済的な貧困、生活環境の劣悪さ、差別・偏見といった問題に直面した。このような状況のなか、一九五一年には政府の支援を得て「マオリ女性福祉連盟」が、六二年には政府によって「ニュージーランド・マオリ・カウンシル」が結成された。二組織は共に、部族集団の伝統的な権威からは距離を取った全国的な汎マオリ組織であり、マオリの諸問題に取り組み、ロビー活動の重要な担い手になっていった(Cox 1993)。マオリ社会の都市化は、マオリに他部族集団のマオリと出会い連帯する機会を与えると同時に、ヨーロッパ系住民との差異や非均衡な関係性を認識させる経験でもあった。これによりマオリというエスニック・アイデンティティが強化され、さらには先住民たる「タンガタ・フェヌア(土地の人)」という自覚が醸成されていき、後にみる先住民運動の下地がつくられていったものと考えられる。

三、先住民運動と国家の改革

第二次世界大戦後、世界各地のいわゆる先進国において、社会的劣位に位置付けられてきた人びとが主体となる新しい社会運動が盛り上がった。NZでは一九六〇年代にマオリに対して、同化主義の延長線上にあるとみなしうる統合主義に基づいた政策が打ち出されていた。一九七〇年代に入ると景気が落ち込み、低賃金労働に従事するマオリは特にその打撃を受けた。こうしたなか、一九六〇年代から七〇年代にかけてマオリを主体とする先住民運動が高揚し、ロビー活動やデモ行進、土地の占拠などが各地で相次いだ(Walker 2004)。マオリの訴えは多岐にわたったが、その中心は土地の堅持・奪還、マオリ語をはじめとする固有の文化の復興、ワイタンギ条約の尊重にあったといえる。一連の運動は、マジョリティであるヨーロッパ系住民にも衝撃を与え、政府は西洋近代文化のみならずマオリ文化をも尊重する二文化主義に基づいて、諸制度を改革していく方向へと舵を切った。そして「マオリ・ルネサンス」と呼ばれるマオリ文化・社会の復興及び発展が目覚ましい時代を迎えることになった(深山 二〇一二)。

二文化主義への転換を示す象徴的な出来事としては、一九七五年ワイタンギ条約法の制定が挙げられよう。これにより、ワイタンギ条約の「原則」に対して一定の法的効力が認められ、さらにワイタンギ審判所が創設された。ワイタンギ審判所は、マオリ個人や集団が条約の「原則」に合致しない「国王」による作為・不作為のために不利益を被った際に、そのことについて申し立てができる機関で、審判所は審理と審判を行い「国王」に対し報告書のかたちで勧告を行う。なお、ここでいう「国王」とは、実質的にはNZの政府を指している。一九八〇年代半ばからは、審判所の改革が進み、過去に起きた植民地主義的な収奪についても申し立てができるようになった。次第にワイタンギ条約について、司法、立法そして行政で広く考慮されるケースが増えていき、「国王」とマオリの間の関係を確立かつ先導する基礎的文書に位置付け直されていった(深山 二〇一二)。

植民地主義的な収奪に関する訴えと再部族化

ＮＺ政府は一九八〇年代半ば以降、新自由主義に基づいて構造改革を進め、資源・サービス・権限を官から民へ委譲するデヴォリューション政策を実施し、その過程でマオリ社会の部族集団を重視するようになった。この頃ワイタンギ審判所では、マオリの申し立て数が急増し、特に部族集団が植民地主義的な収奪、とりわけ土地の収奪を訴える主体として前景化するようになった。部族集団によっては、審判所ではなく裁判所に訴えたり、はじめから政府との直接交渉に臨んだりすることもあった。いずれにせよ、部族集団と政府が和解に合意することを最終的なゴールとし、国家機関において植民地主義的な収奪の実態を具体的に明らかにしたうえで、和解の条件について交渉を進めるようになり、この交渉には、何年という月日がかかることが通常となった(深山 二〇二二)。一九九〇年代後半には、北島中央部を領域とするワイカトータイヌイや、南島を領域とするカーイ・タフといった有力な部族集団と政府が交渉を進め、大規模な経済的資産の委譲を条件に含む和解に合意した。その後も、各部族集団が政府と和解に至る事例が続いている。政府との交渉に際して、部族集団とりわけイウィが自律性を高め組織化や法人化を進めた。このような動向を「再部族化」と称することがある(Rata 2000)。

ところでワイタンギ審判所は、主に過去の植民地主義的な収奪に関する「歴史的申し立て」については二〇〇八年で受付を締め切っている。つまり、「現在的申し立て」はともかくとして、「歴史的申し立て」については近い将来に全て和解に至る見通しが立ったといえる(Bargh 2012)。和解の具体的条件は、その都度国会でいわゆる和解法が制定されることによって実質化する。和解法には典型的には、「国王」による条約違反の認定と謝罪、「国王」から部族集団に対する現金や国有地などの委譲(経済的補償)、「国王」から部族集団に対する慣習的な食料採集地や聖地への特別な紐帯の認定や、特定の地域名称をマオリ語名に変更することへの合意(文化的補償)、といった内容が含まれる(Office of Treaty Settlements 2002)。

ところで、マオリ社会は一貫して土地に対する先住民としての権利、すなわち先住権を強調してきた。しかし一九八〇年代半ば以降はそれに並行して、政府が水産資源管理法を抜本的に改革したことを契機に、海における先住的漁業権、なかでも商業的漁業権の獲得をも目指すようになった。この権利を巡っては、ワイタンギ審判所での申し立てや裁判所での訴訟などを経て、一九八〇年代末にマオリ社会の代表団と政府の間で一括和解に向けた交渉が始まった。結果として、一九八九年マオリ漁業法、一九九二年ワイタンギ条約(漁業請求)解決法の制定によって、政府からマオリ社会に対して、一定の漁獲高権利、水産会社の株、そして現金が委譲されることが決定し、これをもって両者はマオリの商業的漁業権に関しては全面的に和解するに至った。さらにマオリ社会内での議論の末、二〇〇四年マオリ漁業法が制定され、その資産の分配方法が決定した(深山 二〇一八)。

海における先住権をめぐる議論は、さらなる拡がりを見せた。一九九〇年代末、南島北端を拠点とする諸部族集団が地域の前浜及び海底を、植民地化以前より所有し続けるマオリ慣習地であると訴訟を起こしたのである。一連の裁判を経て最終的には二〇〇三年のンガーティ・アパ裁判の判決において、その前浜及び海底はマオリ慣習地の可能性があるとされた。この判決は、偏向報道もあってヨーロッパ系住民にも大きな衝撃を与え、政府は前浜及び海底の法的な位置付けの曖昧さを問題視するようになった。そして、「国王」こそが前浜及び海底を所有するものとし、国民のアクセスを保障する一方で、マオリの慣習的権利はいわば所有権未満に限られることを、立法化しようとした。これに対してマオリの反発が高まり、二〇〇四年には、当時与党だった労働党から離党したマオリ議員がマオリ党を結成するに至った。しかし政府の方針は基本的には覆らず、二〇〇四年前浜及び海底法が制定された。ただし、後に与党が国民党に変わり、マオリ党の協力を得ざるを得ない局面になった際に、この法は撤廃された。新たに制定された二〇一一年海域及び沿岸(タクタイ モアナ)法では、部族集団には領域内の海域及び沿岸において一定の慣習的な権利と権限が認定されうることになった(深山 二〇一八)。

マオリ語の復興

先住民運動の高揚以降、マオリ固有の文化や芸術・工芸の再評価が進んだ。なかでもマオリ語は、マオリ社会の植民地化、西洋近代化、そして都市化によって話者が急減したために、先住民運動においてもその復興が強く主張された。これを受けて一九八〇年代以降、マオリ語と英語を使用するバイリンガル教育を採用する学校が登場した。さらに、ローカル・コミュニティに根差し、マオリ語のみを使用するマオリ語イマージョン教育の必要性が叫ばれた結果、一九八二年には就学前教育機関コーハンガ・レオ(言葉の巣)が、一九八五年には初等・中等教育機関クラ・カウパパ(マオリ原理の学校)が誕生し、徐々に全国に広がっていった(伊藤 二〇〇七)。ついに一九八七年マオリ言語法の制定により、マオリ語は公用語にもなった。他方、マス・メディアの整備にも議論は及び、既に各地で開局していたマオリによるラジオ局に並行して、二〇〇四年には全国区の「マオリ・テレビジョン」が開局した。

NZの行方

NZでは一九七〇年代以降、先住民運動の高揚と国家による積極的な制度改革によって、マオリは先住民としてその地位と権利を確固たるものにしつつあり、固有の文化を順調に復興及び発展させているようにみえる。とはいえ、経済的・社会的格差をはじめとして、植民地化に起因する問題はなおも山積している。NZという国家は今後も、マオリから収奪しマオリを抑圧してきた植民地化という歴史と、なおもヨーロッパ系がマジョリティである一方で多民族化が急進しているという現実の双方を見据えたうえで、あるべき姿を模索し続けていくことになろう。

注

(1) アオテアロアとは、ニュージーランドのマオリ語名である。本章で論じるように本国では二文化化が進んでおり、マオリ語が英語、ニュージーランド手話と共に公用語になっているため、現在では公的場面においても国名を「Aotearoa New Zealand」と称したり、表記したりすることが多い。本章の趣旨にも鑑みたうえで、そのことを尊重し、このようなカタカナ表記にしている。

(2) 本章ではマオリ語で長音表記が一般的になされている部分に関しては、カタカナでも同様に対応している。しかしながら、「Māori」については、日本語で「マオリ」という表記が慣例となっており、例えばニュージーランド政府観光局の日本語ウェブサイトなどでもそのように表記しているため、「マーオリ」ではなく「マオリ」と表記する。

(3) 「Natives」の訳で、この原語に差別的な意味があることから、あえてこうした。以降、固有名詞に「Native」が含まれる場合も、同様である。

参考文献

伊藤泰信(二〇〇七)『先住民の知識人類学――ニュージーランド＝マオリの知と社会に関するエスノグラフィ』世界思想社。

印東道子(二〇一七)『島に住む人類――オセアニアの楽園創世記』臨川書店。

内藤暁子(一九九七)「二つの民族――マオリとパケハ」『もっと知りたいニュージーランド』弘文堂。

深山直子(二〇一二)『現代マオリと「先住民の運動」――土地・海・都市そして環境』風響社。

深山直子(二〇一八)「ビジネスと文化の交錯――ニュージーランドのマオリに見る海をめぐる二つのコンフリクト」深山直子ほか編『先住民からみる現代世界――わたしたちの〈あたりまえ〉に挑む』昭和堂。

深山直子(二〇二二)「ニュージーランド――どのような法制度が先住民族運動に活用されるのか」小坂田裕子ほか編『考えてみよう 先住民族と法』信山社。

Atkinson, Neill (2003), *Adventures in Democracy: A History of the Vote in New Zealand*, Dunedin, University of Otago Press.

Ballara, Angela (1998), *Iwi: The dynamics of Māori tribal organisation from c. 1769 to c. 1945*, Wellington, Victoria University Press.

Ballara, Angela (2003), *Taua: 'Musket wars', 'Land wars' or Tikanga?: Warfare in Māori Society in the Early Nineteenth Century*, Auckland, Penguin

Books.

Bargh, Maria (2012), "The Post-settlement World (So Far): Impacts for Māori", *Treaty of Waitangi Settlements*, Wellington, Bridget Williams Books.

Best, Elsdon (2005), *Maori Religion and Mythology Part 2*, Wellington, Te Papa Press.

Cox, Lindsay (1993), *Kotahitanga: The Search for Māori Political Unity*, Auckland, Oxford University Press.

Gardiner, Wira (1992), *Te Mura o te Ahi: The Story of the Maori Battalion*, Auckland, Reed.

Howe, Kerry (2003), *The Quest for Origins: Who First Discovered and Settled New Zealand and the Pacific Islands?*, Auckland, Penguin Books.

Jones, Pei Te Hurinui, and Bruce Biggs (1995), *Nga Iwi o Tainui: The Traditional History of the Tainui People / Nga Koorero Tuku Iho o nga Tupuna*, Auckland, Auckland University Press.

King, Michael (2003), *The Penguin History of New Zealand*, Auckland, Penguin Books.

Office of Treaty Settlements (2002), *Healing the Past, Building a Future: A Guide to Treaty of Waitangi Claims and Direct Negotiations with the Crown / Ka Tika ā Muri, Ka Tika ā Mua: He Tohutohu Whakamārama i Ngā Whakatau Kerēme e pā ana ki te Tiriti o Waitangi me Ngā Whakaritenga ki te Karauna*, Wellington, Office of Treaty Settlements.

Orange, Claudia (1997 [1987]), *The Treaty of Waitangi*, Wellington, Allen and Unwin/Port Nicholson Press.

O'Sullivan, Dominic (2007), *Beyond Biculturalism: The Politics of an Indigenous Minority*, Wellington, Huia Publishers.

Pool, Ian (1991), *Te Iwi Maori: A New Zealand Population, Past, Present and Projected*, Auckland, Auckland University Press.

Rata, Elizabeth (2000), *A Political Economy of Neotribal Capitalism*, Lanham, Lexington Book.

Waitangi Tribunal (2003 [1989]), *Report of the Waitangi Tribunal on the Te Reo Māori claim (Wai 11)*, Wellington, GP Publications.

Walker, Ranginui (2004 [1990]), *Ka Whawhai Tonu Matou / Struggle Without End*, Auckland, Penguin Books.

Ward, Alan (1999), *An Unsettled History: Treaty Claims in New Zealand Today*, Wellington, Bridget Williams Books.

コラム｜*Column*

歴史の場としてのマウナ・ケア

井上昭洋

マウナ・ケア(Mauna Kea)はハワイ島にそびえる標高四二〇五メートルの火山である。冬季は山頂が雪に覆われることからハワイ語で「白い山」を意味する名前がつけられているが、ハワイ人の間ではMauna a Wakeaと呼ばれる。ハワイ語で「ワーケア(天空神)の山」を意味し、大地と天空を結びつけるpiko(臍・臍の緒)と崇められ、山腹にはハワイ人の墳墓や祠《ほこら》が点在し、神々が噴石丘《ふんせききゅう》に姿を変えて住まう山頂は古くからkapu(タブー)とされてきた。その天文観測に絶好な条件により、マウナ・ケアでは一九六〇年代から天文観測施設の建設が進められ、現在一三基の観測施設が建てられている。初期の望遠鏡は口径三メートル程度のものであったが、時代とともに大型化が進み、現在では八―一〇メートル級のものが主流となっている。

このように山頂開発が進むなか、二〇〇九年七月に新たに計画されたのが、口径三〇メートルの次世代超大型天体望遠鏡のThirty Meter Telescope(TMT)の建設であった。ハワイ州はTMT建設の環境への影響を精査した後、二〇一三年四月に山頂保全地区利用許可を承認し、翌年一〇月七日に山頂で起工式が行われた。しかし、TMT建設に反対するハワイ人たちの介入によってセレモニーは中断され、山頂開発に反対する人々がいることが露わになった。

当初は二〇二二年の完成を目指していたTMTプロジェクトであったが、一三年五月に保全地区利用許可に対して反対派から訴訟が起こされ、一旦は承認手続きが差し戻しになった。二〇一七年九月の利用許可再承認、それに対する再訴訟と訴訟合戦が繰り広げられた後、一八年一〇月に州最高裁判所において保全地区利用許可が有効と判断され、翌年六月にTMTの着工が認められた。しかし、二〇二三年現在、マウナ・ケアのTMT建設は頓挫している。

一九六〇年代に始まる山頂開発は、津波被害によって打撃を受けた地元経済の復興に貢献した。ハワイ人の主権運動が盛んになり始める一九七〇年代から一九八〇年代にかけて多くの観測施設が建設されたが、当時の主権運動におけるハワイ人の「聖地」は米国海軍の爆撃演習地であるカホオラヴェ島であって、マウナ・ケア開発への反対運動は顕在化していなかった。しかし、一九九三年のハワイ王国転覆一〇〇周年を経て主権運動がさらに勢いを増していった一九九〇年代後半、W・M・ケックⅡ天文台、すばる望遠鏡、ジェミニ北望遠鏡といった口径八―一〇メートル級の大型望遠鏡を備えた観測施設が相次いで建設されると、マウナ・ケアはハワイ人の間でにわかに注目を浴びるようになる。

上　活動家の拠点と祭壇
下　アロハ・アーイナ・ユニティー・マーチ
抗議の意を示すべく，上下逆さまに掲げられたハワイ州旗やカラーカウア王の王旗がはためく（筆者撮影）

二〇一四年一〇月の起工式への介入以降、訴訟合戦が続く一方で、抗議活動も活発になっていき、翌年四月二日には、山頂へのアクセス道路を封鎖した反対派の活動家三一名が逮捕された。また、中腹のオニヅカ国際天文学センターのすぐ脇に活動家の拠点と祭壇が設置された（**写真上**）。一方、ハワイ人活動家たちはホノルル市内でも抗議活動を展開した。同年八月九日に、マウナ・ケアとマウイ島のハレアカラー山の保全、遺伝子組み換え作物への反対、農地の保護を訴えて、ワイキキでアロハ・アーイナ・ユニティー・マーチが実施された（**写真下**）が、この一万人規模のデモ行進を企画したのも彼らである。

　TMT建設がハワイ州経済に与える恩恵は莫大なものだ。一四億ドル事業とされる同プロジェクトだが、そのうち三億から四億ドルが州経済に落ちるとされる。また、年間一〇〇万ドルもの基金がハワイ島の教育インフラに還元されるという。TMTは天文学の発展に寄与するだけでなく、地元の経済と教育に恩恵をもたらすというのが、開発賛成派の主張だ。先住民文化を尊重し、環境を保護しつつ開発を進めるのであれば、TMT事業になんら問題はないとする立場である。

　一方、開発反対派は、ただ単に先住民文化の尊厳や環境保護を唱えているわけではない。聖山における観測施設の建設は土地への愛（アロハ・アーイナ）を尊ぶ先住民文化への冒瀆にとどまらないのである。開発賛成派が天文学に先住民文化との親和性・共存可能性を認めるのに対し、開発反対派は天文学に植民地主義との共犯性を見て取る。TMT事業は、王国転覆以降連綿と続いてきたハワイ人と彼らの土地に対する植民地主義的企ての延長戦上にあるのだ。

　TMT問題が提示するのは、「先住民の伝統・精神性」対「西洋の科学」という図式だけでは捉えきれない絡みあったポストコロニアルな状況である。二〇一九年七月には、マウナ・ケアの麓のプウフルフルがpuʻuhonua（聖域・避難所）とみなされ、開発反対運動の域を超えた先住民運動の中心地となった。マウナ・ケアは、ポストコロニアルな文脈において新たな意味を付与された「聖地」として生まれ変わろうとしている。

問題群｜Inquiry

パプアニューギニア史におけるホモソーシャルな政治と女性たち

馬場 淳

はじめに――二重に周辺化された女性たち

かりに太平洋世界が世界(史)の周辺に位置しているとすれば、そこに暮らす女性たちはさらに周辺化された存在といえる。その周辺化は、自然かつ本来的なものではなく、ときに交差する二つの問題に由来する。一つは、男性の視点にもとづく、あるいは男性を暗黙の前提とする歴史表象の方法論的問題である。もう一つは、植民地化から独立、そして持続可能な経済社会を模索する歴史的過程に潜むホモソーシャリティ(男同士の絆)問題である。ホモソーシャリティと女性の周辺化/排除(ミソジニーの現象形態)は、コインの裏表のような相互構築的関係にある(例えば、セジウィック 二〇〇一)。

この問題に対して、女性史の再構成が意義深いことは確かだが、J・スコット(二〇〇四：五七―五八頁)が指摘するように、これには女性の存在/経験を本質化・ゲットー化し、性差の構築過程を見えにくくしてしまう恐れがある。また、戦略的に女性を記述の中心に置くのはいいとしても、ジェンダー概念がもつ関係論的視点を欠いてしまうと、マクロな社会変化と連動した男性との関係性や交渉、ひいてはホモソーシャリティがミソジニーと表裏の関係になる、過程そのものも看過しかねない(e. g. Ralston 1992: 173; Jolly and Macintyre 1989)。

そこで本章は、ホモソーシャルな政治史と女性史を分離するのではなく、むしろそれらの歴史的絡み合いとして、パプアニューギニア史をたどっていきたい。具体的には、時代区分を植民地期(第一節)、脱植民地期(第二節)、ポスト植民地期(第三—第五節)の三つに分け、各時代のホモソーシャリティ(およびミソジニー)に関わる問題を論じていく。

なおパプアニューギニアは、島面積で世界第二位の大きさを誇るニューギニア島の東半分、及びビスマルク諸島とソロモン諸島北部からなる立憲君主国である。国内には七〇〇以上もの言語文化集団が存在するが、言語系統や身体形質上の特徴から大別してパプア諸語・オーストラロイド(ニューギニア高地とその辺縁部)とオーストロネシア語族・モンゴロイド(ニューギニア島沿岸部および島嶼部)に分けられる。これは、パプアニューギニアへの移住年代に対応している。

一、植民地期——周辺化のはじまり

ヨーロッパ人の探検航海は現在のパプアニューギニアを構成する島々の輪郭を徐々に明らかにしたが、交流がはじまるのは太平洋世界のなかでも遅かった。ニューギニア島沿岸部および島嶼部では、一九世紀半ば以降、商人やキリスト教宣教師との接触・交流が漸次的に増大していったが、四〇〇〇メートル級の山々に囲まれたニューギニア高地に白人が入っていくのは一九三〇年代以降のことである。この接触時期の差異は、統治制度や社会進出の度合いに影響を与え、その後の歴史に影を落とすこととなった。

植民地化は、一八八四年、ドイツが東部ニューギニア島北岸地域・ビスマルク諸島・ソロモン諸島一部を、イギリスが東部ニューギニア島南岸および周辺諸島を保護領としたことからはじまった。一八九九年の協定でソロモン諸島北部(ブーゲンヴィル島、ブカ島)がドイツ領にとどまり、ソロモン諸島の不自然な分断は現在まで尾を引くことになる。イギリス領ニューギニアはパプア法(一九〇五年)にもとづいて一九〇六年からオーストラリアの海外領土「パプア」となり、ドイツ領ニューギニアは第一次世界大戦でオーストラリアによって占領されたことで、一九二一年から同国の国際連盟委任統治領となった。こうして、パプアとニューギニアは、同じオーストラリアの施政権下にありながら、国際政治上の地位が異なっていたのである。

オーストラリアはドイツの直接統治方式を踏襲し、パトロール・オフィサー(現地ではキアプと呼ばれた)が行政支庁／駐在所に常駐し、現地人警官とともに管轄地域を平定して回り、住民データ(人口、男女数、世帯数など)を記録した。また「村役人」(パプア領とニューギニア領では名称が異なる)を任命して地域の開発事業や治安維持などにあたらせた(斎藤 一九八七：三九〇―三九一頁)。この統治スタイルは、戦後も当分——各地域に地方行政評議会(後述)が設置されるまで——引き継がれていく。一九五〇年代になっても、戦後体制が浸透していない地域(とくに高地部)がまだ多くあったからである。

太平洋戦争がはじまると、日本軍がこの地に侵攻し、ラバウル(ニューブリテン島)を拠点に占領統治を行う一方、オーストラリアは一九四二年四月、オーストラリア・ニューギニア統治機構(Australian New Guinea Administrative Unit=ANGAU)を組織し、日本軍の侵攻・占領地拡大を阻止しつつ、残りの未占領地域を統治した(Waiko 1993: 119)。戦時の必要性から、異なる政治的地位にある二地域の統治は一元化され、兵士や警官のほか、武器等の運搬、負傷兵の看護、インフラ建設業などに従事する現地人が方々から集められた。ニューギニア島沿岸部と島嶼部は戦場となり、甚大な損害を受けたが、この戦争は近代兵器の圧倒的な武力や豊かな物資、(軍事)組織力、地域や国籍の垣根を超えた人的交流など、第一次世界大戦とは比較にならない経験をパプアニューギニアの人々にもたらしたのだった。

この時期のジェンダーに関わる論点として注目したいのは、植民地支配や戦争が人種だけでなく、性差を絶対的なものにし、歴史的プレゼンスの不均衡を生み出したという点である(e. g. Jolly and Macintyre 1989; Ram and Jolly 1998)。性差は住民データを通して固定され、活動領域や役割を規定する絶対的な指標となった。女性を母性と結びつけ、家庭内存在へと縮減していくうえで重要な役割を担ったのは、キリスト教会が地域振興・慈善事業のために組織化した女性グループやクラブである。一九五〇年代になると、植民地行政官の妻もイニシアティヴを発揮したこのクラブ活動では、キリスト教の教理や「白人」の性別役割分業にもとづき、現地人女性に、家庭を守る母・妻として、主婦的なスキル(家事、育児)が教えられたのである(Sapoe 2000a: 108-109; Vatnabar 2000: 270)。一方、男性は、現地人警官や村役人、徴税の代替となる労役(年季契約労働)を担った。戦時のＡＮＧＡＵにリクルートされたのも、ほぼ男性だった。もちろん、男性不在のなかにあって、また家や畑が破壊された戦時にあって、家族・親族を支え、社会生活の基軸を担った女性の歴史的重要性は強調してもしすぎることはないものの、女性のプレゼンスは歴史の「表舞台」から次第に消えていくことになった。

性差を絶対化し、公的な領域には男性を、私的領域に女性を配置していくような植民地主義的権力は、伝統的社会に緊張と葛藤をもたらすものだった。というのも、伝統的社会では、女性も経済や儀礼を担い、男性と相互補完的に社会生活を支える行為主体だからである。実際、ニューギニア高地では、今から二五〇年ほど前にサツマイモが導入され、人口支持力や富の蓄積(豚の飼育)を一気に高めたが(サツマイモ革命)、サツマイモをめぐる生産労働を担ってきたのは女性たちだった。富を「交換」する男性にとって、「生産」する女性の存在は看過できないはずである。島嶼部の母系社会にあっては、女性は本来的に親族集団のアイデンティティや集団間の安定性を再生産する不可欠な存在でさえある(Weiner 1976)。そのような女性の社会的・歴史的主体性がいかに男性中心のイデオロギーと文化表象のもとで隠蔽されてきたのかは、一九七〇年代以降のフェミニスト人類学やジェンダーセンシティヴな研究が教えるところである(e. g. O'Brien and Tiffany 1984)。Ａ・ストラザーンによれば、ニューギニア高地で男性中心的なイデオロギーが発達したのは女性の男性に対する高い貢献度（あるいは男性の強い依存度）への反動であり、資本主義経済の浸透がそれに拍車をかけたという(Strathern 1979)。

また女性に母性やケアを割り当てる性別役割分業観は、男性：女性を文化：自然の関係に対応させる西洋近代の認識枠組みを反映しており、パプアニューギニアのそれではない。M・ストラザーン（一九八七）は、ハーゲン社会（ニューギニア高地）を例にとり、文化と自然の関係は男性：女性、支配：従属の概念的なマトリクスを構成しないと論じている。人々は人間的活動を差異化する際に性別の言葉や象徴を用いるが、それらが文化と自然の関係と本質主義的に結びついているわけではないというのである。植民地経験とは、パプアニューギニアの人々にとって本来的には結びつかない概念的マトリクスを強引に構成するものだったといえよう。

二、独立への道――ホモソーシャルな政治史

戦後、領土の政治的地位――一九四六年以降、オーストラリアを施政権国とする国連信託統治領――が確定すると、オーストラリアは一九四九年七月にパプア・ニューギニア法(Papua and New Guinea Act)を制定し、統治・運営の基礎を定めた。同年末には、原住民村落評議会条例を制定し、民主主義教育と西洋的な法秩序を浸透させる場として、現地住民による地方行政評議会（独立後の地方政府議会の前身）の設置を決めた。また、戦後復興（産業振興も含む）と戦争補償――その対象には殺された豚までも含まれた――をはじめ、戦前とは比較にならない規模の援助が予算化された。それでも、当初は独立国家の建設は気の遠くなる道のりだと考えられていた。なぜなら、戦前の植民地経営があまりにも杜撰《ずさん》だったため、国家経済を支える産業らしい産業は育っていなかったし、国家を担うエリート養成（高等教育）にも手がつけられていなかったからである。各種の大学――行政大学（一九六四年）、パプアニューギニア大学（一九六

六年)、工業大学(一九六七年)——が設置されていくのも、地方行政評議会の設置地域が急増するのも、六〇年代を待たねばならなかった(Waiko 1993: 165, 177)。以下では、独立への道のりを見てみよう。

一九五一年、パプア・ニューギニア法のもとで両地域の評議会を統合した立法評議会(Legislative Council)が始動したものの、オーストラリアの中央政府および領土大臣の強い指導下にあったため、実質的な自治はないに等しかった(Waiko 1993: 141)。一九六二年、第五次国連視察団は独立に向けて住民議会を設置するよう勧告し、国際的な評価の悪化を恐れたオーストラリアは、翌年、立法評議会の改組を盛り込んだ改正パプア・ニューギニア法を成立させ、住民による立法議会(House of Assembly)の設置を決めたのだった(他の文献では住民議会とも表記される)。一九六四年、郡ごとに候補者を選出する一般選挙区と、県ごとに一名の外国人居住者を選出する特別区の普通選挙が実施され、一般選挙区四四議席のうち現地人が三八人を占めた。特別区は、パプアニューギニア人による議会運営への懸念から、外国人居住者が「指導」する名目で設けられていた。次の選挙(一九六八年)では、その人種制限が撤廃されるとともに、早期独立を党是とするパングー党(PANGU PATI)が九議席を得た。しかし立法議会議員の多数(とくに外国人居住者や高地人)は保守(反独立)派だった。そもそもパングー党は高等教育を受けた新興エリート集団であり、大多数の住民の独立意識及び国民意識はまだまだ希薄だったといわざるをえないだろう(斎藤 一九八七:三九三—三九六頁)。

複数の政党がそれぞれのマニフェストを掲げて戦った第三回普通選挙(一九七二年)で第一党となったのは、独立反対派の統一党(United Party)だった(四二議席)。独立派のパングー党は二四議席を得て、経済発展優先の中間政党である人民進歩党(People's Progress Party)や慎重な独立派である国民党(National Party)などがそれに続いた。しかし統一党が過半数を握れないなかにあって、他の議員たちがパングー党につくことを選んだことで、国民連合と呼ばれる連立内閣が誕生し、マイケル・ソマレ(パングー党)が首班(Chief Minister)に就任した(Waiko 1993: 182)。そして一九七三年一一月、高地出身の保守系議員の多くが反対票を入れたものの、内政自治への移行が決定し、「国産の憲法」を目指して憲法制定委員会が始動した(Goldring 1978: 19-21)。約二年間の調整を経て、一九七五年九月一六日に独立を果たしたのである。

パプアニューギニアの独立は、反植民地主義的民族運動によって勝ち取られたものではなかったし、国民の総意ともいいがたいものだった。一九七〇年代に入ると、オーストラリア労働党が何度もパプアニューギニアを独立させる方針を発表していたし、国内ではオーストラリアの一州になる案が提起されたほか、分離独立を主張する動きもあったほどである(Waiko 1993: 185)。後者のうちの一つは、ニューギニア側と袂を分かち、パプア側のみで独立を企図するパプア分離運動(Papua Besena Movement)である。もう一つは、多国籍企業の鉱山開発によって社会経済的な発展が進んでいた北ソロモン諸島である。ブーゲンヴィル島パングナ鉱山の豊富な銅資源は、自治政府にとって独立国家の財政基盤となるものだった。分離主義エリートたちは独立を控えた九月一日に「北ソロモン共和国」を一方的に宣言したが、国内外から承認されず、立ち消えになった。期待通り、パングナの銅は年間総輸出額の四割以上を占め、独立後の経済に不可欠な役割を担っていく。

さて、この独立にいたる政治過程には、女性の周辺化とホモソーシャルな特徴が顕著であるといわざるをえない。「定説」によれば、独立を牽引したパングー党は、マオリ・キキ(副総理・外務大臣などを歴任)の家に集まって頻繁に政治的議論を戦わせた人々が中心となって結成されたものだが、もともとは行政大学の有志による互助クラブ「缶詰肉クラブ」だった(キキ 一九七八:九章)。初期メンバー八人のうち、一人は女性だったが、ソマレやキキなど「独立の怒れる一三人の男たち」といわれるように、その後の政治史からは消えている。公的意思決定に参画していた女性はどうだろうか。オーストラリア支配下の立法評議会には、一九六一年から現地人女性一人(アリス・ウェデガ Alice Wedega)が任命されていた(Sapoe 2000a: 106)。当時、現地人評議員は三人しか選ばれないことを考えると、彼女が傑出した人物だったことは想像に難くない。実際、島嶼部出身のアリスは、戦前からロンドン伝道協会の学校で教育を受け、汎太平洋女性会議(一九五二年、於：ニュージーランド)にパプア・ニューギニア代表として参加した人物であり、後にパプアニューギニア女性で初めてMBE(大英帝国五等勲爵士)の称号を授与された。立法議会の第一回選挙(一九六四年)では、二九八人中の三人(うち二人は外国人女性)が立候補したが、当選の記録はない。第二回選挙(一九六八年)の女性立候補者は四八四人中たった一人、第三回選挙(一九七二年)では六一一人のうち四人しかおらず、いずれの選挙も一人、しかも同一人物(ジョセフィン・アバイジャ Josephine Abaijah)が当選した(Baker 2019: 60)。つまり独立に際して――自治政府には女性顧問が一人任用されていたものの――議会にいた女性はたった一人だったのである。憲法制定委員会にも複数の秘書がいただけで、女性委員はいなかった(Johnson 1982: 150)。

ちなみに、アバイジャはパプア分離運動(前述)の主導者だったことにも留意しておく必要がある。パプア分離の機運は独立後まもなく消えていったが、アバイジャの政治生命は続いた。独立後の初選挙(一九七七年)でも再選され、八〇年代には州知事(ミルンベイ州)に転身、九七年選挙で再び国政に復帰した。つまりアバイジャは、運動抜きでも票を獲得できるカリスマ的な人物だったというべきだろう。

三、ブーゲンヴィル独立問題

国会議事堂の正面デザインが象徴しているように、独立に際して国家が目標としたのは、文化的多様性を保持しつつ、より高次の国民統合を実現することだった。パプアニューギニア政府は、独立後の一九七七年から――一九九〇年代からはより一層――地方分権主義の立場をとってきた。それは、州議会の権限とその下位にある地方行政議会、住民自身でコミュニティの紛争を解決する村落裁判制度などに現れている。地方分権政策の背景には、九割近くの住民が村落に暮らし、国家よりも出身集団のアイデンティティを強く保持していること、そして分離主義的勢力への対応があった。とくにブーゲンヴィル問題は一九八〇年代後半から内政の最大の課題となった。

ブーゲンヴィル紛争は、強引な鉱山開発による深刻な環境破壊とその補償への不満を背景にしたパングナ鉱山施設の爆破事件(一九八八年一一月二四日)に端を発する。翌年三月、ブーゲンヴィル島の看護師が刺殺される痛ましい事件を機に、多くの州民が排外主義的態度をとり、爆破グループがつくったブーゲンヴィル革命軍に合流したことで、反鉱山開発運動は中央政府および州政府を相手取った独立戦争へと発展したのだった。九〇年代半ばになると和平に向から動きが進み、二〇〇一年には自治政府へのロードマップが盛り込まれたブーゲンヴィル和平協定が成立した。その後、ブーゲンヴィル憲法が起草され、二〇〇五年五月に自治政府が発足し、この地の政治的地位は自律地域(Autonomous Region of Bougainville)へ変更された(馬場 二〇一一:二五八―二六二頁)。二〇一九年末、独立の是非を問う住民投票(投票率八五%以上)では九七・七%が独立の意思を示し、独立に向けた新たな段階に入ったのである。

こうした紛争から社会の再生にいたる過程で、女性が重要な役割を担っていたことはしばしば指摘されている(e.g. Havini and Sirivi 2004)。従来、キリスト教会が組織するグループしかもたなかったブーゲンヴィルの女性たちは、これを機にさまざまなＮＧＯ――技術訓練からトラウマ・カウンセリングまでを行う「レイタナ・ネハン女性開発機構」、国内外の組織と連携して現地の「声」を届ける「平和と自由のためのブーゲンヴィル女性」会など――を組織した。同時に、和平交渉への積極的参加、(首都ポートモレスビーでの)デモ行進や政府への懇願など、女性たちはきわめて高いプレゼンスを発揮したのである。ブーゲンヴィル女性サミット(二〇〇一年)で打ち出された新政府の女性議席(リザーブシート)問題は、ブーゲンヴィル憲法制定委員会で議論の的となり、結果的に三つの女性議席が確保され、うち一人の入閣が確約された(Baker 2019: 98)。このことを北ソロモン諸島の多くが母系社会であることに帰すのは慎重であらねばならないが、女性が平和構築の主体(peacemakers)として正当に評価されたことは確かだろう。

四、女性の政治参加

パプアニューギニアの憲法は、前文の「国家目標と指導原理」で男女平等や女性の政治参加を掲げている。しかし独立から現在にいたる政治史を見ると、それは絵に描いた餅と言っても過言ではない。**表1**は、普通選挙ごとの立候補者数・議員数を示したものである。女性の立候補者数は一九七七年からの四〇年間で約一八倍に増加したものの、全体に占める女性の割合は依然として低い。女性議員となると、数えるほどしかいない。七七年選挙で議員になったのは、再選を果たしたアバイジャ(前述)のほか、ナハウ・ルニイ(Nahau Rooney)とワリヤト・クロウェス(Waliyato Clowes)の三人だけだった。ナハウは、懲治《ちょうじ》大臣兼酒類免許大臣に任命され、パプアニューギニア女性初の閣僚となった。一九八二年の選挙で当選した一人は、再選されたナハウである。再び閣僚に任命され、通算一〇年間で右記のほか、法務大臣、地方分権大臣、航空・文化・観光大臣を歴任した(Rannells 1995: 115-117)。一九八七年からの一〇年間は女性議員がいない状態となり、一九九七年選挙でようやく二人(アバイジャとキャロル・キドゥ Carol Kidu)が当選した。キドゥは、パプアニューギニア男性(裁判官)と結婚し、市民権を得たオーストラリア人で(Kidu 2002)、一五年間、議員を務めた(二〇〇二年と二〇〇七年の当選議員一人とは彼女のことである)。二〇一二年から女性議員は三人に増えたものの、続く二〇一七年選挙は、こ

表1　普通選挙の女性立候補者数と女性議員数(Baker(2019: 61-62)に基づき筆者作成)

(年)	立候補者総数	女性立候補者数	(%)	女性議員数	(%)
1977	879	10	1.1	3	2.8
1982	1125	17	1.5	1	0.9
1987	1513	18	1.2	0	
1992	1655	16	1	0	
1997	2372	55	2.3	2	1.8
2002	2878	60	2.1	1	0.9
2007	2759	101	3.7	1	0.9
2012	3435	135	3.9	3	2.7
2017	3340	179	5.4	0	

れまででもっとも多くの女性が立候補したにもかかわらず、当選者はいなかった。このように、独立以後、パプアニューギニア女性の政治参加は想像以上に進まなかったのである。

もっとも、この状況を改善しようとする動きがなかったわけではない。その一つが、「政治における女性」協会(Association of Women in Politics)の結成(一九八六年)である。このNGOは、女性議員数の増加を目指して、政治教育のほか、女性立候補者に選挙の方法を教え、選挙時の財政支援をも行った(Sapoe 2000a: 148)。その例として、一九九七年選挙に向けた政治教育の大規模なワークショップ「女性を国会へ」を挙げておきたい。この背後には、一九八七年からの一〇年間の空白(女性議員の不在)に対する(とくに政治意識の高い女性たちの)危機意識があった。ワークショップでは、議員経験のあるアバイジャとナハウが講演を行った(Sapoe 2000b: 147-150)。これを機に立候補を決意した女性もおり、結果的に一九九七年選挙の女性立候補者が急増したことは**表1**が示すとおりである(五五人中の三八人はワークショップ参加者だった)。同じ試みは、二〇〇二年にも行われた。

もう一つは、女性議席(リザーブシート)の創設をめぐる動きである(Baker 2019: 68-78)。UNIFEM(国連女性開発基金、現在はUN Womenに統合)などの国連機関や国家女性評議会(後述)のロビー活動のほか、先に見たブーゲンヴィル、サモアやアフリカ諸国の先例を受けて、二〇〇二年から首相に返り咲いた「建国の父」M・ソマレ(二〇二一年二月逝去)や複数の議員はこれに賛意を示した。かくして二〇一二年普通選挙から総計二二議席(州ごとに一つの女性議席)を追加する法案が、当時唯一の女性議員キャロル・キドゥ(当時のソマレ内閣でコミュニティ開発大臣)を中心にまとめられ、提出されたのである。しかしこの流れは、不幸なことに、二〇一一年からの政治的混乱で立ち消えとなってしまった。ソマレが病気治療のためシンガポールに(予定の時期を過ぎても)滞在している間、議会はその職務遂行の困難さからP・オニールを首相として承認してしまったのである。帰国したソマレが訴えると、最高裁判所はオニールの就任を違憲および無効であると判断した。つまりこの時期は「議会に支持される首相」(オニール)と「最高裁に認められた首相」(ソマレ)が併存するという異常事態だったのである(岩本 二〇一二)。リザーブシート案は、二〇一一年一一月、オニール政権を正統と認める議会で過半数をとり、憲法改正は承認されたものの、選挙関連法の改正に必要な三分の二の賛成を得られなかった。これは未来への確かな一歩だったが、二〇一二年の普通選挙で選出された三人の女性議員がリザーブシートの実現に向けたアクション(選挙関連法の改正)を再開することはなかった。

五、市民社会――女性グループの躍進

これまで見てきたホモソーシャルな政治史は、例えば、世界経済フォーラムのジェンダーギャップ指数に如実に表れている。『二〇二一年世界男女格差レポート』によれば、パプアニューギニアは政治分野で一五五位であり、総合ランクでも一三五位となっている(WEF 2021)。こうした状況にあって重要だとされるのが、女性グループと個人的ネットワークである(Spark, Cox and Corbett 2021: 79-81)。教育、キリスト教、仕事の分野で培った個人的つながりや女性グループは、女性議員を支えつつ、集合的な抵抗の拠点となる。オーストラリア出身のキドゥも、ビジネスと専門職に従事する女性たちのクラブ(ポートモレスビー)にその設立から深くかかわってきた。パプアニューギニアにおける女性グループは植民地期の女性クラブにルーツをもつが(Sapoe 2000a: 109)、その後の歴史のなかで馴染みのある「文化」として定着してきたといえるだろう。憲法起草時には、いくつかの地方で女性ディスカッション・グループが組織され、憲法制定委員会に意見書を提出した記録がある(Johnson 1982: 150-151)。キリスト教会が組織する女性グループは今でも盛んだが、ここでは女性の地位や権利の向上を目的とした女性グループを見てみたい。

国家レベルでは、国家女性評議会(National Council of Women)がある。国際女性年の祝賀会(一九七五年三月)を機に結成されたのち、組織・運営に関わる規定を整え、一九七九年三月に法人としての認定を得たこの団体は、各州の女

性評議会(Provincial Council of Women)を束ねつつ、全国の草の根グループやキリスト教会の女性グループともネットワークをもつ。これまでＡｕｓＡＩＤ(オーストラリア海外開発庁)、ＵＮＩＦＥＭやＵＮＤＰ(国連開発計画)と交渉・連携しながら、政治的なロビー活動からワークショップの開催、政府の『ＣＥＤＡＷ 国家報告書』(GPNG 2008)に対する『シャドウレポート』(NCW 2010)の作成など、幅広く活動してきた。パプアニューギニア女性の「声」を代弁する立ち位置から政治的色彩も強いが、目的を政治参加に限定していない点で、「政治における女性」協会(前述)とは異なる。

地方の女性グループは資金や組織力に差があり、国家女性評議会との連携を含めてその運営・活動の度合いにかなりの違いが見られるのが実情である。この点で比較的成功していると思われる地方の女性グループとして、マヌス州のピヒ・マヌス協会(Pihi Manus Association)を挙げておこう。マヌス女性の権利・福祉の向上を目的とするこのＮＰＯ法人は、州政府コミュニティ開発局から助成金を得て、その女性部門の実質的な代行機関として、女性に対する暴力への抗議キャンペーン(毎年一一月下旬)を開催したり、女性問題に関する情報を地元ラジオで周知するなど、啓蒙活動やワークショップに余念がない。その一方、ピヒ・マヌス協会は州女性評議会でもあり、国家女性評議会と緊密に連携してきた(e. g. Sapoe 2000b: 150-151)。国家女性評議会と同型の組織構造(会長、副会長、庶務、会計、タイピストの役職)を有し、各地区の女性代表(ピヒ会員)を介して末端(村落)への指揮系統・情報伝達網をもつ。一九九二年の設立以来、会長職につき、この多面的な協会体制をつくってきたのが女性政治家ナハウ・ルニイである。すでに述べたように、彼女は一九七七年からの一〇年間、政界で活躍した議員・閣僚である。二〇一七年をもってナハウは会長職を退いたが、ピヒ・マヌス協会の例は地方の女性グループの持続可能な運営が強力なリーダーシップに左右されることを示している。

おわりに

以上、パプアニューギニア史をたどりながら、女性がホモソーシャルな政治領域から周辺化/排除される歴史過程とそれに抗する市民社会の可能性を見てきた。性差が公：私を経て、政治の中心：周辺と重なり合うこの二項対立的構図は、歴史的産物であり、変化や解体に開かれていることに留意すべきだろう。すでに女性の社会進出は進み、伝統的な社会関係を超えてネットワークを築き、政界進出を狙う女性も確実に増えてきた。

ただし同時に、今日の太平洋地域の女性議員には欧米的なフェミニズムから一定の距離を置く共通の傾向があることも指摘しておきたい。女性議席の創設に奔走したキドゥは「ジェンダー問題を考えているけれども、自分をフェミニストとは考えていない」と述べ(Spark, Cox and Corbett 2021: 79)、男性との関係において配慮や協同を重視している。だからといって、それはホモソーシャルな政治を肯定するものでは、もちろんない。公的な意思決定からの周辺化や排除がジェンダー政策の遅れの大きな一因であったことは確かだろう。

二〇〇〇年までは、女性/ジェンダー問題に対する政府の取り組みは十分とはいいがたかった(Vatnabar 2000)。例えば、第三回世界女性会議(一九九五年)の北京宣言・行動要綱を受けて、パプアニューギニア政府はその後の一〇年間に向けた独自の行動要綱を策定したが、その履行はまったく十分ではないというのが後年の評価である(NCW 2010: 1)。結局、女性省などは設置されず、ナショナル・マシナリー(国内本部機構)と呼べるものは部局(Division)レベルにとどまっている。一九九五年に批准したCEDAWの国家報告も、二〇〇八年になって(四期分をまとめて)ようやく提出したほどである(GPNG 2008)。その一方、司法制度における女性判事の設置義務やパプアニューギニア大学におけるジェンダー研究プログラムの設置(いずれも二〇〇〇年)をはじめ、家族保護法(二〇一三年)にいたるDV防止の法整備や取り組み(内閣直轄の諮問委員会の設置、ワークショップ、キャンペーン)など、個別分野ではゆっくりだが確実に進展や改革が見られる。

こうした二〇〇〇年以降の進展には、国際情勢や国連機関の政治経済的関与が強く作用していることはいうまでもないが、傑出したリーダー(女性議員キドゥ)と女性グループの連帯や働きかけを無視してはならないだろう。ホモソーシャルな政治の隙間や周辺に散在している個人とグループは、ネットワークでつながっており、ときにホモソーシャルな政治を組み替えていく抵抗勢力となりうる。今後、ある出来事から大きなうねりが生まれ、思わぬ社会変化を引き起こす可能性は十分にある。それとも、ホモソーシャリティの前に霧消してしまうのか。この緊張関係の行く末は予断を許さない。

参考文献

岩本洋光(二〇一二)「二人の首相――パプアニューギニア政界で進行中の事態について」『日本オセアニア学会NEWSLETTER』一〇二号。

キキ、A・M(一九七八)『キキ自伝――未開と文明のはざまで』近森正訳、學生社。

斎藤尚文(一九八七)「「発展」をめざして――パプアニューギニアの反発と依存」石川栄吉編『民族の世界史一四 オセアニア世界の伝統と変貌』山川出版社。

スコット、J・W(二〇〇四)『ジェンダーと歴史学 増補新版』荻野美穂訳、平凡社ライブラリー。

ストラザーン、M(一九八七)「自然でもなく文化でもなく――ハーゲンの場合」木内裕子訳、山﨑カヲル監訳『男が文化で、女が自然か?――性差の文化人類学』昌文社。

セジウィック、E・K(二〇〇一)『男同士の絆――イギリス文学とホモソーシャルな欲望』上原早苗・亀沢美由紀訳、名古屋大学出版会。

馬場淳(二〇一一)「パプアニューギニアにおけるオルタナティブ・ジャスティスの生成――ブーゲンヴィル紛争の修復的プロセス

を事例に」石田慎一郎編『オルタナティブ・ジャスティス――新しい〈法と社会〉への批判的考察』大阪大学出版会。

Baker, K. (2019), *Pacific Women in Politics: Gender Quota Campaigns in the Pacific Islands*, Honolulu, University of Hawai'i Press.

Goldring, J. (1978), *The Constitution of Papua New Guinea: A Study in Legal Nationalism*, Sydney, The Law Book Company Ltd.

GPNG=Government of Papua New Guinea (2008), *Initial, First, Second, Third and Fourth Periodic Reports on CEDAW*, Port Moresby, Government Printer.

Havini, M. T., and J. Sirivi (eds.) (2004), *As Mothers of the Land: The Birth of the Bougainville Women for Peace and Freedom*, Canberra, Pandanusbooks.

Johnson, D. D. (1982), "Equal Rights for Women in Papua New Guinea : Fact or Fiction", D. Weisbrot, A. Paliwala, and A. Sawyerr (eds.), *Law and Social Change in Papua New Guinea*, Sydney, Butterworths.

Jolly, M., and M. Macintyre (eds.) (1989), *Family and Gender in the Pacific: Domestic Contradictions and the Colonial Impact*, Cambridge, Cambridge University Press.

Kidu, C. (2002), *A Remarkable Journey*, Pearson Education Australia.

NCW=National Council of Women (2010), *The CEDAW Shadow Report on the Status of Women in Papua New Guinea and the Autonomous Region of Bougainville*, Unpublished report supported financially by the UNIFEM Pacific.

O'Brien, D., and S. Tiffany (eds.) (1984), *Rethinking Women's Roles; Perspectives from the Pacific*, Berkeley, University of California Press.

Ralston, C. (1992), "The Study of Women in the Pacific", *The Contemporary Pacific*, 4-1.

Ram, K., and M. Jolly (eds.) (1998), *Maternities and modernities: colonial and postcolonial experiences in Asia and the Pacific*, Cambridge, Cambridge University Press.

Rannells, J. (1995), *PNG: A Fact Book of Modern Papua New Guinea*, Oxford, Oxford University Press.

Sapoe, O. (2000a), *Changing Gender Relations in Papua New Guinea: The Role of Women's Organisaions*, New Delhi, UBS Publishers' Distributors Ltd.

Sapoe, O. (2000b), "Experiences of Women in PNG Politics and Strategies for Increased and Effective Participation", M. Rynkiewich and R. Seib (eds.), *Politics in Papua New Guinea: Constituencies, Changes and Challenges*, Goroka, The Melanesian Institute.

Spark, C., J. Cox, and J. Corbett (2021), "'Keeping an Eye Out for Women': Implicit Feminism, Political Leadership, and Social Change in the Pacific Islands", *The Contemporary Pacific*, 33-1.

Strathern, A. (1979), "Gender, ideology and money in Mount Hagen", *Man*, 14-3.

Vatnabar, M. G. (2000), "Gender and Development in Papua New Guinea", D. Kavanamur, C. Yala, and Q. Clements (eds.), *Building a nation in Papua New Guinea: views of the post-independence generation*, Canberra, Pandanus Books.

Waiko, D. J. (1993), *A Short History of Papua New Guinea*, Melbourne, Oxford University Press.

WEF=World Economic Forum (2021), *Global Gender Gap Report 2021*. (https://jp.weforum.org/reports/global_gender_gap_report_2021)

Weiner, A. (1976), *Women of Value, Men of Renown: new perspectives in Trobriand exchange*, Austin, University of Texas Press.

焦　点 | *Focus*

焦点｜*Focus*

フランス領ポリネシアの歴史

桑原牧子

はじめに

フランス領ポリネシアの政治経済の中心、タヒチ島パペーテの街を俯瞰してみよう。街中央に位置し、鮮魚や野菜、土産物や軽食などを売るマルシェ（市場）と、それを囲むように並ぶ中国人経営の商店は買い物をする人々、談笑する人々、時間をつぶす人々で賑わっている。町の南部はフランス高等弁務官事務所、大統領官邸、裁判所、行政機関の庁舎、郵便局、領土議会が密集する区画であり、領土議会の前には「父 Te Metua」と呼ばれた政治家ポウヴァナア・ア・オオパ（Pouvana'a a Oopa）の像が立つ。マルシェと行政区画の間は経済成長期に開発され、カフェと映画館、ファッションや香水の専門店、旅行代理店、黒真珠店からなる商業施設ソントル・ヴァイマがあり、観光客が買い物を楽しむ。北東部には一九九〇年に建てられたコロニアル建築の広い庭を備えたパペーテ庁舎、北部はかつてなら水夫や軍関係者で、今は若者や観光客で賑わうバーやクラブが並ぶ夜の界隈である。東部山側に位置するマリアノテハウ教会、街の中央に位置するノートルダム・カテドラル教会、西部に位置するパオファファイ・プロテスタント教会では敬虔なキリスト教信者が朝晩祈りを捧げる。パペーテにはポリネシア人だけでなく、フランス系や中国系ポリネシア人、フランス人公務員や軍関係者、アメリカ人やヨーロッパ人、日本人などの観光客が行き交う。

フランス領ポリネシアはソサエティ諸島、マルケサス諸島、ツアモツ諸島、オーストラル諸島、ガンビエ諸島の五つの諸島からなるフランスの海外準県 collectivité d'outre-mer であり、海外領邦 pays d'outre-mer である。四一六七平方キロメートルの広大な海域に点在する島々は言語を含む文化において共通性が高いが、諸島ごとに明確な特徴も有する。個別の文化的集合であったこれらの諸島は、一九世紀以降にフランスの領土として一つに括られた。現在、ソサエティ諸島タヒチ島には、離島から人々が教育や就労目的で集まってくる。

フランス領ポリネシアは、植民地統治期から二〇世紀半ばまでは綿花農園、真珠母貝産業、燐《りん》鉱業が栄え、一九六〇年代以降はコプラ、バニラ栽培、黒真珠養殖などの産業にも力を入れてきたが、現在の主たる産業は観光業である。タヒチ島、モーレア島、ボラボラ島やランギロア環礁には国際的なホテルリゾートが誘致され、年間二〇万人以上の観光客を迎える。しかし、島と海が織りなす豊かな自然や楽園幻想を利用した観光と対照的なのは、一九六六年から三〇年間にわたりフランスがツアモツ諸島ムルロア環礁とファンガタウファ環礁で実施した核実験である。放射能汚染の人体と自然への影響については長らく正確に説明されぬまま、人々は島々で暮らしてきた。観光開発と核実験のいずれも西洋接触とフランスの植民地統治の歴史が導いたフランス領ポリネシアの現代といえるだろう。

本章はフランス領ポリネシアの歴史を、西洋船来航から植民地化に至るまでの経緯および植民地統治によるポリネシア社会の変容、さらには核実験と独立運動といった二一世紀のフランス領ポリネシアの人々の暮らしに繋がる出来事をタヒチ島に焦点を当てながら辿る。その意図は、フランス領ポリネシアの歴史をフランスの植民地統治史に組み入れて捉えることではない。パペーテの街を彩る文化的混淆にも投影する、フランス領ポリネシアの人々が生きる現代につながる歴史を照射することである。

一、西洋人来航とポマレ王朝の誕生

タヒチ社会はポリネシアの他の島々と同様に階層社会であり、首長のアリイ、地主のラアティラ、平民のマナフネから構成された。首長には神々との系譜的繋がりがあるとされ、首長位は原則長子が継承した。祭祀場マラエは首長の権力を象徴し、土地所有を根拠づけた。ラアティラは首長の土地を管理し、マナフネは農耕、漁労、家屋の建築などを行った。島には首長を頂点とする社会が地区ごとに異なる規模で存在した(Adams 1964: 15; Hanson 1973: 2; Newbury 1980: 14, 20-21; Henry 1985: 229-330)。

西洋との接触が始まる一八世紀後半、タヒチ社会では豊穣と戦争を司る神オロへの信仰が、従来のタネやタアロア信仰を圧倒していた。オロ信仰はライアテア島オポア地区から発祥し、一七二〇年代以降、地区から地区へと移動しながら踊りや演劇などを公演する「アリオイ」と呼ばれる集団によってタヒチ島に広められた(Newbury 1967b: 479-480; Henry 1985: 122-126)。オロ信仰のマラエに属する首長は、赤い羽根の飾り帯「マロ・ウラ」を標章とした(Henry 1985: 120-121; Filihia 1996)。羽根の飾り帯自体はオロ信仰の発生以前から首長の標章であった。なかでもこの時期、タヒチ島で権勢を誇ったパパラ地区の首長アモア(Amoa)は黄色い羽根の飾り帯「マロ・テア」を標章としたが、オロ信仰の普及とともにマロ・ウラを標章とする首長が優勢になった(Hanson 1972: 2; Newbury 1967b: 480; 1980: 15)。婚姻によって系譜が強化される場合もあったが、アモアも妻プレア(Purea)もライアテア島オポア地区との系譜的繋がりはなかった。その点、のちにタヒチ島の覇権を握るポマレ一世(Pomare I)の父テウ(Teu)はポリオヌウ地区の出身であり、マロ・ウラを纏《まと》う権限がなかったが、妻テトゥパイア(Tetupaia)はオロ信仰上の地位保持者であるライアテア島のタマトア三世(Tamatoa III)の長子であった。つまり、ポマレ一世にはマロ・ウラを標章とする権利があったのである(Filihia 1996: 129)。

ポマレ一世が台頭しえたのはポマレ一世自身の政治手腕だけに起因するとはいえず、先行研究では一七六七年以降来島した西洋人の後ろ盾がいかに関与したかが議論されてきた(Oliver 1974: 1314-1332; Newbury 1980: 14; Saura 2015: 99-103)。しかし、他の諸島に目を向けると、西洋人の後ろ盾のみが特定の首長による政治統一の要因になったとはいえない。例えば、同じく西洋船の寄港地であったマルケサス諸島タフアタ島の首長は、西洋物資の入手と引き換えに捕鯨船や宣教師団の保護役を買って出たが、他の首長からの妨害により覇権を握れなかった(Thomas 1990: 147-152)。他方、オーストラル諸島ルルトゥ島の首長は一八世紀末に西洋人の力を借りずに島統一を達成した(Saura 2015: 102-103)。タヒチ島における王朝成立は、西洋の支援だけでなく、マロ・ウラの標章に示されたポマレ一世のオロ信仰上の系譜に基づく権力構造と西洋との関係、および時宜という視点から捉え直すべきであろう。以下では初期のポリネシア社会の西洋接触を辿ろう。

西洋との接触の舞台となるのは、タヒチ島北部マヒナ地区に広がるマタヴァイ湾である。一七六七年六月一九日、サミュエル・ウォリス(Samuel Wallis)を船長とするドルフィン号が西洋船として初めてタヒチ島を訪れ、マタヴァイ湾に停泊した。多勢でカヌーに乗って押し寄せた島の人々に向けてドルフィン号が発砲し数人が死傷する事態も生じたが、大部分のポリネシア人は友好的な態度を示しながら食料、水や女性を差し出し、物々交換を求め、ウォリスはアモアとプレアと交流を持った(Henry 1985: 11-15)。ウォリスの来航は以降続く西洋とタヒチ社会の関係史の幕開けであり、ウォリス船の中尉は「ジョージ王の島」と名付けてイギリスのタヒチ島占領を宣言した(Henry 1985: 12)。一七六八年には、ルイ・アントワーヌ・ド・ブーガンヴィル(Louis Antoine de Bougainville)のエトワール号とブードゥーズ号がタヒチ島を訪れ、島東部ヒティアア地区に停泊した。ブーガンヴィルはウォリスの島滞在を知らず、フランス王の名のもとに島を占領した、と信じた(Dorbe-Larcade et Tumahai 2019: 74)。一七六九年にジェームズ・クック

(James Cook)は第一回航海にて金星の太陽面通過の観察のためにマラヴァイ湾に停泊し、パエア地区の首長トゥタハ(Tutaha)と出会い、一七七三年から七四年にかけての第二回航海でタヒチ島を再訪した時は、トゥタハの甥で首長位を継承したトゥ(Tu)、のちのポマレ一世と交流した(Adams 1964: 53-63; Newbury 1967b: 485; Henry 1985: 18)。第三回航海では、第二回航海でイギリスに渡ったライアテア島出身のオマイ(Omai)を帰島させるために一七七七年にタヒチ島を訪れたクックはトゥと再会し、彼が妻イティア(Itia)を娶《めと》ったことを知った(Henry 1985: 23)。これら初期接触の西洋人とポリネシア人との関係は主として、西洋人からはマスケット銃、鉄斧、釘などを、ポリネシア人からは食料と木材などを提供する物々交換によって築かれた。常に親睦的だったわけではなく、ポリネシア人による盗難やそれに触発されて生じた揉め事によっても特徴づけられた。

探検家たちが観察したタヒチ島の情景はヨーロッパに伝えられ、それに魅了された人々はタヒチ島に楽園幻想を膨らませた。一例を挙げると、ブーガンヴィルは自らの航海記をもとに、一七七一年に『世界周航記』を出版した(Bougainville 1771)。ブーガンヴィルはタヒチ島で頻発していた戦争の残酷さと滞在中に悩まされた盗難に言及する一方で、タヒチ島をギリシア神話の女神アフロディーテの島ヌーヴェル・シテールと呼び、ロココ調絵画の牧歌的な世界に重ねながら女性の性的奔放さも記述すると、ヨーロッパの読者の感興は後者に注がれた。ブーガンヴィルのタヒチ島描写に誘発された啓蒙思想家ドゥニ・ディドロ(Denis Diderot)は、一七七二年に『ブーガンヴィル航海記補遺』を記した(Diderot 1772)。この小編では、ポリネシア人が西洋人に女性を差し出す理由は、子供を授かることがポリネシア人女性および社会全体の至福であるからとし、女性の性の奔放さにつきまとう恥辱や嫉妬は西洋社会の法律や宗教の産物であると批判されている。ディドロが示す「高貴な野蛮人」であるポリネシア人の姿は、西洋文明批判の鏡として美化された姿であった。

戦艦バウンティ号のタヒチ島滞在も楽園幻想創出の一端を担うとともに、タヒチ島の政治史においてはポマレ一世による覇権の掌握につながる重要な出来事であった。一七八八年一〇月、船長ウィリアム・ブライ(William Bligh)と船員四六人を乗せたバウンティ号は、西インド諸島に輸送するパンノキの苗木採集を目的にタヒチ島マタヴァイ湾に到着した。ブライはトゥの保護を受けながら島に滞在して作業を遂行した。五カ月間の滞在中、バウンティ号船員の多くは島の女性たちと性関係を持った。ブライは任務を完了し一七八九年四月にタヒチ島を出発したが、島での快楽の日々から厳格なブライの指揮による過酷な海上生活に戻された船員は鬱憤《うっぷん》をためた末に叛乱を起こした。ブライは小型船に乗せられて海に追放され、叛乱船員たちは一旦タヒチ島に戻り一六人がそのまま島に滞留した(Oliver 1974: 1256-1257)。義兄とモーレア島の覇権を巡り戦っていたトゥはマスケット銃で装備した叛乱船員を味方につけて戦いに勝利し、その後、ポマレと改名して王朝を樹立した(Dorbe-Larcad et Tumahai 2019: 109)。叛乱の中心であった中尉フレッチャー・クリスチャン(Fletcher Christian)らは航海を続け、ピトケアン諸島に辿りつき、以降その地に居を定めた。バウンティ号の事件は、船員が叛乱を起こして戻りたがるほどにタヒチ島の女性との暮らしは魅惑的であったという、さらなる楽園幻想を西洋社会に広めた。

西洋船来航はタヒチ社会の政治や物質文化を劇的に変化させた。また西洋におけるタヒチの楽園幻想はタヒチ社会を植民地統治とキリスト教化、さらには現代の観光開発へと繋げた。しかし、文化人類学者ブルーノ・ソーラが指摘するように、現在のフランス領ポリネシアの人々にとって西洋船来航はコロンブスのアメリカ大陸到達のように国の祝日となるような出来事とはみなされず、(たとえ祝日とすることの是非が議論になっても)「微《かす》かな記憶」であるという(Saura 2015: 106-112)。この「微かな記憶」に対して現代の多くのポリネシア人の生活に直結する「確かな記憶」となるのがキリスト教伝道に関わる出来事であろう。

二、キリスト教化と社会統一

プロテスタント福音教会が創立したロンドン伝道協会は、オセアニアにおけるキリスト教布教をタヒチ島から開始した。宣教師、職人、その家族たちを乗せたダフ号は一七九七年三月六日にマタヴァイ湾に到着し、クックが金星観察を行ったポイント・ヴィーナス付近を拠点とした。さらに一八〇一年にもロンドン伝道協会はロイヤル・アドミラル号で宣教師団をソサエティ諸島に送った。一八〇三年にポマレ一世の息子ポマレ二世が即位したが、対抗する首長との戦争に追い込まれて一八〇八年にモーレア島に避難した(Adams 1964: 134-135)。重なる戦争と西欧人探検家や商人の持ち込んだ疫病に苦しんだ島民たちは宣教師たちに猜疑的に接したために、同年に宣教師団は一旦タヒチ島から撤退した(Oliver 1974: 1324-1326; Gunson 1977: 12)。

しかし、一八一一年に島に戻った宣教師団をポマレ二世が全面的に支援したため、伝道活動が進んだ。地区間で多発した戦争と西洋人が持ち込んだ疫病により大勢の死傷者や病人が出ていた時期であった(Adams 1964: 107-112)。島の人々は疫病や死傷に対してオロ神や治癒の神の無力さを目《ま》のあたりにし、オロ信仰に疑念を抱き始めた。次第にマラエにおける儀礼での首長の不在や標章の不使用といった事態が重なり、マラエ自体も管理が疎《おろそ》かになり廃れていった。やがてポリネシア人の中からキリスト教の信仰を深めた人々が現れ、彼らはプレ・アトゥア(あるいは、プレ・アトゥア)と呼ばれた(Davies 1961: 174)。

この時期、オーストラリアのポートジャクソンへ塩漬け豚肉の輸出が開始され、西洋船の行き来も頻繁になった。これらの西洋船と交易してきた首長は宣教師からも同様に西洋の物資を入手し、代わりに布教活動を支援した。ナイフ、ハサミ、綿布、家具、食料などの西洋の物資がポリネシア人の生活に浸透し、そうした日常生活の西洋化が一層キリスト教化を促した。それでもなお、キリスト教化を望まず伝統信仰を支持し続ける人々もいた。彼らはプレ・アトゥアと対立したが、その対立は信仰上に留まらず政治的確執をも孕んでいた。そこに、多くのポリネシア人をキリスト教に改宗させただけでなく、キリスト教がタヒチ島の政治に導入される契機となる出来事が起こった。フェイピの戦いである。

一八一五年一一月一二日、ポマレ二世とモーレア島の彼の支持者であるプレ・アトゥアがタヒチ島パエア地区のマラエ・ウトゥアイマフラウに集結し、キリスト教の礼拝を行った。そこに反キリスト教を掲げて攻撃をしかけたのは、ポマレ二世に対抗するパパラ地区の首長オプハラ('Opuhara)であった。オプハラ軍の攻撃に、ライアテア島とモーレア島の首長らを後ろ盾とするポマレ二世の軍隊がマスケット銃で対抗して勝利を収めた。最大の敵を排除したポマレ二世はタヒチ島に戻り、全島を支配する王朝を創始した(Davies 1961: 190-192; Adams 1964: 121-124; Oliver 1974: 1346-1350)。

一八一九年にポマレ二世がキリスト教の洗礼を受け、複数の敬虔なるプレ・アトゥアもそれに続いた。宣教師がポマレ二世や他の首長からの支援を受けて布教活動の地盤を固め、タヒチ島とモーレア島のキリスト教化は加速した。首長から宣教師には島の生活での安全が保証され、食料および伝道の拠点となる教会とミッションハウス用の敷地が提供された。タヒチ語を習得した宣教師ヘンリー・ノット(Henry Nott)とジョン・デイヴィス(John Davies)は、口頭言語であったタヒチ語をアルファベット化し、聖書、聖歌、カテキズムをタヒチ語に翻訳し、ウィリアム・エリス(William Ellis)の持ち込んだ印刷機で印刷した(Davies 1961: 77-68, 156, 162-163, 204; Gunson 1977: 255-260)。

ポマレ二世はタヒチ島統一を果たした後、王朝の覇権をキリスト教布教とともにツアモツ諸島とオーストラル諸島へと広めた。宣教師はポマレ二世と協同で島の社会統制のために法を制定した(Davies 1961: 328; Hanson 1972: 3)。一八一九年に制定されたポマレ法は、殺人、盗難、安息日違反、重婚、叛乱や扇動に対して罰則を設け、島社会の政治経済と宗教活動に関わる規範を定めた(Bouge 1952; Davies 1961: 365-376; Gunson 1977: 285-287)。タヒチ島の社会統制に倣い、一八二〇年にはライアテア島の首長タマトア三世を中心に、タハア島、ボラボラ島、マウピティ島の首長がタマトア法を、一八二二年にはフアヒネ島の首長テリイタリア(Teriitaria)がフアヒネ法を制定した(Tuheiava-Richard 2019: 139)。ポマレ二世は、豚肉、ココヤシ油、クズウコンなどを地区の首長から徴収し、ロンドン伝道協会主部に貢納、王と首長の政治権力はプロテスタント教会のヒエラルキー下で強化されていった(Newbury 1967a: 15)。

人々のキリスト教への改宗が進むなかで、伝統信仰は「異教徒の信仰」となった。マラエは破壊され、神像は異教徒の呪術用の「偶像」として火に焼《く》べられた(Davies 1961: 193-194)。嬰児殺し、人身御供《ひとみごくう》、ダンス、イレズミなどの慣習は禁止され、生活の様々な側面に課せられていた禁忌も遵守されなくなった。一部、法による締め付けへの反発から、「ママイア」と呼ばれる人々が山にこもり、歌い踊ってイレズミを彫るなどの伝統的な生活を送りながら、聖書を読み、異端の預言を始めるシンクレティズム(syncretism)を展開した(Gunson 1962)。

三、ポマレ王朝の終焉と植民地統治

一八二〇年にポマレ二世の息子ポマレ三世が誕生し、二四年には幼少で王位に就いたが、病弱であったために三年後に早世した。そのため、ポマレ二世の長女で、ポマレ三世の異母姉に当たるポマレ四世が一八二七年に王位を継承した。

一八三四年にガンビエ諸島で伝道活動を開始したカトリック宣教団イエズス・マリアの聖心会のフランス人宣教師フランソワ・カレ(François Caret)とオノレ・ラヴァル(Honoré Laval)と同行していた大工ヴァンセントは、タヒチ島でカトリックを拡大しようと一八三六年にタウティラ地区に上陸した。しかし、ポマレ四世の助言者でイギリス人プロテスタント宣教師のジョージ・プリチャード(George Pritchard)がカトリックの宣教師らをタヒチ島から追放した(Newbury 1980: 88)。このプロテスタント教会とカトリック教会の軋轢《あつれき》は、タヒチ島におけるイギリスとフランスの国家間の覇権争いへと激化した。

一八三八年、フランス海軍士官アベル・オーベール・デュ・プティ＝トゥアール(Abel Aubert du Petit-Thouars)はタヒチ島に赴き、カトリックの宣教師の追放を名誉棄損としポマレ四世に賠償請求した。女王は賠償に応じ謝罪したが、プリチャードはタヒチ島におけるカトリック教会の布教活動の締め出しを強化した。一八四二年、デュ・プティ＝トゥアールは捕鯨基地設置を目的にマルケサス諸島を占領し、その後タヒチ島に寄港した。デュ・プティ＝トゥアールは、長年交易に携わりタヒチ島の内情に通じていたフランス領事ジャック＝アントワーヌ・ムレンハウト(Jacques-Antoine Moerenhout)の誘導のもと、女王のタヒチ島不在時に他の主要首長たちに保護領化同意の署名をさせて脇を固め、女王にタヒチ島をフランスの保護領 protectorat とする条約を締結させた(Newbury 1973: 7-9)。ポマレ四世はヴィクトリア女王に締結の無効を求めたが支援を得られず、ライアテア島に逃亡した。タヒチ島では一八四四年にポマレ王朝を支持する首長たちがフランスによる領有化に反発し、フランコ・タヒチ戦争が勃発した(Newbury 1973)。この戦争はフランス軍とタヒチ軍双方に負傷者約五〇〇人と死者約一六〇人をもたらし、一八四七年にフランスが勝利を収めて終結した(Newbury 1973: 6)。ポマレ四世はタヒチ島に戻り、一八四七年から逝去する七七年まで政権を掌握した。

一八四二年から八〇年までの保護領下においてポマレ王朝とフランス人総督による執政が併存した。一八五二年には選挙法と土地登録法が制定された。首長の長子継承は廃止され、地区の政治執行者は系譜上の継承者ではなく、前首長の親族から選出されるようになり、土地も伝統的な土地継承ではなく選挙で選ばれた後継者に所有権が移行し、さらにフランス行政へ渡った土地もあった(Newbury 1967a: 19-20)。名目上は首長が地区での政治権力を維持したが、事実上はフランス人総督が反フランス派の首長を排除するなどして地区政治に介入した(Hanson 1972: 8)。一八七七年から王位を継いでいたポマレ五世は総督アンリ・シュセ(Henri Chessé)の説得に促され、八〇年に主権をフランスへ譲渡した。タヒチ島およびソサエティ諸島、ウィンドワード諸島のモーレア島とテティアロア島とメヘティア島、オーストラル諸島のツブアイ島とライヴァヴァエ島、ツアモツ諸島はフランス領オセアニア Etablissements français d'Océanie としてフランスの植民地になった。さらに、一八八二年にガンビエ諸島、八七年にラパ島、翌八八年にはソサエティ諸島、リーワード諸島が植民地に統合された(Peltzer 2002: 71, 73)。

フランスによる植民地統治は、選挙で選出された議員で構成する総評議会と、フランス人総督の枢密院が担った。同化政策を軸にしたものであり、フランスの行政制度が導入された。フランスの刑事・民事法や関税制度が適用され、学校教育ではフランスの教育制度のもと、フランス語による教育が行われた(Newbury 1980: 196-201)。

西洋人が持ち込んだ疫病によってポリネシア人人口が激減していたところに、植民地体制の政治経済のもとに複数のエスニック集団が加わり、タヒチ島の社会構成は劇的に変化した。フランスからは法務、税関・税金、公共事業、教育、印刷、港湾などの行政職に就く公務員がタヒチ島に赴任した。一八六〇年代から既に綿花農園労働者として中国人移民が流入していたが、綿花の他にコプラ、コーヒー、サトウキビ、バニラなども輸出するようになった一九〇七年以降は移民者数が増大した(Newbury 1980: 225-242; Peltzer 2002: 69)。中国人労働者の一部は農園労働終了後もタヒチ島や離島に残り、貿易業や商店を営んだ。一九一一年から六六年まで続く、ツアモツ諸島マカテア環礁の燐鉱採掘の労働者には、他島からのポリネシア人や日本人の労働者が含まれていた(Newbury 1980: 242-247)。

第一次世界大戦が勃発し、フランス領オセアニアは同じくフランス植民地であったニューカレドニアとともに、フランス軍として参戦した。第一次世界大戦下の一九一四年にパペーテはドイツ軍による爆撃を受け、第二次世界大戦下ではボラボラ島にアメリカが補給基地を設置し、五〇〇〇人のアメリカ兵が駐留した。戦争と共にフランス植民地帝国も終結し、名称は海外領土 territoire d'outre-mer になり、住民にフランス国籍が与えられた。

戦後、ポリネシア人の間で自らの文化を再評価する機運が高まった。一九五六年に、マドレーヌ・モウア(Madeleine Moua)がダンス・グループを立ち上げ、禁止されていたダンス、オリ・タヒチを復活させた。一八五九年から在留フランス人が催していた祝祭は、オリ・タヒチ、やり投げや果物担ぎレース、工芸品展示など、ポリネシア文化に大きく模様替えされた(Stevenson 1990)。一九七〇年代には、ダンスや音楽、伝統的演説オレロ、彫刻や樹皮布作り、繊維編などの工芸、イレズミなどと共に、タヒチ語の復興も起こった。ロンドン伝道協会はタヒチ語での伝道を積極的に行い、人々のタヒチ語の使用を禁止してこなかった。しかし、学校教育がフランス語で行われ、フランス人やミックスレイスの人口が増加し、次第に家庭内や若い世代の間でフランス語使用率が高まった。そのような背景からタヒチ語の継承と普及が求められ、一九七二年にアカデミー・タヒティエンヌが創立され、タヒチ語の辞書や教科書を発行し、教育活動を担うようになった。

四、核実験と自治権獲得への戦い

二〇世紀後半、ポリネシア人による植民地統治への抵抗が起こった。その中心にいた人物は冒頭でふれたポウヴァナア・ア・オオパである。一八九五年にフアヒネ島の庶民階層の家に生まれ、敬虔なるプロテスタントであったポウヴァナアはタヒチ島で大工の職に就いた後、第一次世界大戦ではフランス軍兵役に志願し戦った。第二次世界大戦後にタヒチが海外領土化されたのを受けて、ポウヴァナアはタヒチ語でポリネシアの伝統文化に誇りを持つことの大切さを人々に語り、一九四七年にはフランス人公務員三名の着任に対し抗議デモを実施し、フランスの植民地統治に抵抗した。その二年後、国民議会議員に選出され、タヒチ人のための政治を掲げる政党ＲＤＰＴ、Rassemblement démocratique des populations tahitiennes を発足した。一九五七年制定のドフェール枠組み法 loi cadre Defferre によりフランスの地方議会には部分的な自治権が付与され、名称もフランス領ポリネシアPolynésie françaiseと改められた。ポウヴァナアは内閣に相当する政府評議会Conseil de gouvernementの副議長になるが、彼の自治主義の政策と所得税導入に対して中産階級層で構成される野党からは反発が起こった。

一九五八年にフランスからの独立を問う国民投票が実施され、残留支持票が六四%と過半数に達した。この結果を受けて政府評議会は解体され、同年一〇月一一日、パペーテ市街放火と武器保有の冤罪を着せられたポウヴァナアは逮捕、政治職を剝奪され、八年間の懲役と一五年間のフランス領ポリネシアでの居住禁止を科せられた。一九六六年までポウヴァナアはフランスで投獄されたが、不在時も自治権を希求する人々から熱烈な支持を集め続け、六八年一一月三〇日に歓喜の群衆に迎えられながらタヒチ島への帰島を果たした。ポウヴァナアは一九七一年に上院議員に選出されて再度政治に関わるが、七七年に逝去した。それはフランス領ポリネシアが改めて経済的・行政的自治権の獲得を果たした年でもあった(Saura 1997; Peltzer 2002: 117)。

歴史学者ミッシェル・レクストレイトは、タヒチ社会に激変をもたらした一九六〇年代初頭の出来事として、一九六一年のファアア国際空港の開港と翌年公開の映画『戦艦バウンティ』の撮影を挙げる(Lextreyt 2021: 273)。国際空港の開港には、燐鉱業に代わる産業として観光が着目され、国際線運航による観光客の誘致を意図した背景があった。マーロン・ブランド主演の映画撮影では二〇〇〇人のポリネシア人が高額の給与で雇用され、撮影スタッフの滞在により外貨が社会に流れ込んで社会はにわかに景気づいた。西洋接触初期から熟成されてきたタヒチの楽園幻想は『戦艦バウンティ』の映画化で再度浮上し、国際空港開港と共に観光開発へと結実した。

しかしそれ以上に、ポリネシア人の生活を大きく変えたのがツアモツ諸島における核実験であった。一九六〇年からアルジェリアで核実験を行っていたフランスは、アルジェリア独立を機に一九六四年にツアモツ諸島東南に位置するムルロア環礁とファンガタウファ環礁を実験地とした。一九六六年から七四年にかけてフランスはムルロア環礁にて四一回、ファンガタウファ環礁にて五回の大気圏内核実験を行った。これは一九七〇年以降、オーストラリア、ニュージーランド、フィジー、南米を中心に国際社会から激しい抗議を受け、国際司法裁判所はフランスに実験停止を要請した。

核実験はフランス領ポリネシアの経済を激変させた。核実験に直接関わる職務に加え、実験施設や宿泊施設の建設やインフラ整備、駐留するフランス軍関係者向けに食事の調理や給仕、清掃洗濯などの職が生まれた。食材の需要も高まり、農業や畜産も発展した。人々は他島から実験地や基地設置の環礁へ出稼ぎに行き、そこで得た収入で土地を購入し家を建て、海外からの物質文化を享受した。人々の移動により出身地の異なる男女間の婚姻も増えた。核実験と基地設置に起因した経済による生活への劇的な影響に警鐘を鳴らしたのが政治家フランシス・サンフォード(Francis Sanford)である。ポウヴァナアの政治を受け継ぎ、フランス領ポリネシアを自治権獲得に導いたサンフォードは、反核運動にも注力した。一九七三年六月二三日には、サンフォードとポウヴァナアの先導のもと、市民がパペーテで核実験反対を訴えるデモ行進を行った(Barrillot et Le Caill 2011: 22)。

反核デモや国際的な批判や抗議を受け、当時のフランス大統領ヴァレリー・ジスカール・デスタン(Valéry Giscard d'Estaing)は一九七四年七月一七日の実験をもって大気圏内核実験を停止し、翌年以降は地下核実験に切り替えて続行した。フランスは一九七五年から九六年にかけて、ムルロア環礁において一三七回、ファンガタウファ環礁において一〇回の地下核実験を行った。一九八九年の冷戦終結後、ソ連とアメリカによる核実験の停止を受け、一九九二年にフランソワ・ミッテラン(François Mitterrand)が核実験を停止した。しかし、一九九五年にジャック・シラク(Jacques Chirac)が核実験再開を決定すると、パペーテでは大規模な抗議デモ行進が起こり、グリーンピース船がタヒチ島に寄港し、抗議活動を行った。ついには市民による暴動が勃発し、舞台となったファアア国際空港が封鎖された。一九九六年一月二七日実施の核実験を最後に、フランス領ポリネシアにおける三〇年にわたる、計一九三回の核実験の歴史に終止符が打たれた。

おわりに

冒頭のパペーテの街の俯瞰景に戻ろう。パペーテ湾沿いの大通りは女王ポマレ四世通りである。平行して街の中心を横切るのがゼネラル・ド・ゴール通りで、ポウヴァナア・ア・オオパ通りを境に、パペーテ襲撃に攻防した海軍士官の名を冠したコマンダント・デストラモー通りが続く。ポウヴァナア・ア・オオパ通りに平行するのがデュ・プティ＝トゥアール通りである。パオファイ・プロテスタント教会横を走るのは、ロンドン伝道協会がタヒチ島に到着した年月日を示す一七九七年三月五日通りである。ウォリス通りとクック通りもあり、ブーガンヴィル公園もある。馴染みの街では、人々は通りの名前に歴史を意識することも少ないだろうが、歴史を刻む通りを日々行き来しながら暮らしているのに変わりはない。

自らが暮らす島々がフランス領土であることを多くのポリネシア人は肯定的に捉えてはいない。しかし、現代のタヒチ島でのポリネシア人および彼らの家族・親族となった様々なエスニック集団の人々の生活を形づくるのは、本章で紹介した歴史でもある。フランス領ポリネシアの人々はこれからも植民地統治の歴史と向き合いながら、フランスとの関係を問い続けていくのであろう。

参考文献

Adams, Henry (1964), "Mémoires d'Arii Taimai", *Publications de la Société des Océanistes*, No. 12, Paris, Musée de l'Homme.
Barrillot, Bruno et Heinui Le Caill (2011), *Moruroa: La bombe et nous*, DSCEN: Papeete.

Bougainville, Louis Antoine de (1771), *Voyage autour du monde, par la frégate du Roi la Boudeuse, et la Flûte l'Étoile: en 1766... 1769*, Paris, Saillant et Nyon.

Bouge, Louis-Joseph (1952), "Première législation tahitienne: Le Code Pomaré de 1819: Historique et traduction", *Journal de la Société des* océanistes, tome, 8.

Davies, John (1961), *The History of the Tahitian Mission, 1799-1830*, C. W. Newbury (ed.), Hakluyt Society, ser. 2, 116, Cambridge.

Diderot, Denis (1772), *Supplément au voyage de Bougainville, ou dialogue entre A et B sur l'inconvénient d'attacher des idées morales à certaines actions physiques qui n'en comportent pas.*

Dorbe-Larcade, Véronique et Liou Law Tumahai (2019), "Histoire des premiers contacts avec l'Occident (1767-1797)", Éric Conte (éd.), *Une Histoire de Tahiti*, Pirae, Éditions au Vent des Îles.

Filihia, Meredith (1996), "'Oro-dedicated Maro' Ura in Tahiti: Their Rise and Decline in the Early Post-European Contact Period", *Journal of Pacific History*, 31-2

Gunson, Niel (1962), "An Account of the Mamaia or Visionary Heresy of Tahiti, 1826-1841", *Journal of the Polynesian Society*, 71.

Gunson, Niel (1977), *Messengers of Grace: Evangelical Missionaries in the South Seas 1797-1860*, Melbourne, Oxford University Press.

Hanson, Allan (1972), "Political Change in Tahiti and Samoa: An Exercise in experimental Anthropology", *Ethnology*, 12-1.

Henry, Teuira (1985), *Ancient Tahiti*, Bernice P. Bishop Museum Bulletin, No. 48, Honolulu, Kraus.

Haupert, Yves (1998), *Francis Sanford: à Cœur Ouvert*, Tahiti, Éditions au Vent des Îles.

Lextreyt, Michel (2021), "De l'éveil à la vie politique à l'échec de la première expérience d'autonomie interne 1945-1962, Les combats de Pouvana'a a Oopa", Éric Conte (éd.), *Une Histoire de Tahiti*, Pirae, Éditions au Vent des Îles.

Meltz, Renaud (2019), "La mise en place d'un monde colonial (1842-1880)", Éric Conte (éd.), *Une Histoire de Tahiti*, Pirae, Éditions au Vent des Îles.

Newbury, Colin (1967a), "Aspects of Cultural Change in French Polynesia: The Decline of the Ari'i", *Journal of the Polynesian Society*, 76-1.

Newbury, Colin (1967b), "Te Hau Pahu Rahi: Pomare II and the Concept of Inter-Island Government in Eastern Polynesia", *Journal of the Polynesian Society*, 76-4.

Newbury, Colin (1973), "Resistance and Collaboration in French Polynesia: The Tahitian War: 1844-7", *The Journal of the Polynesian Society*, 82-1.

Newbury, Colin (1980), *Tahiti Nui: Change and Survival in French Polynesia, 1767-1945*, Honolulu, The University Press of Hawai'i.

Oliver, Douglas (1974), *Ancient Tahitian Society*, 3 vols, Honolulu, The University Press of Hawai'i.

Peltzer, Louise (2002), *Chronologie des événements politiques, sociaux et culturels de Tahiti et des archipels de la Polynésie française*, Pirae, Éditions au Vent des Îles.

Saura, Bruno (1997), *Pouvanaa a Oopa*, Tahiti, Éditions au Vent des Îles.

Saura, Bruno (2015), *Histoire et mémoire des temps coloniaux en Polynésie française*, Tahiti, Éditions au Vent des Îles.

Stevenson, Karen (1990), "'Heiva': Continuity and Change of a Tahitian Celebration", *The Contemporary Pacific*, 2-2.

Thomas, Nicholas (1990), *Marquesan Societies: Inequality and Political Transformation in Eastern Polynesia*, Oxford, Clarendon Press.

Tuheiava-Richaud, Vāhi Sylvia (2019), "Un nouvel ordre religieux et politique", Éric Conte (éd.), *Une Histoire de Tahiti*, Pirae, Éditions au Vent des Îles.

コラム | *Column*

歴史の中の文身

——ポリネシアのタタウ

山本真鳥

文身（イレズミ）——膚《はだ》に傷をつけてそこに色素を塗り込んで文様をつけること——の慣習は世界各地に存在しているが、ポリネシアの文身がとりわけ有名なのは、ヨーロッパ語の文身の語 tattoo（英）、tatouage（仏）などの語源がポリネシア語であるからだ。タヒチ語でもサモア語でもタタウ（*tatau*）がその語に相当する。マオリ語ではモコ（*moko*）という。

ポリネシアの文身の色は一色である。貝殻や骨で作ったギザギザの歯に色素（植物由来の墨）をつけて皮膚を傷つけると、色素は膚に入り込み、やや青みがかった黒色となる。諸島毎にデザイン、彫る身体の部位が異なり、またジェンダー・身分・社会階層などによる相違もある。ヨーロッパ人との接触当時、その慣習に驚いたヨーロッパ人はスケッチ等でデザインを活写した。マルケサス諸島の戦士の全身に施したもの、マオリ首長の顔面に施したものなどは特に有名で、現地に住み着いたヨーロッパ人水夫の中には、文身を入れる者も出現した。

筆者のよく知るサモア社会の場合、文身は男女でデザインが異なっており、男性の方が入念な抽象的幾何学模様をウェストの上から膝まで施す一方、女性はあっさりとした十字模様等を股に入れる程度である。神話伝承では、文身はフィジーに由来することが語られ、女はお産で痛い思いをするが、男は文身で痛い思いをするとされている。文身師はツフガ（*tufuga*）と呼ばれ、これは大工や船大工に対する敬称でもある。一種のイニシエーションとして、村の高位首長がスポンサーとなって、ツフガに若い男性たちに対し施術をしてもらい、礼として大量の財や食物などを贈っていた。

文身は諸島それぞれの社会制度、社会秩序と結びついており、宗教観念、世界観とも関わっている。最初のヨーロッパ人の驚きと興味にも拘わらず、キリスト教宣教師が伝道のために入ってくる一八世紀終わりから一九世紀前半になってくると、文身は邪教と結びつくものとして、とりわけ東ポリネシアではおとしめられ、野蛮の象徴として禁止されるものとなった。キリスト教は自傷や自殺を禁じていたからである。ポリネシアの文化破壊が進む中で、文身もなりを潜めた。とはいえサモアだけは、いちおう宣教師らに禁じられたこともあり、誰もがするものではなくなっていながら、文身への関心が途絶えることはなかった。興味をもつヨーロッパ人民族誌家がサモアでの調査報告を残し、サモアの文身師は創意工夫を行って適応力をつけていった。

一九八〇年代に、ホノルルでポリネシアン・ダンスの興業を行うタヒチ人実業家が、全身に施すマルケサス式の文身を入れたいという青年ダンサーの希望をかなえるために文身師を探したがなかなか見つからず、ついにサモアに来て願いを実現した。このできごとがきっかけとなり、フランス領ポリネシアは文身ブームに沸いた。失われた文化を取り戻した、と人々は受け止めた。筆者がサモアで調査を始めた一九七八年、サモアでは文身をした人は珍しくはなかったが、他のポリネシア地域では廃れた慣習であった。その後のポリネシアでの文身の流行は、先住民・新興独立国家の文化復興運動やナショナリズムとおおいに関わりがあり、諸島ごとのデザインがある。ニュージーランド・マオリ人の男性顔面の文身は目立つ箇所であるため未だ入れている人は少数であるが、口の下に入れる女性の文身は、男性よりは多く見られる。マオリのデザインである螺旋などを含んだ曲線文様を腕などに入れた人の数は遥かに多い。街を歩くとMokoという看板(タトゥーショップ)を始終見かける。サモアは独立後に海外移民が増え環太平洋各地に移民コミュニティが生成し、本国と海外との交流も盛んで、海外で施術が行われることも多い。太平洋芸術祭やパシフィカ・フェスティバルにはそれぞれの諸島の文身師が参加して実演を行う。いまや文身はボディー・アートと呼ばれ、文身のデザインを他のアートに流用することもある。

世界的流行の中で、フランス領ポリネシアでは、それぞれの諸島のデザインの違いを認識した上で、好きなデザインを入れる、ということが行われる一方、ニュージーランドの太平洋系移民の間では自分のエスニシティにマッチしたデザインを腕に入れることが多い。

キリスト教宣教師に弾圧され、一旦はほとんど消滅させられた文身は、ポストコロニアルの時代に再び蘇ったが、かつての宗教的・社会的文脈からは離れ、グローバルな文脈の中で新たな社会的意味を付与されつつ、欧米人にも賞賛されるアートとして世界に影響を与えているのである。

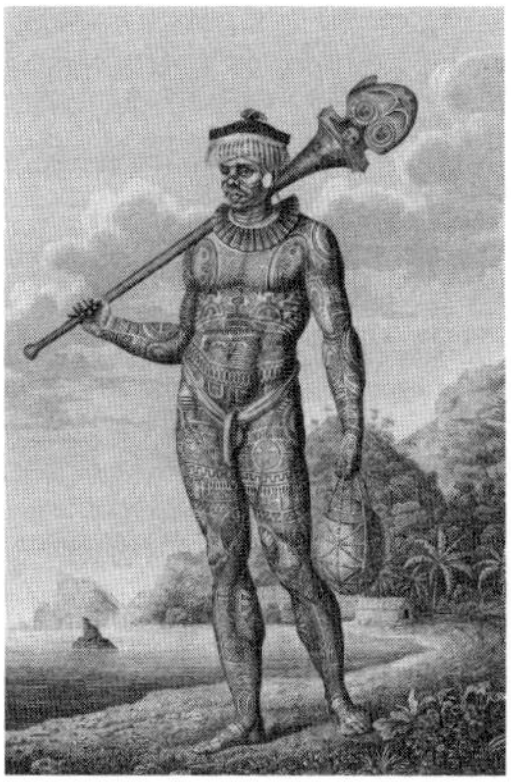

マルケサス諸島ヌクヒヴァ島の戦士(Wilhelm Gottlieb Tilesius von Tilenau 作)

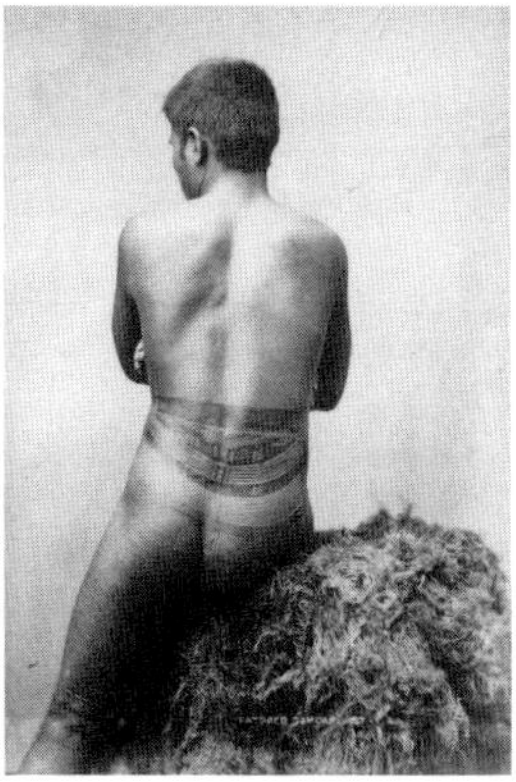

文身を入れたサモア男性(1890年頃, Thomas Andrews 撮影)

集点 | *Focus*

民族の対立と統合への可能性からみたフィジーの二〇世紀の歴史

丹羽典生

「フィジーは民族的に分断された社会(ethnically divided society)である。そこでは、公的な記憶は人種的に記録されてきた(racially archived)」ブリジ・ラール(Lal 2015: 59)

一、フィジー史の争点

冒頭に掲げた言葉は、フィジーの歴史家ブリジ・ラール(一九五二―二〇二一年)によるものである。彼は、フィジーへのインド人移民の第三世代として目に一丁字ない両親のもと、電気や水道も届かない小屋で育ちながら(Lal 2013: 1-24; Lal 2021b)、オセアニアの大国であるオーストラリアの太平洋史の拠点機関にて指導的な歴史家となった。自身が子孫として連なるインド人移民史を書くことから研究をはじめ、同時代史としてのフィジーの近現代史を開拓、さらにはクーデタで分断された国家の再建期における憲法改正委員会(Constitution Review Commission)のインド系代表を担うことで歴史を作る側へと積極的に参画している(Lal 2012: 22-38)。そして率直な政治批判が政権にうとまれて、出生の地から入国禁止を申し渡される。最後は、帰国が叶うことなくオーストラリアの地にて生涯を閉じている。このようにラールは、植民地化から独立を経て現代へと至る時の流れのなかで、先住系と移民とが交差する場所としての太平洋現代史を体現するかのような人物であった。本章では、この卓越した歴史家の言葉を導きの糸としながら、民族の対立や分断と統合(の可能性)という視点からフィジーの二〇世紀の歴史を読み解く作業を行いたい。[1]

フィジーはバヌアツとトンガのあいだに位置する島々からなる。太平洋における島嶼国家のひとつであるが、ヨーロッパ諸国との接触及び一八七四年よりイギリスの植民地統治を受けた帰結として、多様な民族集団を抱えているのが顕著な特色のひとつである。先住系、ヨーロッパ系、インド系を中心に、メラネシア系、[2]ポリネシア系、中国系など、フィジーに定住する経緯と祖先の出身地を異にする人々が並存している。

世界的な脱植民地化への気運が高まるなか、フィジーもメラネシアのなかでは比較的はやく一九七〇年に独立を果たした。独立の当初こそ安定した政治運営を行っており太平洋の優等生と遇されていたが、一九八七年には太平洋史上最初のクーデタが発生。それ以降、政治的に不安定な状況に陥っている。ラールの冒頭の言葉は、そうした起伏にとんだフィジーの同時代を生きた、いわば現代史の「立会人」としての証言でもある(Munro and Corbett 2017: 3-9)。実際、フィジーの歴史の見方は、民族ごとに大きな違いがある。それほど歴史認識が社会によって分断されているのだ。そもそもフィジーの歴史というとき、このフィジーが人(先住民)をさすのか場所(国)をさすのか区別する必要がある。先住系フィジー人にとっての歴史とフィジー国の歴史とのあいだには、重なり合いとずれが存在している。

植民地化を経るまで無文字社会であった先住系にとって、フィジーの歴史とは、クラン(概ね氏族に相当)ごとに口伝えされる語り物であった。神話・伝説的な要素を含む口述史は、先住系のアイデンティティに関わるものとして、いまでも重視されている。それのみならず、記録化された口述史は、クラン単位とされる土地所有権と関連しており、土地争いの裁定に際してもっとも重要な参照資料のひとつとなっている。また祖先がフィジーの土地へ足を踏み入れた経緯を語る来島神話は先住系一般にひろく流布しており、歴史的事実として否定されながらも(France 1966)、一部ではいまだに根強く信じられている。

一方でフィジーという場所の歴史がある。資源や人口に限りのある太平洋の小さな島国としては恵まれていることに歴史の専門的な教育を受けた歴史家によって書かれた、オーソドックスなフィジー史がいくつか存在している。代表的な著者は、ヨーロッパ人(デリック・スカー)[3]とインド系フィジー人(ブリジ・ラール)とどちらも先住系の出自ではない。興味深いのは、双方の歴史記述はいずれも斯界の専門家から高く評価されながら、出来事の解釈において、大きな隔たりがあることである。ことにクーデタに対する理解には、顕著な対立がみられるとさえいってよい[4](Firth 1989)。

さらには同じフィジーという場所の歴史ではあるが、こうした一国史という枠に収まらない広い意味での史書がある。もともと移民集団であった少数民族による、フィジーを生活の地とする人々の歴史があるのだ。多くの場合、それぞれの民族的背景をもつ書き手による著作が、フィジーの独立直後の一九七〇年代に刊行されている。場合によっては、執筆時に存命であった移民世代の証言を交えながら、インド系(e. g. Ali 1979)[5]、ヨーロッパ系(e. g. Simpson 1974)、ソロモン系(e. g. Kuva 1971)、キリバス系(e. g. Etuati 2011)、中国系(e. g. Fong 1974)などの各民族を主体としたフィジーにおける歴史が叙述されている。時代が下るとより個人に焦点化した歴史が書かれている。とくにフィジーから他国へ移動したインド系を中心に伝記的作品が、数多く刊行されている(e. g. Kumaran 2010; cf. Yee 2014)。

つまりフィジーにおいて歴史を考えるとき、そもそも先住系にとって歴史とは何かという歴史の存在自体の次元に関わる根源的な問いが一方にある。他方で、フィジーという土地を舞台にして多様な背景をもった人々がいかにそこで生を紡いできたのかを記述する歴史があるわけである。冒頭で引用した歴史と記憶に関わる文言は、こうした歴史の存在意義をめぐる差異の必然的帰結といえる。フィジーにおいては、歴史的な出来事が公のものとして記憶され、国史の語りとして定着に至ることなく、民族の軸で分断され、引き裂かれたままにおかれていると言い換えることもできよう。本章では、フィジーの二大民族である先住系とインド系を中心に、両民族がどのように対立し、また連帯を試みていたのかという視点から、この国の二〇世紀の歴史のひとつの見方を呈示していきたい。

二、イギリス植民地期からの移民や民族運動

フィジーが現在のかたちの多民族国家となった契機は、ヨーロッパ諸国の入植者の来島及びイギリス植民地統治に遡る。綿花などのプランテーション栽培の土地をもとめたヨーロッパ人入植者は一九世紀半ばより次第に存在感を増していた。フィジーが最終的に大英帝国の植民地となったのは、一八七四年一〇月一〇日のことであった。イギリス側は必ずしもフィジーの領有に積極的だったわけではなかった。むしろ先住系首長一三人(6)が集まり、当時の国際状況を見据えて、イギリスへ主権を受け渡す形式で植民地化が達成された(Lal 1992: 9-11)。

先住系首長の割譲を受けいれたイギリスは、太平洋諸島民の未来に対して悲観的であった。先住系は当時急激な人口の減少を経験しており、消滅する民族とさえ考えられていたのである。こうした人々を救済するための方策としてフィジーで採用されたのが、先住民の土地所有権や伝統文化の保持を旨とする保護主義的な政策であった(7)。しかるにプランテーションでの働き手を必要としていたヨーロッパ人入植者にとって、この保護主義的政策は好ましくなかった。太平洋諸国からの移民労働者は近隣諸国におけるプランテーションでの需要と競合したため賃金が上昇していたことに加え、彼らの死亡率の高さに人道的な非難の声が上がっていた。さらに先住系も雇用できないとなると、植民地経済の運営に差し障りが出るからである。打開策として実施されたのが、インド人契約移民労働者の導入であった(Lal 1992: 13-14)。

インド人が選ばれたのにはさまざまな背景要因がある。まず、奴隷制はすでに廃止されており、プランテーションでの雇用の中心は契約労働者となっていたこと。同じ大英帝国の各地にインド人移民が派遣されていた先例があったこ

と。特にフィジーの場合、導入策に一役買った初代総督のアーサー・ゴードンは、トリニダードやモーリシャスといった赴任先でインド人労働者の導入を経験済みであった(Gillion 1962: 5-6, 13)。

こうしてフィジーにおけるインド人契約移民労働者——英語の「契約」を意味する言葉が転じて「ギルミティヤ」と呼ばれた——は、一八七九年から一九一六年にかけて導入された。彼らの出身地は、北インドから南インドにまで及び、ヒンドゥー教やイスラーム教などの宗教、さらにはカーストも高位から低位まで、多様な社会的背景を抱えた人々で構成されていた。ところが、インドからフィジーまでの非常に過酷な渡航経験が厳密なカースト規制の遵守をすでに不可能にしていたこと、到着後のプランテーションでの厳しい生活環境や女性の相対的な少なさもあり、本来であれば分断を招きかねない社会的差異は、次第に希薄化されていった。労働契約期間の終了後に本国への帰還を選択しなかった彼らは、インド系フィジー人としてのアイデンティティを形成していった(Lal 2006b: 370-375)。

このようにして現代の多民族国家フィジーの基盤が成立したわけである。土地所有権を保護された地主としての先住系が所有する土地にて、入植者として来たヨーロッパ系は資本をもつ経営者となり、そこに雇用されたインド人移民が契約労働者となる。大まかに民族と階層が重なり合う形で分断された社会の原型は、植民地の初期を通じて確固たるものとなった。フィジーは、先住系・ヨーロッパ系・インド系という三民族のあいだのバランスによって均衡を保つ三つ足の椅子に喩えられることがしばしばあるが(8)(Scarr 1983: vi)、こうした民族構成になった起源は植民地初期の政策に求められるのである。

しかしこのように各民族を一枚岩で捉えることにも大きな問題がある。先住系は植民地化以前に遡る伝統的な政治的制度への忠誠に基づく分裂や首長層と平民層のあいだの階層の違いを抱えていたし、インド系には北インド・南インドという出身地やヒンドゥー教とイスラーム教という宗教を軸にした分裂があった。フィジーの歴史のダイナミズムは、こうした分断が民族の単位をこえた合従連衡をもたらすことによって、生み出されてきた側面があるのだ。

民族の垣根をのりこえる連帯の可能性が伏在しながらも、実現へとつながらなかった例として、以下では一九一〇年代と一九五〇年代末に起きた反植民地主義的な運動の事例を取り上げたい。一九一〇年代になると、植民地政府は、それまでと異なりヨーロッパ系以外の民族からの不満への対処も迫られるようになった。具体的には、非ヨーロッパ系のあいだに顕著なリーダーが出現して、権利回復を求める運動を起こしていたのである。先住系の側では、カリスマ的指導者アポロシ・ナワイに主導されたヴィティ・カンバニ運動[9]が起きている。アポロシは、一九一四年にバナナなどを大規模に扱う会社を興し、貧しい先住系に商業活動の利益を与えることを目指した。ヨーロッパ人から解放された先住系の経済的な自立と、インド人追放を唱えカリスマ的な影響力を及ぼすようになった彼は、植民地政府から流罪の刑に処された(Lal 1992: 48-54)。植民地時代のオセアニア各地では、「カーゴカルト」と呼称される類似した民衆暴動が起きたことで知られているが、アポロシもそれらに連なるものであった。

一方で契約労働期間が終わりフィジーに定着しつつあったインド系の側も、ストライキを起こしていた。置かれた状況の改善を求めたフィジーのインド系たちが、英語の能力に長けた弁護士マニラル博士を一九一二年一二月にフィジーに招聘したことがきっかけであった。彼は、みずからの地位向上のために精力的に働き、プランテーションでの労働環境の改善から市議会議員にインド系を含める請願まで行った。さらには独自の新聞を刊行し、アソシエーションを結成した。このように活動の幅が社会的な側面に及ぶようになると、マニラル博士の活動は植民地政府と衝突していくことになる。最終的にはストライキに関与したとの疑いをもたれたことから、彼はフィジーを離れざるを得なくなる(Lal 1992: 46-48)。

アポロシとマニラルの活動は、先住系とインド系という民族的出自を異にしながらも、植民地主義的な政治状況に対する異議申し立てという意味で共通している。いずれも類似した文脈における被植民者の側からの主体的な行為でありながら、両者の活動は有意義なかたちで交叉することはなかった。ましてや双方が協働して植民地政府に働きかけることはなかった。ヴィティ・カンバニ運動の主張のなかには反インド的で排外主義的な要素が含まれていたことを考慮すると、連帯は可能性の水準にとどまっていよう。

より具体的な連帯の可能性は、一九五〇年代末に活発となる労働組合の活動から看取できる。アフリカに遅れてオセアニアにおいても西サモアの独立や、そのほかの地域における自治政府への移行にみられるように独立を見据えた動きが起きていた。都市化、産業化の進展は加速し、相即して組合活動が盛んとなっていた。そうしたなか植民地政府に脅威をもたらした事件に、一九五九年のストライキがある。

一九五九年のストライキの焦点は、石油関連企業の労働組合が賃上げを求めたことにあった。しかし、交渉は決裂して、暴動へと発展。最終的には、夜間外出禁止令が発せられる事態となった。フィジーの植民地政府はこの暴動に特に神経質になったことで知られているが、それには理由がある。このストライキはフィジー史上はじめて民族の垣根をこえ、先住系とインド系が連携して発生した出来事だったからである。争議を指導したのが、先住系のアピサイ・トラとインド系の混血であるジェイムズ・アンソニーという二人の人物であったことが、そのわかりやすいあらわれである。分割統治の植民地政策を推進してきた政府にとっては、非常に憂慮すべき出来事であったのだ(Lal 1992: 165-169; Hearfield 2002)。

しかしこのストライキは、明瞭な結果を出す前に、指導者のあいだの混乱などもあり瓦解してしまった。植民地政府側はもとより、政府と密接な関係を築いていた先住系の首長層も、ストライキを手厳しく批判した。皮肉なことに、そのため多民族によって構成されていた労働組合においても、この事件以降、民族分断が入り込む余地ができてしまった。多民族主義とは真逆の方向に向かっていったのである(Lal 1992: 169)。一九一〇年代の事件では可能性に留まった民族間連帯は、一九五〇年代にはより具体的に実現したかに見えた段階で水に流されたのである。

三、独立後の政治紛争の歴史

一九七〇年一〇月一〇日、フィジーは独立を迎えた。植民地期に培われた先住系、ヨーロッパ系、インド系の三者を主要な民族単位とする分断化された社会であることに変わりはなかったが、かれらが同じ国民として政治的主権を与えられる大きな転換点となった。脱植民地期には独立後のフィジーの統治体制のありかたをめぐって激しい議論が交わされたが(Lal 1992: 195-200)、独立初期は先住系の指導者であるラトゥ・カミセセ・マラの国際的な信望も厚く、民族協和のイメージを打ち出しながら政権の運営はたくみになされていた。実際に先住系を基軸とする同盟党の政権は、先住民の権利の擁護に理解を示すヨーロッパ系と協調しつつ、同時に少ないながらも実力あるインド系政治家を招き寄せることに成功していた(Norton 1977: 89-98)。

安定した政権運営のもと、概ね順調に経済的な成長はすすんでいたと評価された。島嶼間及び本島における交通網は整備され、電線は都市部以外にも進展し、ラジオなどの新しいテレコミュニケーションが導入された。観光が主要産業となり、サトウキビや木材関連事業などの新産業も開花した。人口が順調に増大して、都市化に拍車がかかった(Lal 1992: 216-217)。すると次第に三民族と三経済カテゴリーの分業を重ね合わせるような静態的な民族間関係は、人々のあいだの認識はさておき、実体として徐々に比喩以上の意味は希薄化していくことになった。

先住系社会の変化も加速している。一九六八年にオセアニア各地にサテライトを抱える南太平洋大学がフィジーを拠点に設置されたことに代表されるように、高等教育への門戸が広がった。都市的なライフスタイルの拡大と都市中間層の形成も、それにともない進展していく。伝統的な位階をはなれ教育を通じて身を立てた人々は、首長を中心とする伝統的秩序や権威を相対化して見ることが可能となろう。先住系社会における首長の権威は、ただちに弱体化するということはなくとも、伝統という理由だけで是認されるとはもはや限られなくなっていく。

独立後の民族分断をこえた連帯の動きの一例は、新たな政党の結成というかたちであらわれた。脱植民地期以降のフィジーにおける政党は、同盟党(先住系)、連合党(インド系)というように、民族を基盤として形成される傾向があった。先述の通り初期の同盟党は、限定的ながらインド系やヨーロッパ系の議員を引き寄せることに成功していたものの、そうした多民族的な色彩は次第に希薄化されていった。そうしたなかで一九八五年に新たに設立されたフィジー労働党は、従来の政党とは異なる政権選択を提示する第三党としての位置づけを押し出そうとしていた。中心的なメンバーに、南太平洋大学の知識人や労働組合の指導者を抱えるこの政党は、都市中間層を基盤としており、設立当初の時点では、多民族主義的構成で、民族的区分に立脚しないプラットフォームを目指して結成されていた(Lal 2006a: 53-54)。

しかるにこの連帯に向けた動きも流産を余儀なくされた。議席を獲得するために、フィジー労働党が農村部において集票力を発揮していたインド系支配的な国民連合党と連携したことはひとつの分岐点であった(Lal 2006a: 54)。また、なによりフィジー労働党と国民連合党による政権は、フィジーにおける太平洋史上最初のクーデタによってわずか一カ月で頓挫させられたのである。

民族分断の状況を余すことなく世界に提示したクーデタが発生したのは、一九八七年五月一四日のことであった。フィジー労働党・国民連合党の連携が、独立以降フィジーを牽引してきた同盟党に国政選挙にて勝利を収めたことがきっかけである。先住系による首相を擁し、主要閣僚の半数が先住系で構成されながらも、新たな政権は、土地所有権などの先住系の権利を脅《おびや》かすインド系支配的と先住系の人々から警戒された。実際、首都では先住民のためのフィジーを唱えたタウケイ運動(Taukei movement)と称されるデモが起きた(Lal 1992: 267-275)。「タウケイ」とは所有者を意味するフィジー語で、この文脈では入植者や移民と対比して、フィジーという場所の土地所有者である先住系フィジー人を強調して示す言葉として使われている。

デモのあおりを受けてフィジーの国内では、緊張感が高まっていった。軍隊(ほとんどが先住系で構成されている)がクーデタを起こしたのは、こうした先住民の権利(とくに土地所有権)が移民により侵害されないかという先住系フィジー人の恐怖心や不安を背景としていた。ただしほかならぬフィジーにおいてクーデタが起きるということは、多くの人にとって想像外の出来事でもあった。直接的な暴力にさらされ、政権の座を追われた国会議員ですら、現実の出来事と信じることができず、当初はクーデタを何かの訓練かと考えたほどであった(丹羽 二〇一三：一二七―一二八頁)。

クーデタの発生は、国中に大混乱を巻き起こした。首都における暴動やインド系宗教施設への破壊を伴う事件など、それまであまり表面化することのなかった根深い民族対立の感情を衆目にさらすことになった。もしフィジーにおけるクーデタが一九八七年五月におきた一回だけの出来事であれば、国に与えた影響も軽微なもので済んでいたかも知れない。民族間関係に悪しき影響を与えたことは疑うべくもないが、国全体の政治や経済に対する影響は、一時的であり回復が見込まれるものであった。ところが合法的な政治的過程を踏まない行為が一度実行され、ましてや事後的に是認までされると、その後暴力的な手段にうったえる事件が起きることに歯止めがきかなくなっていった。結果としてその後のフィジーは、現在に至るまで政治的混乱の絶えない国となったのである。

二〇世紀のあいだだけに限定しても、一九八七年五月に続けて同年九月そして二〇〇〇年五月にクーデタが起きている。暴力の連鎖は二一世紀に入っても収まらず、二〇〇六年一二月には再度のクーデタが起き、二〇〇九年に憲法危機が生じている。フィジーはパンドラの箱を開けたといえよう。

これまでフィジーの植民地期以降の歴史を、民族の対立や分断とその超克の可能性という視点から見てきた。植民地時代より確立された民族ごとに分割された政治制度とそれに培われた実践は、フィジーの二〇世紀を通じて独立以降の政治の動向にまで深く影響を及ぼしていた。分断された民族が連帯する契機は歴史のそこかしこに見え隠れしていたが、しかしそれらはあくまであり得たかもしれない可能性としての水準にとどまっていた。

実際、民族の軛《くびき》をはずして連帯する可能性は、つねに民族区分に基づいて物事が動いている生活上の事実によって裏切られてきた。これは国をはじめとするさまざまな制度のなかに、民族が組み込まれてしまっているという以上のことを意味している。二〇世紀後半のフィジー史を体現する政治家であるラトゥ・マラがしばしば口にしていたように、「人種(race)は、フィジーにおいて生活していくうえでの事実」であるのだ(Lal 2008: 85)。日々の生活に関わる各種の論点においても、利害関心が民族ごとに異なっているという側面は確かに現実として存在してきたのである。

近代国家における国民統合の過程が議論されることがあるが、フィジーの歴史をこのように整理すると国で生起した一連の出来事が国民を統合する公的記憶とされるのでなく、民族を分断する記憶となっているといえよう。別言すると、あり得たかもしれない国民統合の契機を逃し、国民としての共通の体験が記憶として蓄積され、涵養《かんよう》されることがなかったというわけである。

四、二一世紀の展望

二一世紀になって四半世紀近くが過ぎようとしているいま、民族にとらわれた政治はどのような状況にあるのだろうか。興味深いのは、二〇世紀までのフィジーの政治問題が先住系の民族主義的感情に左右されていたのとは、逆のベクトルに政治が動いている点である。二一世紀の最初に起きた二〇〇六年のクーデタとその後の政権は、民族対立をフィジーの宿痾であり、クーデタの連鎖の根源と捉え、その超克を目指している(Fraenkel and Firth 2009: 3-4)。同じクーデタとはいえ、先住系の権利の擁護・優越性と、市民の平等とイデオロギー的には真逆にあるのである。

二一世紀はじめのフィジーは、二〇世紀の歴史を動かしてきた諸制度に歯止めがかけられ、まさに一大転換がはかられている。植民地期から存在していた民族別の投票区分は廃止され、民族の別なく投票する形式に一元化された。先住系の保守派に対しては、伝統的な首長層の権威と先住民社会を保守するために存在していた大首長会議は廃止され、彼らの過半数を信者として抱えることで多大な影響力を誇っていたメソディスト教会が政治的動向に容喙《ようかい》することには釘が刺されている。インド系政党の基盤となっていた労働組合の活動には制限が課され、かつての勢力が削がれている(Lal 2021a: 195-196)。

政治的秩序としては、二〇一三年に公布された新憲法に基づく選挙が翌年に開かれることで、民主的な正当性をかろうじて回復している。しかし軍と政治との関係は引き続き懸念材料となっている。二〇〇六年のクーデタを実行した軍の司令官フランク・バイニマラマは、選挙を見据えて二〇一四年に司令官を辞してフィジー・ファースト党を結党。同党は、二〇一四年、一八年の総選挙に二期連続で勝利を収め、バイニマラマは首相として政治の中心に留まった。同様の問題点は二〇一三年憲法にも指摘されている。同憲法には、クーデタへの恩赦条項が残り、さらに軍が国民の福祉に対して果たす積極的な役割が明記(一三一項(二))されてまでいるのだ(10)。

このように植民地期以来の統治機構のありように大幅な転換がなされていた。ところが二〇二二年一二月の選挙では、再度逆転劇が起きた。最大投票数を得たのはフィジー・ファースト党であったものの過半数には至らず、その結果、フィジー・ファースト党を除いた複数の政党が連合することで一六年ぶりの政権交代が実現したのである。新政権はこれまでのフィジー・ファースト党が主導してきた政策の大幅な転換を打ち出しており、軍の新政権に対する動きがいま警戒をもって見守られている。今後事態がどのように展開していくのかは予断を許さない。それがわかるためには、もう少し時間が必要であろう。

二〇世紀のフィジーの歴史とは、国民化の未完のプロジェクトとしてあった。先住系が切り開いたフィジーという土地に、複数の移民が到着して重なりあいながら、フィジーに定着していく。植民地という空間のなかで偶発的に結びつけられた彼らは、植民地とその後の独立という時間を共有するなかで、次第にフィジー国民としての一体感を醸成していく可能性もあったのである。

果たして二一世紀のフィジーは、今後どのような方向に向かっていくのだろうか。フィジー一国の事情と関わりなく世界的に先住民の国際的な位置づけは変わり、クーデタ以降の人口の海外流出の動向はグローバル化の進展と重なり歯止めがきかない状態にある。在外フィジー人の増大や個人レベルでの移動の増大は、国としての輪郭も変えている。フィジーという枠組み自体が変わるなか、歴史のかたちも別様になっていくのかもしれない。

二〇世紀のフィジーが生み出したインド系の歴史家ブリジ・ラールは、インドでもフィジーでもなくオーストラリアで遺灰にされた。二〇二二年、一六年ぶりとなる政権交代の直後、この「フィジーの息子」の入国禁止措置を解除し、遺灰の帰郷を許可する声明が出された。声明を出したシティヴェニ・ランブカ首相は、民族問題の原点たる一九八七年クーデタを起こした張本人であり、同時に民族差別的な条項を削除した一九九七年憲法の制定に向けてラールとともに奔走した立役者でもあった。一九世紀の歴史を書き、激動の二〇世紀史に参画したラールは、こうして二一世紀のフィジー史の一コマともなったわけである。

注

(1) 冒頭の引用に見られるように、フィジーの文脈では人種と民族はほぼ同義語として使われる。本章では引用箇所を除き民族という用語を基本的に使用する。

(2) 先住系もメラネシア系であるが、ここでは、先住系以外のソロモン諸島、バヌアツ、パプアニューギニアなどの出身者を一括して指す。

(3) イギリス生まれの歴史家。太平洋のとくにフィジーに関する歴史やインド洋における奴隷制の著作で知られる。ラールと同じくオーストラリア国立大学で教鞭を執っていた。

（4） 紙幅の関係もあり詳述は避けるが、対立は両者の歴史観の根本にも関わっていると考えられる。たとえばスカーによるラトゥ・カミセセ・マラ（本文にて後出）の伝記が刊行された際にも二〇一〇年に刊行された *The e-Journal of the Australian Association for the Advancement of Pacific Studies* 誌上で論争が起きている。

（5） この著作はインド人移民来島一〇〇周年を記念して刊行されている。

（6） 厳密には、フィジーの特定の領域の首長となっていた一名のトンガ人が署名者のなかにはいる。

（7） こうした背景から、フィジーにおいては間接統治体制が採用された。これは間接統治体制の創出者としてしばしば名前を挙げられる植民地総督フレデリック・ルガードが、イギリスの西アフリカ領ナイジェリアにおいて最初に間接統治政策を採用したのとほぼ同じ時期にあたる（竹内 一九九九：八九頁）。

（8） ただしこの三つが別のものを指しているという見解もある。

（9） 「ヴィティ・カンバニ」とはフィジー語で「フィジーの会社」を意味している。

（10） この項目は一九八七年のクーデタの結果生み出された一九九〇年憲法にあった項目で、一九九七年憲法では削除されていた。二〇一三年憲法で復活を遂げた背景には、バイニマラマの意向が反映されている可能性が高い（cf. Firth and Fraenkel 2009: 130）。

参照文献

丹羽典生（二〇一三）「フィジーにおけるクーデタの連鎖」丹羽典生・石森大知編『現代オセアニアの〈紛争〉――脱植民地期以降のフィールドから』昭和堂。

竹内幸雄（一九九九）「西アフリカにおける二つの間接統治――ルガードとモレルの比較」栗本英世・井野瀬久美恵編『植民地経験――人類学と歴史学からのアプローチ』人文書院。

Ali, Ahmed（1979）, *Girmit: The Indenture Experience in Fiji*, Suva, Fiji Museum.

Etuati, Itintaake（2011）, *Aekaia I-Kiribati Nako Biti, 1876–1895; The I-Kiribati Indenture to Fiji, 1876–1895*, M. A. Thesis, Suva, University of the South Pacific.

Firth, Stewart（1989）, “Review article: The contemporary history of Fiji”, *The Journal of Pacific History*, 24–2.

Firth, Stewart, and Jon Fraenkel（2009）, “The Fiji Military and Ethno-nationalism: Analyzing the Paradox”, Stewart Firth, Jon Fraenkel, and Brij

V. Lal (eds.), *The 2006 Military Takeover in Fiji: A Coup to End All Coups?*, Canberra, ANU E Press.
Fong, Alison (1974), *A Chinese Community in Fiji*, Suva, South Pacific Social Sciences Association.
Fraenkel, Jon, and Stewart Firth (2009), "The Enigmas of Fiji's Good Governance Coup", Stewart Firth, Jon Fraenkel, and Brij V. Lal (eds.), *The 2006 Military Takeover in Fiji: A Coup to End All Coups?*, Canberra, ANU E Press.
France, Peter (1966), "The Kaunitoni Migration: Notes on the Genesis of a Fijian Tradition", *The Journal of Pacific History*, 1-1.
Gillion, K. L. (1962), *Fiji's Indian Migrants: A History to the End of Indenture in 1920*, Melbourne, Oxford University Press.
Heartfield, James (2002), "'The Dark Races Against the Light'?: Official Reaction to the 1959 Fiji Riots", *The Journal of Pacific History*, 37-1.
Kumaran, Devendran (2010), *Mannu's Karma: A Life in Fiji and Journey through Many Countries*, Manukau City, N.Z., D. Kumaran.
Kuva, Aduru (1971), *The Solomons Community in Fiji*, Suva, South Pacific Social Sciences Association.
Lal, Brij V. (1992), *Broken Waves: A History of the Fiji Islands in the Twentieth Century*, Honolulu, University of Hawaii Press.
Lal, Brij V. (2006a), *Islands of Turmoil: Elections and Politics in Fiji*, Canberra, ANU E Press and Asia Pacific Press.
Lal, Brij V. (2006b), "Fiji", Brij V. Lal, Peter Reeves, and Rajesh Rai (eds.), *The Encyclopedia of the Indian Diaspora*, Honolulu, University of Hawaii Press.
Lal, Brij V. (2008), *A Time Bomb Lies Buried: Fiji's Road to Independence, 1960-1970*, Canberra, ANU E Press.
Lal, Brij V. (2012), *Intersections: History, Memory, Discipline*, Canberra, ANU E Press.
Lal, Brij V. (2013), *Mr. Tulsi's Store: A Fijian Journey*, Canberra, ANU E Press.
Lal, Brij V. (2015), "'End of a Phase of History': Writing the Life of a Reluctant Fiji Politician", Jack Corbett and Brij V. Lal (eds.), *Political Life Writing in the Pacific: Reflections on Practice*, Canberra, ANU Press.
Lal, Brij V. (2021a), "Of Ruptures and Recuperations: Fiji's Fifty Years of Independence", *The Journal of Pacific History*, 56-2.
Lal, Brij V. (2021b), "Fiji Made Me, but Which Fiji is Mine?", *Island Business* (https://islandsbusiness.com/features/fiji-brij-lal/) 最終閲覧日二〇二三年三月五日。
Munro, Doug, and Jack Corbett (2017), "Editors' Introduction", Doug Munro and Jack Corbett (eds.), *Bearing Witness: Essays in Honour of Brij V. Lal*, Canberra, ANU E Press.

Norton, Robert (1977), *Race and Politics in Fiji,* St. Lucia, University of Queensland Press.

Scarr, Deryck (1983), *Fiji: The Three-legged Stool: Selected Writings of Ratu Sir Lala Sukuna*, London, MacMillan Education for the Ratu Sir Lala Sukuna Biography Committee.

Simpson, William Samuel (1974), *The Part-European Community in Fiji*, Suva, South Pacific Social Sciences Association.

Yee, Norman (2014), *Catching the Wind: A Search for God, A Memoir*, Bloomington, IN, Xlibris.

焦点 | *Focus*

ソロモン諸島史にみる社会運動の系譜
——植民地期からポスト紛争期まで

石森大知

はじめに

本章の目的は、ソロモン諸島で生じた社会運動に焦点を当てつつ、植民地期から国家独立を経てポスト紛争期に至る歴史的経緯を考察することである。メラネシア地域の歴史を振り返れば、各所で繰り返し登場してきた反植民地主義的な運動は大きな意味をもっている。その典型として「カーゴカルト」あるいは「積荷信仰」などと呼ばれる、西洋的文物への強い欲望が反映された千年王国主義的な運動が挙げられよう。しかし、第二次世界大戦以前を含め、ソロモン諸島では一部地域を除いて「カーゴカルト」はほとんど報告されていない(Bennett 1987: 272, 278-279)。一方、同諸島では西洋人がもたらした論理や作法を巧みに流用しながら、住民の権利や自治の獲得を目指した非暴力的な社会運動が特徴的にみられた。こうした運動は主に戦後に顕在化したが、それ以前の経験を内面化する一方、その後の同諸島の社会的・政治的な動向にも影響を与え続けている。このような問題意識のもと、本章では社会運動を中心に据えてソロモン諸島の近現代史を紐解いてみたい。

一、ソロモン諸島の植民地化と「平和化」

交易者・宣教師・行政官の到来

イギリスが現在のソロモン諸島の全領土を保護領としたのは一八九九年であり、それに伴って中央ソロモン、マライタ、東ソロモン、西ソロモンの四つの行政区に分割された。ソロモン諸島の事実上の植民地化は、経済的利益よりも、交易者や宣教師ら入植者の安全確保を目的としていた。当時、約五〇人の交易者が同諸島に散在し、住民との間でベッコウ、ナマコ、シンジュガイなどと西洋的文物の交易、および後述する労働者徴集を行っていた。一方、カトリック教会は一八四五年にマキラ島に到来し、英国国教会系メラネシア教会も一八五〇年代からサンタクルーズ諸島やサンタイサベル島などで活動していた。このような状況下、ソロモン諸島の初代高等弁務官となったチャールズ・ウッドフォードの最優先事項は、住民間の集団的な武力衝突を放棄させる「平和化」の達成であった(Tippett 1967: 151-154)。

「平和化」の主な対象となったのは、西ソロモンの住民が行う首狩りの襲撃であった。ウッドフォードが採ったのはいわゆる砲艦外交であり、初の行政支部が置かれたギゾ島で常駐の武装警官を組織するとともに、イギリス海軍も状況に応じて投入された。武装警官は植民地政府に反抗する地域や島に幾度となく派遣され、男性集会所や戦闘用カヌーを破壊した。一方、住民からの報復として入植者が襲われる事件も多発した。これに対して政府は圧倒的な軍事力で応酬し、数多くの海岸部の村落が無差別的な攻撃を受けた。やがて一九一〇年代までには、ソロモン諸島全域で集団的な武力衝突は影を潜め、政府に対して従順な態度を示すようになったという(Luxton 1955: 18; Hviding 1996: 107-115)。

このような「平和化」の施策と並行して、ソロモン諸島の各所で交易者や宣教団の動きも活発化していく。交易者は、常設の交易所を置いて商業規模を拡大させたり、住民から土地を買い取ってプランテーション(農園)経営に着手した(Bennett 1987: 112)。また、メソディスト教会、南太平洋福音派教会、安息日再臨派教会など現在の主要な教会が宣教団を派遣したのも一九〇〇年代から一九一〇年代のこの時期である。

労働者徴集と人頭税の導入

ソロモン諸島で農園建設が本格化したのは一九二〇年代以降であるが、それまでの同諸島の住民が農園労働と無縁だったわけではない。一八五〇年代以降、オーストラリアのクィーンズランドを皮切りにフィジーやサモアなどでサトウキビ、ココヤシ、綿花の農園がつくられ、労働力需要が生じた。しかし、現地では労働者を十分に確保できなかったため、労働者徴集人がメラネシアの島々で住民と契約を結び、各地の農園に送り出した。一八七〇年から一九一〇年にかけて主にクィーンズランドとフィジーで農園労働に従事したソロモン諸島民は三万人を超え、その大半がマライタ島民であった(Corris 1973: 28)。

マライタ島民は当時からソロモン諸島で最も人口が多く、入植者から「獰猛《どうもう》ではあるものの厳しい労働にも耐える屈強な身体の持ち主」と考えられていた(Webber 2011: 111, 126)。マライタ島民のなかには喜び勇んで外国の農園に旅立つ者もいたが、労働者徴集人の横暴な振る舞いや厳しい雇用条件に対する不満は絶えなかった。表向きには年季契約に基づく労働者徴集だったものの、「ブラックバーディング」あるいは「奴隷狩り」と表現される悪質な徴集人もおり、半ば誘拐のように強引に住民を捕らえて船に詰め込むケースもあったとされる(豊田 二〇〇〇:二二六—二二七頁)。

一九二〇年代に入ると、ソロモン諸島内でも農園建設が開始された。しかし、他地域と同様に現地で労働者を集めることは容易ではなかった。一九二一年、農園経営者から懇願された政府が導入したのは、一六歳から六〇歳の男性を対象とする人頭税であった。この悪名高い税金の導入以降、人頭税(およびそれを徴収する行政官)は政府権力の象徴となり、それを武力で拒否する多数の事件が生じることになる(Bennett 1987: 162-168)。

二、社会運動の萌芽と第二次世界大戦

チェア・アンド・ルール運動

一九二〇年代は、植民地政府が行政区を整備して統制を強めた時期でもあった。それに伴って住民の経済的・政治的要求が増大したのに対し、政府の対応は十分とはいえなかった。数々の武力闘争が発生し、実力行使による鎮定も行われた。とくに一九二七年に発生したマライタ地区行政長官ウィリアム・ベルの殺害とその報復としての住民殺戮は、政府と住民の険悪な関係を物語る出来事として深く記憶されている。このように一九二〇年代までが武力闘争の時代であったとすれば、一九三〇年代はイギリスの権威に服従する現実を疑問視し、それを非暴力的な手段で表明し始めた時代であった。なかでも広く住民の支持を集めたのが、チェア・アンド・ルール運動である(棚橋 一九九六:二六一―二六二頁)。

チェア・アンド・ルール運動とは、一九二九年から三四年にかけてメラネシア教会の宣教師、リチャード・ファロウズがサンタイサベル島で起こした運動である。そのためファロウズ運動と呼ばれることもある。ファロウズは同島の住民の後ろ盾となり、政府への不満や、自分たちが望む社会のあり方などについて話し合う集会を開いた。集会にはサンタイサベル島にとどまらず、マライタ島を含む近隣の島々から住民が広く参加した。そこでは冒頭でファロウズが集会の意図を簡単に説明し、議事進行は島の住民から選出された議長が受け持った(Bennett 1987: 259-263; Akin

2013: 101-106)。

集会では、政府・入植者・宣教団に対する嘆願書が作成された。その内容は、技術学校や医療施設の設置、住民が利用可能な政府宿舎の建設、住民への実弾販売の許可、農園労働や船の乗組員の賃金上げ、コプラのシドニー価格の公示などであった。嘆願書は高等弁務官に手渡されたが正当には扱われず、ファロウズも一九三九年に島からの強制退去を命じられた。ファロウズの退去後にチェア・アンド・ルール運動は衰退したが、それは同運動が西洋人主導であったこと、現地の住民自身による団結を達成できなかったことと無関係ではないだろう。その後、この運動から影響を受けた動きが生じ、ソロモン諸島における反植民地主義的な機運を高めることになる(棚橋 一九九六:二六三―二六四頁)。しかし、そのような派生的な動きも第二次世界大戦の終結を待たねばならない。

ソロモン諸島民の戦争体験

日本軍は一九四一年一二月の真珠湾攻撃の後、一九四二年一月にニューブリテン島のラバウルを占領し、同年五月に当時ソロモン諸島の行政本部が置かれていたツラギに到達した後、同年六月にはガダルカナル島を占拠した。

ソロモン諸島在住の入植者は真珠湾攻撃直後からオーストラリアへの疎開を開始し、一九四二年二月初旬までにその大半は退去した。農園経営者のなかには労働者に何も告げず、賃金の支払いまで放棄して脱出した者もいた。戦争の足音が近づくなか、他島の農園に置き去りにされ、自分たちの出身島に戻ることもできない労働者が溢れた。ソロモン諸島民にとって行政官を含む入植者の突然の退去は、植民地支配者に対する疑問や不信感を増幅させるものであった(Moore 2017: 450)。

その後、ソロモン諸島民は「自分たちとは関係のない戦争」に苦しめられた。とくにガダルカナル島やニュージョージア島など激しい戦闘が繰り広げられた地域の住民は、住み慣れた海岸部を離れて内陸部での避難生活を余儀なくされた。当時を記憶する住民は、内陸部に逃げ込んだものの、戦闘機や爆弾の音が凄まじく生きた心地がしなかった、などと語る。耕地が戦争で破壊されて食料が枯渇し、不慣れな場所での生活から病人も続出した。ガダルカナル島では一四%の住民人口が失われたが、その多くは直接的な戦闘ではなく病気や飢餓に起因するものとされている(Bennett 1987: 285-289)。

一九四二年から四六年までの間、約三二〇〇人のソロモン諸島民が労働部隊として主にアメリカ軍の駐屯地に配属された。また、日本軍の動きを監視する沿岸警備隊や、アメリカ軍に従軍する自衛部隊なども組織された。とくに沿岸警備隊の活躍は戦況を左右するほどであり、彼らがソロモン諸島を守ったと評されることもある。沿岸警備隊は自衛部隊とも連携しながら活動を行い、海辺に建てた小屋に隠れて日本軍の艦船の動きを探り、不穏な動きがあるとすぐさまアメリカ軍の基地まで報告した。また、島の地理情報や島周辺の浅瀬の位置などをアメリカ軍に伝えたり、単独で日本軍の基地近くに侵入して動向を探ることもあった(ホワイトほか 一九九九)。

アメリカ軍との交流

「ソロモン諸島の戦い」は約二年間であったが、アメリカ軍は引き続き駐留して戦後の復興活動を担い、ソロモン諸島民の労働部隊もそれに加わった。そこで彼らはアメリカ軍と自由に意思疎通をはかるとともに、同じ場所で同じ食事をともにした。それは衝撃的な経験であった。なぜなら、これまで彼らが接してきた「白人」といえば椅子に踏ん反り返って高い位置から命令を下すだけの存在だったからである。「白人」と一緒に働いて汗を流し、一緒に談笑しながら食事をとるなど考えも及ばないことであった。加えて、アメリカ軍には自分たちと肌の色が近い「黒人」がおり、彼らが「白人」と寝食をともにしているのも驚きであった(石森 二〇一一:九八頁)。

ソロモン諸島民は、戦争当初からアメリカ軍が運んできた大量の物資に圧倒され、また彼らから気前良く分け与えられるものを喜んで受け取った。たとえば、戦後にニュージョージア島を訪れた人類学者によれば、同島の住民は「戦争はまるで夢のようだった。我々は想像を超える文物をみた」(Harwood 1971: 41-42)、「我々はとくに何も求めることなく、食事を与えた。そして彼ら〔アメリカ兵〕も、何を求めるでもなく、我々に何かをくれた」と当時を述懐する(Tuza 1975: 114)。ニュージョージア島民が重視する規範に「ヴァリカレ」という考え方があり、直訳すれば「二本で支える」となるが、これは集団間の対等性や相互扶助の関係を表している。そしてこの関係をつくれない相手は、信用できない相手であり、敵にすらなり得る。彼らは、アメリカ人とはヴァリカレの関係が構築できる一方で、宗主国のイギリス人とはそうではないことを確認したのである。

一九四五年七月、アメリカ軍はソロモン諸島から撤退した。一方、同諸島に戻ってきたイギリス人の行政官の最初の仕事は、アメリカ軍がもたらした物資を没収することであった。アメリカ軍は撤退時に衣類、毛布、食器、食糧、鉄製品などを労働部隊やキャンプ周辺の村落住民に惜しげなく分け与え、またそれらの多くを解錠した倉庫に残した。住民はそれらを競い合うように家々に持ち帰り、大切に使用していた。しかし、イギリス人の行政官は「人心が乱れている」としてそれらを取り上げ、住民の目の前で焼却するか、海に投棄したのである(Harwood 1971: 42, 107)。このときに芽生えた反イギリスおよび反植民地主義的な感情は、戦後の混乱期に大きなうねりを形成していく。

三、社会運動の顕在化

マライタ島のマアシナルール運動

戦後のソロモン諸島で生じた反植民地主義的な社会運動は、戦争やアメリカ兵との交流などの経験を通して、おおむね非暴力的な手段で住民の権利や自治の獲得を目指す動きであった。なかでも最も大規模な運動として、マアシナルール（あるいはマアシナルル）の名を挙げることができる。

マアシナルール運動は、一九四五年から一九五〇年代初頭にかけてマライタ島で展開した。運動は同島南部・アレアレ出身の男性が中心となり、島の各地域から九人のリーダーが集まって開始された。彼らはマライタ島のすべての住民が団結し、植民地政府と交渉する必要性を感じていた。同島には約一〇の異なる言語を話す住民が暮らしており、文化的多様性に富んだ地域である。そこで運動名として提案されたのが、マアシナルールであった。マアシナとはアレアレ語で兄弟姉妹間における特定の関係性を意味するが、同胞の一体感を強調する語としても広く用いられてきた。一方のルールとは英語の rule に由来し、マライタ島の慣習法、あるいはソロモン諸島の共通語であるピジン語で伝統文化を意味するカストムとも同義であった。すなわち、この運動は「カストムのもとでの団結」をスローガンに掲げたのである（フィフィイ 一九九四：一〇六―一〇七頁）。

マアシナルール運動は、マライタ島内の文化的多様性をものともせず、同島全域に拡大した。その背景として、かつての農園での経験は重要であった。数多くの同島民が異国の農園で生活をともにするなかで、自分たちは異なる文化・言語・出自・信仰をもつにもかかわらず、植民地で同じ境遇にあることを知った（Akin 2013: 25）。また、交易者との接触過程で生み出され、農園において発達したピジン語は、多言語状況のマライタ島にあって互いの同胞意識を確認し、運動内のコミュニケーションをはかるうえで欠かせないものであった。

一九四五年末までに、運動では少なくとも三つの指示が出された。農園労働の拒否、人頭税の拒否、そしてマライタ島のカストムの成文化である。こうした動きに対して政府が強硬姿勢に出るようになったのは、一九四七年以降である。一九四七年二月に一部過激化した同島北部出身の参加者をはじめ、同年八月には九名のリーダーを含む多数の参加者が扇動罪で逮捕された。その後も逮捕者は増え続けたが、リーダー不在のなかでも運動による抵抗は粘り強く継続し、人頭税やセンサス作成の拒否のほか、集団的な示威行動が繰り返された（Bennett 1987: 295-299）。

政府と運動の間で膠着状態が続いていたが、一九五〇年のイギリス国王の誕生日に恩赦が与えられ、それまでの対応が嘘のように九名のリーダーが釈放された。さらに、同年中に主にソロモン諸島民によって構成される諮問委員会の設置が認められ、一九五二年九月にはマライタ島民を代表する組織としてマライタ評議会を置くことが政府から提案された。同評議会の委員は住民投票で選出され、そして委員から互選された委員長には地区行政長官と同等の政治的地位が与えられた。ここにマアシナルール運動で目指されてきた、住民の権利と自治が一定程度認められたのである(フィフィイ 一九九四：一五三—一五七頁)。

しかし、一九五三年一月にマライタ評議会が発足した直後から、マアシナルール運動は衰退の一途をたどった。運動が同評議会に昇華されたという側面も否定できないが、運動参加者はもとよりリーダーたちですらマライタ島民としての団結に興味を示さなくなり、各所ごとの小規模な運動に分裂した(Keesing 1992: 122)。運動の目標がある程度達成された後、マライタ島という単位での同胞意識の醸成やカストムの共有というイデオロギーは持続的に有効な形では作用しなかったのである。

西ソロモンの植民地経験とエトの運動(1)

ニュージョージア島を含む西ソロモン行政区の植民地経験は、マライタや中央ソロモンの島々とは異なる点がある。西ソロモンの特徴として、教会の影響力がきわめて大きかったことが挙げられる。それがゆえに同地域における反植民地主義的な運動は、反政府というよりも、反教会という形で顕在化した。

ニュージョージア島にメソディスト教会が到来したのは一九〇二年である。首狩りの襲撃が盛んに行われ、他教会が敬遠してきたこの地域の改宗を成功に導いたのはオーストラリア人宣教師、ジョン・ゴルディであった。ゴルディは半世紀にわたって宣教団の最高責任者として君臨し、住民からは「西ソロモンの王」とまで呼ばれていた。彼は、権威主義的な姿勢を崩さない厳格なリーダーであり、住民によれば「彼は独裁者であり、彼の言葉こそが法」であり、「我々はチーフのいうことも聞かず、政府のいうことも聞かなかったが、ゴルディのいうことには従った」などと語り継がれている(Garrett 1997: 190)。

ゴルディが西ソロモンで推し進めたインダストリアル・ミッションでは、「勤勉の重要性、労働の大切さ」および「来世よりも、今、ここの生活」が重視された(Tippett 1967: 33)。教会所有の農園が多数つくられ、教会は貿易業者と直接に契約を結んだ。一方、同地域の住民は先述の労働者徴集をほとんど経験せず、商人所有の農園で働く機会も限られていた。彼らは教会所有の農園で働き、そこで得た賃金の一部を教会に寄付していたのである。そのほかメソディスト教会は教育や医療の提供にも力を入れるなど、西ソロモンにおいて交易者および政府に代わる存在であった。

ニュージョージア島でメソディスト教会を批判する運動が生じたのは、第二次世界大戦後である。運動のリーダーであるサイラス・エトは、メソディスト教会のミッション・スクールで六年間学び、そのさいにゴルディの寵愛を受けて「ゴルディの息子」と呼ばれていた。エトはアメリカ軍が同島から撤退する際、フランクリン・ローズヴェルト大統領宛ての「アメリカによるソロモン諸島統治を望む嘆願書」をアメリカ兵に手渡し(2)、後に扇動罪で逮捕された経験があった。彼によれば、嘆願書を託した理由は「アメリカ人とであれば対等な関係を築くことができることを、アメリカ軍との交流のなかで知った」からであった。

エトは、ミッション・スクールで学んだ後に自らの出身地域で現地人説教師を務めていたが、戦後に高齢のゴルディが宣教団から離れて以降、メソディスト教会におけるソロモン諸島民の地位向上を強く主張し始めた。というのも、西洋人宣教師と現地人説教師の格差は歴然としており、後者の活動には多くの制約があったからである。エトは、宣教団が「神のもとですべての人々は平等」という教えを説く以上、まずは教会内でそれを実現する必要があると考えていた。彼はゴルディ不在の宣教団との対立を深めるようになったが、一九五四年にゴルディがオーストラリアで死去すると事態が動き始めた。

ゴルディの死後、エトは夢のなかでゴルディに逢い、「自らがゴルディから継承者に指名されるとともに、聖霊の入った箱を授かった」とし、自らの正統性を主張するようになった。やがてエトは、ゴルディの後任者が率いるメソディスト教会と袂を分かち、西洋人主導の宣教団から干渉されない「島民による島民のための教会」の創設に向かった。最終的にエトの運動は、ニュージョージア島を中心にメソディスト教会が教区制度を敷いた西ソロモン全域に拡大した。そして一九六〇年代にクリスチャン・フェローシップ教会という太平洋随一の独立教会として分離を果たし、(その後に内部分裂はみられたが)現在に至っている。

戦後のソロモン諸島で発生した社会運動は、細部に相違はあるものの、戦争がもたらした政治的空白を経て自らの状況を客観視し、植民地支配者との対等な関係の構築を目指すものであった。マアシナルール運動とエトの運動ともに一定の成果が得られた後、少なくとも後者は存続しているが、当初からの熱意は冷めていった。このことは団結の社会的範囲がマライタもしくは西ソロモンという植民地時代に構築された行政区を越えなかったこと、そして次第に個々の言語的文化集団への帰属意識が前景化したことを意味している。それはまた、運動が植民地支配を打破して国家建設に向かうナショナリスティックな動きを志向しなかったことをも示唆するのである。

四、国家独立とその後の政治的混乱

「与えられたもの」としての独立

第二次世界大戦後、ソロモン諸島ではそれ以前の植民地政策からの転換がはかられた。この点についてソロモン諸島の各所で起こった大小さまざまな社会運動を過小評価するものではないが、植民地を取り巻く世界的な潮流を無視することはできない。

一九四〇年代から一九五〇年代にはアジア諸国が、一九六〇年代にはアフリカ諸国が独立を果たすなか、植民地の領有が国力を象徴する時代から、国際的な非難の対象となる時代へと変化しつつあった点は重要である(小林・東 一九九八:七三頁、Moore 2017: 455)。加えて、イギリスとしては統治の負担から逃れるためにも、経済的利益をもたらさないソロモン諸島の早期の独立を望んだ。すなわち同諸島にとって独立とは、ナショナリズムあるいは民族や人種の自決などのイデオロギーに基づいて「勝ち取ったもの」というよりは、「与えられたもの」だったのである(Alasia 1989: 145-146)。

こうして一九五〇年代以降、政府は「ソロモン諸島民自身による統治」の推進を掲げるようになった。政治面に関しては、各地方評議会を通して域内自治が進められた。一九五五年までにマライタ評議会を含むすべての行政区に評議会が設置され、地方裁判所ではカストムを含む慣習法も認められるようになった。経済面に関して、戦火によって大打撃を受けた農業・鉱業・漁業のアセスメントが行われるとともに、入植者の農園に依拠した経済の見直しが始まった。そして入植者ではなく、ソロモン諸島民自身が最終的に受益する植民地経営が模索されるようになる(Bennett 1987: 303-305)。

一九六二年にイギリスは太平洋の植民地から手を引くことを決定し、ソロモン諸島では一九六〇年代後半から法的な準備が急がれた。一九七〇年には選挙で選ばれた一七名のソロモン諸島民を含む運営委員会が設置された。同委員会内には金融、内政、社会サーヴィス、天然資源、通信、労働について扱う六つの小委員会が設けられ、金融以外の小委員会ではソロモン諸島民が委員長を務めた。その後、一九七四年に同委員会はウェストミンスター型の立法議会へと移行し、一九七六年にはその首席大臣の座に(後にソロモン諸島初代首相となる)ピーター・ケニロレアが就任した(Moore 2010: 13-14)。

こうして迎えた一九七八年七月七日、ソロモン諸島はエリザベス二世女王を国家元首とする立憲君主制の国家として独立を果たした。

地方自治と「民族紛争」

独立前の一九七〇年代から現在まで、ソロモン諸島の国家政治は権限委譲を含む地方自治のテーマが中心となってきた。たとえばウェスタン州(かつての西ソロモン行政区)は独立直前に分離を宣言し、独立記念式典への参加を拒否した過去がある。同州は豊富な天然資源を有するとともに、先述の通り教会が構築した教育・医療システムも比較的充実していた。とくに同州の森林伐採業が国家歳入に占める割合は高く、彼らはそれに見合った割り当てを要求するかたわら、州政府により強い権限を付与することを中央政府に求めた。彼らは資源に乏しい他の州とともに一つの国家を形成し、結果的に自らの利益が奪われるという「不平等」を嫌ったのである(Premdas et al. 1984)。

このような地方自治に関する問題が顕在化したのが、一九九八年末から二〇〇三年に起こった「民族紛争」(エスニック・テンション)である。この大規模な武力紛争は、ガダルカナル島の首都ホニアラ近郊を主な舞台として、ガダルカナル島民とマライタ島からの移民(便宜的にマライタ人と呼ぶ)によって引き起こされた。紛争の発端は、ガダルカナル島民の間で土地の権利意識が高まり、自分たちの土地に居座り続けるマライタ人に対する不満を爆発させたことにある。一九九九年以降、ガダルカナル島民が結成した武装集団・イサタンブ解放運動 Isatabu Freedom Movement(IFM)は、ガダルカナル島北部に点在するマライタ人居住区で襲撃を繰り返し、住居や家財を強奪および破壊するとともに島からの退去を命じた。

IFMは、モロ運動の強い影響下にあることで知られている。モロ運動とは伝統文化、すなわちカストムに回帰することを主張し、カストムに基づく生活様式を実践しながらガダルカナル島民の経済的な自立を訴える社会運動である。ＩＦＭはイサタンブを自らの集団名に掲げているが、イサタンブとはモロ運動においてガダルカナルというスペイン起源の島名に代わって使われる語であり、祖先から継承してきた土地と自分たちの相互依存関係を含意している。すなわちＩＦＭは、モロ運動を精神的支柱とし、カストムに基づく生活の核となるイサタンブとしての島・土地の守護を掲げる集団といえる(石森 二〇一九)。

ＩＦＭの目的は、たんにマライタ人を排斥することではない。ＩＦＭの出現は、ガダルカナル島が外部者によって一方的に首都とされ、その土地が奪われ蹂躙《じゅうりん》されてきたことに対する異議申し立てでもある。また、ＩＦＭによれば、ガダルカナル島民は首都の設置に伴う諸負担を押し付けられる一方、経済開発や公共サーヴィスなどに関する恩恵が得られず、政府から軽視ないし無視されてきた。このような「不平等」な状態を打破し、首都を抱える島に相応《ふさわ》しい見返りを暴力的な手段でもって中央政府に要求したのである。

その後、「民族紛争」はオーストラリア主導の平和維持部隊の介入によって収束するが、紛争を契機としてより強い自治権をもつ州政府への移行および分離独立を求める機運が各州で高まり、現在に至っている。これは、植民地政府の政治的・経済的な制度を継承した中央政府が開発やインフラの整備などにおいて島民(州民)の期待に応えられず、他地域との比較による「不平等」感が顕在化したものといえる(関根 二〇一五：八〇–八一頁)。そして、こうした動きはかつての社会運動との連続性を有するとともに、植民地時代の延長線上にあるソロモン諸島国家の現代的状況を示すのである。

おわりに

ソロモン諸島の近現代史において社会運動は時代を動かす力となってきた。とはいえ、それは同諸島の近現代に初めて社会運動が生じたことや、ましてやその住民が社会運動に「取り憑かれている」ことを意味するものではない。どのような社会でも支配的な体制や単一の社会秩序だけが世界を覆っているわけではないし、それらを打破しようとする改革的な動きはつねに潜在している(グレーバー 二〇〇六：六五―八二頁)。ただし、そのような動きを危険視・特殊視した行政官や宣教師、あるいは学問的に意義深いと考えた人類学者が、それをことさら強調してきた側面は否定できない。ソロモン諸島の歴史が社会運動に彩られているというのであれば、西洋の諸社会にも同じことがいえるはずである。

一方で、本章で取り上げた事例にも特徴はあるだろう。たとえば運動の集団性に注目すれば、マアシナルール運動にせよ、モロ運動の影響を受けたIFMにせよ、個々の言語的文化集団を超え、植民地政府が構築した行政区単位での団結がみられた。そして運動はこれらの枠組みを越えて拡大することはなく、やがて衰退したことでほぼ共通する。同様のことは、ウェスタン州の分離宣言後に内部的な衝突に移行したことからもうかがえるように、近年の州単位での権限強化の動きにも指摘できる。これは恣意的にまとめられた行政区内において一時的に「我々」意識は構築・共有されるが、それが持続的ではないことを示している。ただし、こうした状況は都市空間で生まれ育ち、ピジン語を母語とする人々が増加するなかで変化していく可能性もある。彼らが日々の生活実感に基づいてホニアラ人もしくはソロモン諸島民という自己認識をもち、それを共有する人々との間で集団性を発揮すれば――そしてそれを基に社会運動に発展することがあれば――ソロモン諸島の国家統合に変化がもたらされるかもしれない。

注

(1) 本項の記述は、とくに出典を明記しているものを除き、既刊の拙著に記したエトの運動の歴史的展開を部分的に参照している(石森 二〇一一：四九―一一一頁)。

（2） ただし、エトが嘆願書を手渡したタイミングによっては、当時の大統領はローズヴェルトではなかった可能性もある。

参考文献

石森大知（二〇一一）『生ける神の創造力――ソロモン諸島クリスチャン・フェローシップ教会の民族誌』世界思想社。
石森大知（二〇一九）「民族性から土着性へ――ソロモン諸島紛争におけるイサタンブ解放運動の一側面」『国際文化学研究』五三。
グレーバー、D（二〇〇六）『アナーキスト人類学のための断章』高祖岩三郎訳、以文社。
小林泉・東裕（一九九八）「強いられた国民国家」佐藤幸男編『世界史のなかの太平洋』国際書院。
関根久雄（二〇一五）『地域的近代を生きるソロモン諸島――紛争・開発・「自律的依存」』筑波大学出版会。
棚橋訓（一九九六）「社会運動」秋道智彌・関根久雄・田井竜一編『ソロモン諸島の生活誌――文化・歴史・社会』明石書店。
豊田由貴夫（二〇〇〇）「メラネシア史」山本真鳥編『オセアニア史』山川出版社。
フィフィイ、J（一九九四）『豚泥棒から国会議員へ』R・キージング編・記述、関根久雄訳、中山書店。
ホワイト、Jほか編（一九九九）『ビッグ・デス――ソロモン人が回想する第二次世界大戦』小柏葉子・今泉裕美子訳、現代史料出版。
Akin, D. (2013), *Colonialism, Maasina Rule, and the Origins of Malaitan Kastom*, Honolulu, University of Hawai'i Press.
Alasia, S. (1989), "Politics", H. Laracy (ed.), *Ples Blong Iumi: Solomon Islands, the Past Four Thousand Years*, Suva, University of the South Pacific.
Bennett, J. (1987), *Wealth of the Solomons: A History of a Pacific Archipelago, 1800–1978*, Pacific Islands Monograph Series 3, Honolulu, University of Hawai'i Press.
Corris, P. (1973), *Passage, Port and Plantation: A History of Solomon Islands Labour Migration 1870–1914*, Melbourne, Melbourne University Press.
Garrett, J. (1997), *Where Nets Were Cast: Christianity in Oceania Since World War II*, Suva, The Institute of Pacific Studies, University of the South Pacific.
Harwood, F. (1971), *The Christian Fellowship Church: A Revitalization Movement in Melanesia*, Ph.D. dissertation, University of Chicago.

Hviding, E.（1996）, *Guardians of Marovo Lagoon: Practice, Place, and Politics in Maritime Melanesia*, Honolulu, University of Hawai'i Press.

Keesing, R.（1992）, *Custom and Confrontation: The Kwaio Struggle for Cultural Autonomy*, Chicago, University of Chicago Press.

Luxton, C.（1955）, *Isles of Solomon: A Tale of Missionary Adventure*, Auckland, Methodist Foreign Missionary Society of New Zealand.

Moore, C.（2010）, *Decolonising the Solomon Islands: British theory and Melanesian Practice*, Alfred Deakin Research Institute Working Paper Series 8, Melbourne, Deakin University.

Moore, C.（2017）, *Making Mala: Malaita in Solomon Islands, 1870s–1930s*, Canberra, ANU Press.

Premdas, R., et al.（1984）, "The Western Breakaway Movement in the Solomon Islands", *Pacific Studies*, 7-2.

Tippett, A. R.（1967）, *Solomon Islands Christianity: A Study in Growth and Obstruction*, London, Lutterworth Press.

Tuza, E.（1975）, *The Emergence of the Christian Fellowship Church: A Historical View of Silas Eto, Founder of the Christian Fellowship Church*, Master thesis, University of Papua New Guinea.

Webber, R.（2011）, *Solomoni: Times and Tales from Solomon Islands*, Lubenham, Troubador Publishing.

コラム | *Column*

日本に渡ったウリ像

——小嶺コレクション

山口　徹

早くも明治の中頃、二四歳の若さでニューギニア近海にのり出し、貿易商として活躍したパイオニアがいた。長崎の島原に生まれ、トーレス海峡の木曜島で貝ボタン素材の潜水漁で一旗あげたのち、一九〇一年頃に独領ニューギニアに渡った小嶺磯吉(一八六六―一九三四年)という人物である。ビスマルク群島のニューブリテン島東岸にあったドイツ総督府の仕事を請け負いながら信用を高め、造船業や採貝業、コプラ生産、南洋貿易と多角経営を展開した。商売の地盤を築く傍ら、独領ニューギニアの各地で造形物に出会い、現地島民との交渉を経て入手していた収集者としても知られている。主な収集地はニューブリテン島、ニューアイルランド島、アドミラルティ諸島、北部ソロモン諸島に広がる。ドイツ総督府による植民地経営の状況から判断して、小嶺の収集活動はおそらく一九〇五年頃には始まっていた。動機までは記録に残らないが、ドイツの貿易商や行政官がヨーロッパ各地の民族学博物館に収集品を売り渡していたから、商才に長けた小嶺にも同様の思惑があったのだろう。実際一九一一年には、米国シカゴのフィールド博物館に二二〇〇ドル余りで約二五〇〇点のコレクションを売却している。

このとき小嶺が手元に残した資料やその後の収集品の一部が慶應義塾大学にある。その数は少なく見積もっても一五〇点は下らない。なかでも、一九二九年に寄贈されたニューアイルランド島の大型木像三体は特に素晴らしい。顎鬚を蓄えた大顔、頭上の羽根飾り、どっしりと踏ん張る短脚、なにより突き出るペニスとふくよかな胸は、「ウリ」と呼ばれる祖霊像の特徴である。キョウチクトウ科の高木から彫り出された一木造りの像で、タカラガイの殻とサザエの蓋で眼球が表現され、赤土・木炭・石灰と植物性樹脂を混ぜ合わせた三種類の顔料で彩色されている。

小嶺が収集活動を始めていたちょうど一九〇五年頃にラマソンという村で大首長の葬送儀礼が開かれた。その様子を後に聞き書きした民族学者クレイマーによると、一三節におよぶ一連の儀式が一三カ月にわたって断続的に行われたという。近隣一〇カ村からは、過去の偉大な首長たちのウリ像がそれぞれ持ち込まれ、人の目に触れぬ柵囲のなかで彩色が施された。最終節には、小屋掛けした一〇棟にウリ像が一体ずつ納められ、お披露目された。彫像を飾る彩りは故人の「ウーネ」、すなわち力・経験・知識が宿った証となったと考えられる。葬送儀礼を主催したラマソン村の新首長は最後に、植物の繊維に連ねた二〇―四〇尋《ひろ》もの貝貨を支払って、亡くなった首長のウリ像を手にしたという。

この葬送儀礼を小嶺は目にしたのかもしれない。それにしても、儀礼的な意味をもち、村社会の共有財だったはずのウリ像を複数体も入手できたことに驚かずにはいられない。事業経営のなかで、ドイツ総督府の信用だけでなく現地島民の信頼をも勝ち得ていたのだろう。ところが、一九〇七年頃から貨幣経済が急速に浸透したことで、ウリ像もまた譲渡可能な売り物となり、高値で取り引きされ、西洋の博物館やコレクターの元へと運ばれていった。世界には今二五五体のウリ像があると言われる。

西洋に渡ったウリ像は一九二〇年代に新たな価値を獲得する。いわゆる「原始藝術」としての価値である。ドイツ表現主義のエミール・ノルデは自らの作品のなかにウリ像を描いたし、シュルレアリスムの旗手アンドレ・ブルトンは、書斎の大机に据えたウリ像を眺め、自らの詩に謳い上げた。時は下るが、慶應大のウリ像も国立近代美術館主催の《現代の眼——原始美術から》(一九六〇年)に出品され、疲れ衰えた現在の芸術をよみがえらせる芸術の種子として称揚された。

すでに廃園になり見ることは叶わないが、一九六一年創業の奈良ドリームランドにはかつて、ウリ像もどきのモルタル像が「ジャングル巡航船」前に立っていた。関係者が近美の展覧会でウリ像を目にしたのではないかと想像したくなる。あるいは、元のウリ像にはない黄色や水色も彩りに使われているから、展覧会の冊子に掲載された白黒写真の転用だったのかもしれない。

一八世紀以降の植民地期には、ヒトの移動が急増したばかりでなく、モノもまた旅をし、様々な巡り合い、絡み合い、せめぎ合いを経験することになった。偉大な首長を表象するウリ像は、新たな「ウーネ」を獲得してきたといえる。グローバルに生じていたこうした現象に、一つのモノの精読から迫れることを小嶺のウリ像は教えてくれている。歴史人類学の新たな潮流が動き出している。

慶應義塾大学所蔵のウリ像(高さ153×幅40×奥行40 cm，慶應ミュージアム・コモンズ収蔵庫にて筆者撮影，2023年2月8日)

焦点｜Focus

太平洋分割のなかの日本の南洋群島統治
――委任統治と「島民」の創出

今泉裕美子

はじめに

南洋群島とは、日本が第一次世界大戦中から、第二次世界大戦末期にアメリカ軍に占領されるまで統治した、旧ドイツ領の赤道以北のミクロネシア(米領グアム島を除く)[1]に対する、日本による呼称である。南洋群島は、マリアナ諸島、カロリン諸島、マーシャル諸島から構成される。上述以外のミクロネシアには、キリバス諸島、ナウル島、オーシャン島などがある。ここに紹介した島嶼群もしくは島の名前や区分は、大航海時代、ヨーロッパの探検家たちによって「発見」され、命名されたものである。南洋群島は、スペイン・ドイツ・日本の委任統治・アメリカの信託統治を経て、マーシャル諸島共和国、ミクロネシア連邦、パラオ共和国、アメリカ自治領北マリアナ諸島という三独立国と一地域になった。

第二次世界大戦直後、日本政府は、連合国への賠償と日本人の在外財産処理のために、明治期から第二次世界大戦敗戦に至る日本及び日本人の在外財産の生成過程を、「日本人の海外活動」[2]としてその実態を報告したなかで(大蔵省管理局 刊行年不明a)、南洋群島統治を次のように評価した。

〔前略〕南洋群島の開発は其の成績相当見るべきものがあつたとひそかに自負するところであるが、其の整備は総てが未完成の侭、終止符を打たねばならなかつたことは遺憾である。たゞ、終りに一言して、わずかに自ら慰め得ることは島民との関係である。邦人の島民に対する態度は、往々にして感心の出来ぬ事例もまれにはあつたが、概して観れば南島商会の昔から誠意を以て臨んだので其の信望を博し、施政以来、島民の所遇は一意専心其の福祉の増進を図ることを念として行はれ、元来固有の文字を有せず、各島其の言語、風俗を異にすると言ふ状態にあつた島民が我が施政によつて、共通の文字と言語を与え《ママ》られ、その日常に便し、地方開発の進展が直接、間接に生活の向上を招来し島民の性情は著しく惇《ママ》化され、わが厚生、教化の施設は常に感謝の的となり、一九一九《ママ》年国際連盟脱退の際にも民心極めて平静に過ぎたゞちに西班牙領時代とか独逸領時代に起きた血腥い島民の反乱と言ふよう《ママ》な事件が一回もなかつたばかりでなく、終戦となつて邦人が引き揚げる際には一般に頗る別離を悲しんでくれたと言ふことは顧みてわが島民対策がときとして同化に急であつて其の旧慣習俗を深く省みない点がなかつたではないが、終始一貫、誠意を以て福祉の増進を念としたことが島民の心に共感したものと言へよう。

従来よりの人口減少を抑へ激増の姿に変へ青少年の殆んどすべてに初等教育を終了せしめ島民の子弟を教育した公学校の本科卒業生累計が一万五千名を算し島民全人口の三十パーセントに達した如きは正に其の一端を物語るものである。（大蔵省管理局 刊行年不明b：七―八頁）（傍線は引用者）

日本は南洋群島統治が「同化に急であつたこと」を認めながらも、「誠意」による「福祉の増進」に専念したこと、現地住民に共通の文字や言語を与え、各地の開発により「島民の性情」が教化されたことを強調する。そしてスペイン、ドイツ時代のような「島民の反乱」が起きなかったことや、人口増加、初等教育の事例をあげ、現地住民の統治に対する「共感」の証左とする。このような認識は、日本政府や日本社会の南洋群島統治に対する評価の通奏低音をなしているように思われる。

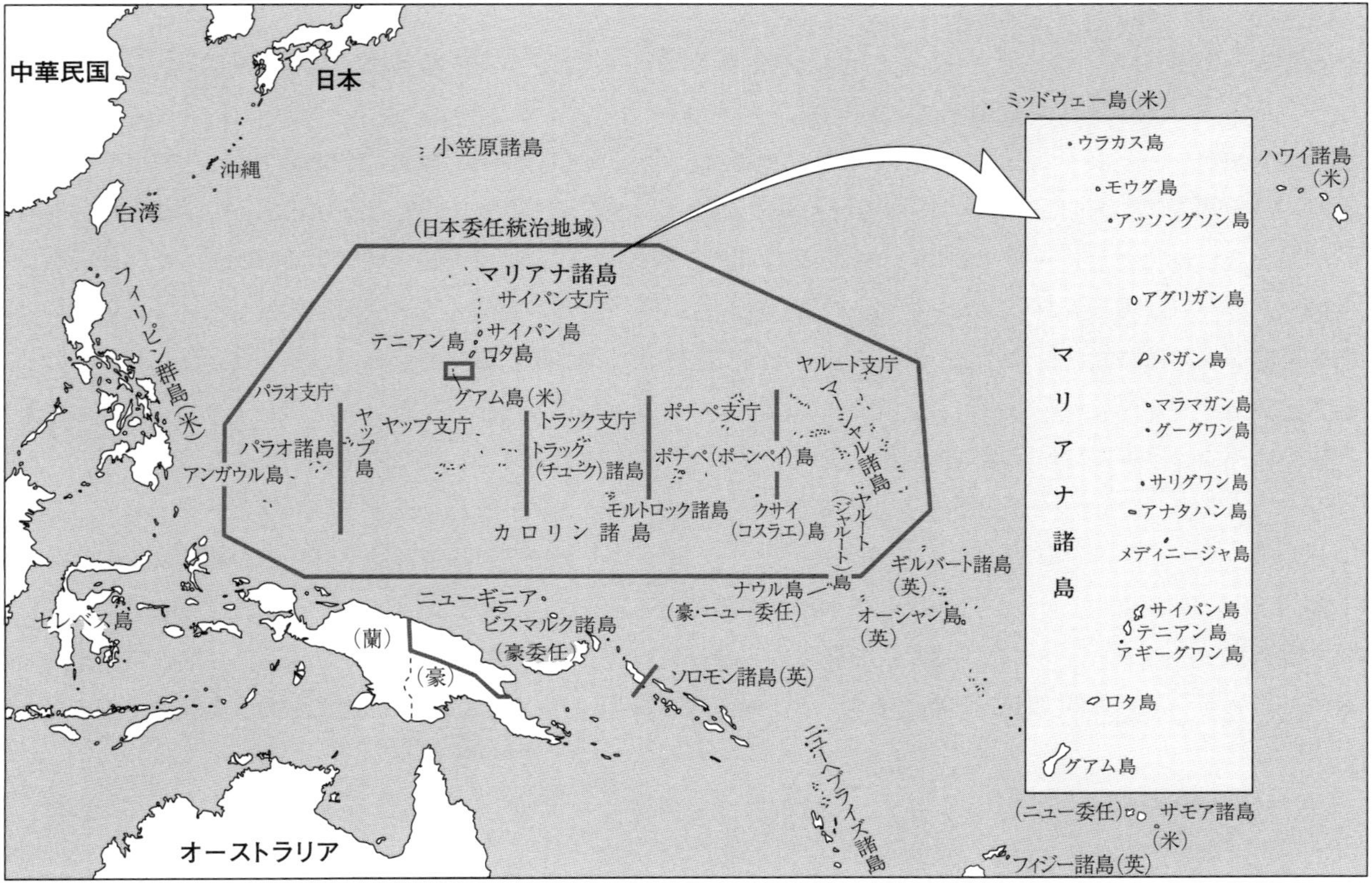

図1　日本統治下の南洋群島

備考）表記は出典通りとし，本章で扱う南洋群島のみ現在の名称を（　）に入れた．「委任」は「委任統治地域」，「ニュー」は「ニュージーランド」の略．委任統治及び支庁の境界は境界の位置ではなく，管轄する島とその他の島の区分を示す．グアム島については本章注(1)を参照．南洋庁『昭和五年南洋群島島勢調査書 第四巻　顛末』(南洋庁，1932年)，南洋庁『南洋群島要覧』昭和7年版—昭和18年版(南洋庁，1932-43年)，外務省条約局法規課編『委任統治領南洋群島 前編』(外務省条約局，1962年)を基に作成した

そこで本章では、スペイン、ドイツの統治を経験した現地住民に、「福祉の増進」として行われたとする日本の統治を、第二次世界大戦までのミクロネシアの植民地支配の歴史のなかに位置づけ、その特徴を明らかにする。

一、日本統治時代までの分割の歴史

日本は南洋群島統治政策を策定する過程で、ドイツ統治時代までの南洋群島社会の変化について、欧米人キリスト教宣教師や交易会社と住民との密接な関係、ドイツによる土地・労働供出の強制に対して住民が抱く不満に関心を持っていた。スペインによるキリスト教の宣教活動に加え、捕鯨船・交易船などの出入りは、ミクロネシアの地域社会や人の定着、移動をどのように変化させていたのだろうか。

マゼラン(Fernão de Magalhães)のグアム島上陸(一五二一年)後、スペインが同島の領有を宣言したのは一五六五年である。グアム島には、ガレオン船やヨーロッパの交易船などが立ち寄り、先住民族チャモロは水や食料などの補給品と鉄製品を交換したり、ガレオン船の労働力として連れ去られたりもした。スペインがミクロネシアに積極的に関わりだしたのは、カトリックの宣教団を派遣し始めた一七世紀に入ってからである。マリアナ諸島では、当初は歓迎された宣教団だったが、布教活動が生活・慣習に干渉したことなどに対して、チャモロから武力を用いた抵抗が繰り返されるようになり(Spanish-Chamorro Wars)、スペイン政府が軍艦を派遣してこれらを鎮圧したり、マリアナ諸島住民をグアム島に集住させて監視下においたりした。一方、プロテスタントのアメリカ海外伝道委員会(American Board of Commissioners for Foreign Missions、通称アメリカン・ボード)が派遣したボストン宣教団は、一八五二年に東カロリン諸島クサイ(コスラエ)島で布教を開始し、ポナペ(ポーンペイ)島やマーシャル諸島へも活動を拡大した。

一九世紀に入り、赤道付近に鯨漁場がみつかると、欧米の捕鯨船がコスラエ島やポーンペイ島に頻繁に来航するようになる。ヤシ油の原料となるコプラや中国市場で高値がつく海鼠《なまこ》や鱶鰭《ふかひれ》を求める、ヨーロッパ商人の来航が頻繁になり、マーシャル諸島ヤルート(ジャルート)環礁はミクロネシアの主要な交易拠点となった。同環礁には、サモアやフィジーからの大型貨物船が定期的に出入りし、ヨーロッパ人のコミュニティーが形成されたりした。日本からも一八九〇年代より交易会社が進出し、支店を置くなどして交易に従事した(Hezel 1995: 45-51)。中国人もヨーロッパの交易船の乗組員や島で働く労働者として来島した。ミクロネシアに来訪した男性には、地元女性と家庭を持ち、定住する者もあらわれた[3]。各島嶼では首長がキリスト教の洗礼を受けたり、ヨーロッパ人への土地の売却、地元の産物と引き換えに武器やタバコ、食料、奢侈品を入手したりし、地域社会に大きな変容がもたらされた。

太平洋分割に遅れて参加したドイツは、次のようなプロセスを経てミクロネシアの大部分を統治下に置くことになった。一八八五年(正式には八六年)、ドイツはマーシャル諸島を保護領とし、米西戦争(一八九八年)後、スペインはグアム島をアメリカに提供、北マリアナ諸島とカロリン諸島をドイツに売却した。北マリアナ諸島、カロリン諸島がニューギニア島北東部を管轄するノイ・ギネア政庁下におかれ、マーシャル諸島では、ドイツのヤルート会社(Jaluit-Gesellschaft)に交易を独占させ、その収益を政府に収めさせると同時に、行政を担当させた(一九〇六年まで)。同社は香港、シドニー、ビスマルク諸島との間に定期航路を開いた。ドイツは通信網の整備にも力を入れ、ヤップ島からメナド、グアム、上海に海底電線を敷設し、ヤップ、アンガウル、ナウル、青島間に無線電信も整備した。また、赤道以南の独領ナウル島と同様に、アンガウル島のリン鉱に着目し、ドイツ南洋燐鉱会社(Deutsche Südsee-Phosphat Aktiengesellschaft)を設立、採掘場を含む土地の殆どを強制的に買収し、工場や鉄道などの建設によって島は急激に工場街の様相を呈し、労働者をミクロネシア各地や中国から導入した(Frith 1978: 43-50; Hezel 1995: 121-123)。キリスト教はボストン宣教団以外はドイツの宣教師に代え、教育は宗教学校を中心に行った。ただし、サイパン島に設置した官営の小学校(一九〇一年)では、ポーンペイ島やヤップ島からも就学者がおり、同校補習学校ではドイツ政庁の下級雇用員、通訳などの育成を目指してミクロネシア各島の「秀才」を就学させた(南洋群島教育会 一九三八：六〇—六六頁)。

以上のように、スペインによる統治がキリスト教の布教活動に重点を置いたことに比して、ドイツは、産業開発に着手し、しかも労働力には現地住民に加え、中国などミクロネシア以外の地域からも導入し、また植民地行政の下級官吏育成を目的とした現地住民教育にも着手しつつあった。

列強による太平洋分割——プランテーション経営とアメリカによる軍事基地化の拡大

一九世紀に入り、プランテーション経営や交易を通じて頻繁となったミクロネシア内外での人の往来や定着、社会の変化は、欧米列強による太平洋分割のなかで生じた次のような特徴のなかに位置づけることができる(今泉 二〇一四)。

第一は、アメリカがハワイ諸島に加えてグアム島、サモア諸島の東部分を領有するなど太平洋分割に大きく進出し、しかも、それらの島じまの軍事基地化を進めたことである。そのために、これら島じまの人びとは、アメリカが列強間の競合に軍事力をもって関わる場合、様ざまな形でそれに巻き込まれ、犠牲を強いられることになった。

第二は、各島嶼で本格的に始まったプランテーション経営のために、行政当局やキリスト教宣教師による社会改革が進められ、地元住民に土地や労働力の供出、島嶼内、他の島嶼への移動が強いられた。こうした土地や労働の供出、社会改革に対して、太平洋島嶼で多様な抵抗運動が起こると、行政当局は圧倒的な軍事力を用いてこれを徹底的に鎮圧した。例えば、ドイツ領ポーンペイ島ソーケス村の蜂起(一九一〇—一一年)は、蜂起の原因や鎮圧にはドイツの東アフリカ植民地でマジマジの蜂起(一九〇五—〇七年)を弾圧した行政官の存在があり、鎮圧にはニューギニアの植民地兵、東アジアや太平洋の警備にあった軍艦が関わり、処刑の他に四〇〇名を超す村人がヤップ島、アンガウル島、バベルダオブ島などに流刑となった(Hempenstall 1978: 87-118; Peterson 2007: 326)。このように、世界に広げられたドイツの植民地および軍事組織とそこに所属する行政官や兵士が、相互に連携して同国の支配を支えたように、列強による植民地支配体制が世界大に形成され、太平洋島嶼はその中におかれたのである。住民の抵抗の形態も、「血腥い」鎮圧を経験し、多様になっていった(Hanlon 1988: 206-207)。

第三には、欧米が植民地化した太平洋島嶼に、日本の企業や労働者、漁民、商人、「娘子軍《じょうしぐん》」などが生活の糧を求めて渡航し、植民地社会の一員として生活したことである。この時期に太平洋分割に参加できなかった日本は、企業や移民が欧米の植民地に進出することが、国内の人口過剰問題の解決に加え、太平洋への勢力圏拡大の手がかりを得る機会にもなると考えた。日本海軍は武力を用いず、日本企業や移民による「平和的=経済的」な南方進出を唱えた。それだけに、生活の糧を求めて働く日本人移民たちの仕事ぶりや生活は、日本人移民に仕事を奪われるのではないかとの不安を移民先の社会に生み、日本の勢力拡大を懸念していた移民先の政府は対日脅威論を強めることにもなった。日本の南洋群島占領をめぐって、アメリカやオーストラリア、ニュージーランドは日本の南進を強く警戒したが、それは南洋群島各地に、複数の日本の交易会社が支店を設け活動していたからであった。その一つである南洋日置合資会社は南洋貿易株式会社の前身で、同社は日本海軍の南洋群島占領と統治に大きな役割を果たすことになる。

二、日本の南洋群島統治の始まり——日本海軍による統治

第一次世界大戦は、日本が太平洋分割に初めて参加する機会となり、「南進」を実現する好機とも捉えられた。日本は大戦に参戦した一九一四年八月から二カ月後、赤道以北のドイツ領ミクロネシアを次々と占領、トラック(チューク)諸島トノアス島(日本統治時代には「夏島」と呼ばれた)に司令部を置いた。赤道以南のドイツ領ミクロネシアはオ

ーストラリア、ニュージーランドが占領し、赤道を挟んだ占領の分担は、国際連盟での委任統治受任国の割り当てに継承された。

日本海軍が南洋群島を占領したことは、日本社会のなかに「南洋」を次のように区分する意識をもたらした。すなわち、日本の勢力圏下に入った南洋群島を「内南洋／裏南洋」、その外側に位置する地域を「外南洋／表南洋」とするものである。しかも南洋群島を拠点に、日本に不足している資源が豊かな東南アジアに進出すべきだとの主張が、官民あげて高まった。

日本の南洋群島統治を、日本の植民地支配の歴史に位置付ければ、日本の韓国併合（一九一〇年）の四年後に始まって約三〇年間に及び、朝鮮半島統治と並ぶ長さになる。しかし、朝鮮半島（そして台湾）と異なる点をあげるなら、第一に日本の領土ではなく、国際連盟の委任統治制度の下で日本が統治した点である。第二に、前節にみたように、太平洋と島嶼という生態系のなかで育まれたミクロネシア社会には多様な独自性があり、世界大に広がりつつあった植民地支配体制のなかにすでに組み込まれ、日本が想定したような「未開」ではもはやなかった点である。第三に、日本は現地住民に当初は「日本人」化を目指したものの、やがて「同文同種」とは見なしえない対象とした点である。

日本海軍による占領と統治

日本が南洋群島を統治した期間の約四分の一を占める海軍による統治は、後述のように重要な意味を持った[4]。すなわち、講和会議で南洋群島の処遇が定まるまでの「一時占領」であったが、日本は南洋群島を、資源豊かな東南アジアに進出するための足掛かりにできること、アメリカに対する軍事戦略上の要地として活用できることに積極的な意義を見出し、領有を強く希望した。「南洋群島占領諸島施政方針」（一九一五年）の「総則」は、右の目的を実現する準備としての内容をもった。すなわち、第一に現地住民を統治に「帰服」させること、第二に「治安拓殖」、第三に日本人勢力を定着させることを据えたのである。この三方針に基づき、海軍による統治下では、現地住民の反応や、進出してきた日本の企業、移民たちの動向をもとに、試行錯誤を経ながら委任統治の基盤となる諸政策が作られた（今泉 一九九一、今泉 一九九三）。ここでは、「帰服」の中心的政策となった教育をとりあげる。

現地住民について軍政当局は、島嶼ごとの住民の風俗、習慣の相違を確認し、特にポーンペイ島ソーケスの蜂起のような事例に注目し、警戒した。そこでキリスト教によって「獰猛《どうもう》」な性格が軟化したと大きく評価し、ただし全般的にみれば勤労意欲や貯蓄心もない「未開な土人」である、とみなした。そこで、首長制の利用などドイツ統治時代を継承しつつも、天皇制への帰服を第一に進めた。例えば、既述の施政方針を出した年には、現地住民の首長や名望家から「内地観光団」を組織して派遣し、天皇制下の国民のあり方、勤勉性、経済発展に触れさせることで統治政策の主導的な担い手育成につなげようとした（千住 二〇〇五）。教育では当初、「日本人化」を目指して初等教育機関に「小学校」を設置し（一九一五年）、毎朝の国旗掲揚、宮城遥拝、「君が代」斉唱を義務付けた。しかし三年後には、「之から人となろうとする未開無智の者を教化」し、「島民としての責務」を担う人物養成に目的を変え、「島民学校」と改称した。ただし、国語や修身を重視することには変わりなかった（南洋群島教育会 一九三八：一三七―一八一頁）。キリスト教は、教化手段として利用しようとしたものの、外国人宣教師の影響力が大きく、現地住民に反日思想を吹き込んだり、日本人の威厳失墜につながる可能性を警戒し、日本人宣教師に代えようとした。よって、キリスト教の宗教学校も地域によっては禁止、あるいは教育内容に制約を設けて認めた。こうした教育を含む現地住民政策は、委任統治の政策を準備するために派遣された政府の視察者から、現地住民の実情にそぐわず、高圧的、暴力的、急進的に実施されていると批判され、委任統治においては「島民本位」、「漸進主義」、「恩威併行」を方針とすべきと提案された。ただしこの「島民本位」とは、「野蛮人ニ遠大ナル理想ハ無理解ナリ」、「卑近ナル方法ヲ以テ我カ教育ノ効能ヲ父老ノ面前ニ具体化スルヲ第一義トシ其ノ日本化ノ如キハ漸ヲ逐フテ実現スレハ可ナリ」(5)という指摘にみるように、

「日本化」を否定するものではなく、現地住民に合わせた方法で統治を進めるべきというものであった(今泉 一九九三:六四頁)。

三、日本の南洋群島統治の展開——委任統治

植民地支配体制再編としての委任統治制度

委任統治とは、第一次世界大戦中に占領した敗戦国の領土割譲を求める国々と、「無併合主義」を掲げるウッドロウ・ウィルソン米大統領の妥協の産物であったが、植民地支配の歴史のなかでは次の点に着目する必要があろう。それは、帝国主義体制のもとで長期にわたる人類初の総力戦が行われ、最もしわ寄せを受けた世界各地の諸民族の中から反植民地主義、民族主義が高まり、戦勝国が植民地支配体制を維持するためにも、従来のようには敗戦国の領土や国民を戦利品として獲得できなくなったことである。(6)

そこで、「近代世界ノ激甚ナル生存競争状態ノ下ニ」いまだ自立できない住民の「福祉及発達」をはかるために、「文明ノ神聖ナル使命」として任務にふさわしい「先進国」(事実上の戦勝国)が「後見ノ任務」を受任する、としたのが委任統治である(「国際連盟規約」第二二条)。具体的に述べれば、住民の「発達ノ程度」や地理的な位置、経済状況などから、A、B、Cの三様式を設け、うちA式が最も「自立」に近いとされ、受任国の関与は最も少なく設定した。受任国は履行義務を負い、国際連盟に毎年行政年報を提出して審査を受けねばならなかった。南洋群島に適用されたC式は、最も「自立」から遠く、「受任国領土ノ構成部分トシテ其ノ国法ノ下ニ施政ヲ行フ」と定めたが、受任国の領土ではない。

アメリカは国際連盟に加盟しなかったものの、日本との協定により、委任統治地域には連盟加盟国と同等の権利を

得た。以上のように、第一次世界大戦後の日本は、アメリカと軍事的、政治的には競合しながらも、中国や太平洋の分割と支配では協力体制を築いた。

日本にとって委任統治とは、欧米列強と初めて共に戦って勝利し、戦後の国策秩序の構築に加わりながら、文明国であることをアピールできる格好の機会とも捉えられた(今泉 一九九四)。

そして、委任統治政策は、日本が南洋群島を活用できると考えた既述のような二点、つまり、東南アジアへの経済的進出のための拠点化と対米軍事戦略上の要地としての活用を、現地住民の「福祉及発達」の履行であると説明して行うものであった(今泉 一九九四、今泉 二〇〇一)。

委任統治開始時の経済政策の要点は次の通りである。航路や電線・電信はドイツが南洋群島から東南アジアや他の太平洋島嶼との間に開いたものを活用した。海軍統治下では、外国の交易会社の経済活動の弱体化が図られ、スペイン統治期から進出していた南洋貿易株式会社に交易や航路を独占させていたが、これを継続しながら、内地や外南洋との航路は新たに日本郵船株式会社が担当した。また、日本の勢力圏内で初めての熱帯である南洋群島は、東南アジア進出のための「ステッピングストーン」(踏み石)としての役割が期待された。そこで南洋群島を研究や企業、移民の訓練の場として活用した。拓殖事業には、海軍統治期に検討を重ねたうえで製糖業が選ばれ、朝鮮半島の東洋拓殖株式会社の支援を得て設立した南洋興発株式会社(一九二一年)に事業を独占させ、政府が手厚い保護を加えた。

第二の軍事戦略上の要地としての活用については、アメリカの太平洋渡洋作戦、すなわちアメリカがハワイ、ミッドウェー、グアム、フィリピンを伝って日本に侵攻してくる作戦を想定し、南洋群島はグアム島を取り囲んでこれを中断する位置にあることから、海軍統治期より調査を進めてきた。委任統治では、受任国の防衛のための軍隊配備や軍事施設の建設を禁じられたが、日本は海軍駐在武官を置いて、軍事調査や民事用として施設建設を進め、ロンドン軍縮条約、ワシントン軍縮条約が期限切れとなる時期には、海軍が本格的に施設建設を担当した。

南洋庁の設置・住民の名称と区分

日本は委任統治機関としてパラオ諸島コロール島に南洋庁を設置し、スペイン、ドイツ統治時代の行政区分を継承して六支庁(サイパン支庁、パラオ支庁、ヤップ支庁、トラック支庁、ポナペ支庁、ヤルート支庁。一九四三年に北部支庁、東部支庁、西部支庁に再編)を設けた。この区分は、第二次世界大戦後のアメリカの信託統治にも引き継がれた。

現地住民の総称と区分は、公式に次のように設定された(今泉 一九九四：二七—三〇頁)。すなわち、総称を「島民」(7)(Inhabitants of the Islands)とし、さらに「チャモロ族」と「カナカ族」を次のように二分した。チャモロ族はカナカ族に比して、キリスト教の感化を受け、比較的進歩しているとし、カナカ族は怠け者で労働を嫌い、文化程度が低くいまだに「原始的状態」にある、というものである。この評価はドイツ統治時代にも存在したものではあった。しかし、この名称と区分が、委任統治期に公文書や法令に一貫して用いられ、日本人移民も常用し、しかも「島民」が、後述のように「三等国民」として扱われたことは、ミクロネシアの人びとに以下の意識をもたらした。第二次世界大戦後、信託統治を担当したアメリカの記録によれば、教育を受けた非チャモロが、「カナカ」という呼称を侮蔑的だとして不快感を示したため、アメリカは出身地の島嶼群名や島嶼名を冠して、"Carolinian", "Marshallese", "Ponapean", "Trukese" などと呼ぶことにしたという(United States Navy 1948: 38)。現在も、日本統治時代を経験した人びとは「トーミン」と呼ばれることに、複雑な感情や嫌悪感を示し、これに気づいた日本の南洋群島帰還者はこの呼称を用いない。ミクロネシアの人びとに残された日本語のなかで、あえて用いられないものにも目を向ける必要がある。

「福祉及発達」の実態①——経済

委任統治期は、既述のように基本的には海軍統治期の方針を継承しながら、その進め方を工夫し、委任統治の目的に適うものとして説明した。そこで次に、日本が国際連盟での報告で、最も重視していると強調した分野から、経済と教育を取り上げ、「福祉及発達」の実態を明らかにする(今泉 二〇〇一)。

経済では、糖業モノカルチュアによって南洋庁財政が独立し、さらなる経済的南進を準備しようとした。製糖業は、日本の植民地や内地の資本、技術をもとに、政府の肝煎りで南洋興発株式会社(以下、南洋興発)を設立させ、南洋庁があらゆる分野を保護し、加えて、日本の特定地域から低廉労働力としての移民を大量に導入し、定着させたことで発展した。例えば、製糖業の中心となったサイパン島では、土地調査の結果、土地の約八割を「官有地」として南洋庁の管理下に置き、南洋興発に低廉に貸し付けて農場にした。労働力は、海軍統治期に八丈島、朝鮮半島、沖縄の労働者を試験的に雇用した結果、沖縄に求めることとした。委任統治開始時、沖縄は猛毒を含み、調理法を誤ると死亡するソテツの実を常食とせざるを得ないほどの困窮状況にあり(ソテツ地獄)、移民や出稼ぎを求める人びとが急増した。南洋興発が渡航費を貸し付け、ビザが不要、渡航期間も短いといった理由から、南洋群島は格好の移民先となった。現地住民は、これら開拓事業に従事する機会は、わずかな例外を除いて限定された。

製糖業の発展を皮切りに南洋群島経済は様ざまな分野で展開し、日本人(日本国籍保有者)人口は、一九三〇年代半ばには現地住民人口に並び、一九四三年には現地住民人口五万二一九七人に対して、約二倍の九万六六七〇人となり、戦時体制構築のための労働力のさらなる導入では、朝鮮半島から朝鮮人の動員が強化された。国際連盟では、日本人の急増に懸念が示されたが、日本政府は製糖業が「物質的幸福」を実現する最も重要な産業である、と主張し続けた。その理由は、現地住民が労働力になりえないこと、未開の土地を有効利用し、地価の高騰で現地住民に直接、間接に利益をもたらしているからだとした。

こうした経済の特徴をもつ南洋群島の植民地社会では、「一等国民：内地人、二等国民：沖縄人/朝鮮人、三等国民：島民」という暗黙の序列が存在した。海軍統治期にも、「〇等国民」といった表現は用いられないものの、仕事や生活の現場で存在した序列であるが、委任統治以後に日本からの移民が急増し、各島嶼に植民地社会が形成されることで、南洋群島社会としての特徴となった。また、教育をうけた現地住民の中には、日本語を流暢に話せない「沖縄人」こそが「三等国民」あるいは「日本のカナカ」だと表現する者も現れるようになった。

製糖業とは別に、パラオ支庁やポナペ支庁には南洋庁が経営する開拓移住地を設け、特に北海道からの移民を受け入れ、寒冷地出身者の熱帯開拓能力や開拓村経営のデータをとったり、企業を誘致したりした。しかし、政府がこれら移民や企業の外南洋送り出しに梃入れをする時期は、南洋群島の戦時経済体制の構築が優先課題となった。

製糖業に遅れて漁業も発展し、沖縄の漁師を中心に鰹鮪漁業や鰹節製造が盛んとなった(宮内 二〇〇四)。パラオ支庁で真珠貝の養殖が始まると、和歌山のダイバーが母貝採取に木曜島(Thursday Island)に出かけ、「ダイバー景気」をもたらした(内海 二〇〇一：六五頁、今泉 二〇〇二：六二六―六三一頁)。

南洋庁は現地住民が関わる産業には、ドイツ統治時代からのアンガウル島リン鉱石採掘、コプラの生産、高瀬貝の採集を継続した。アンガウル島リン鉱石採掘は官営事業で(一九三六年からは国策会社南洋拓殖株式会社の設立とともに同社が経営)、仕事の現場は既述の糖業モノカルチュアとは異なる様相を呈した。具体的に述べれば、ドイツ統治時代から引き続きアンガウル島外から現地住民の出稼ぎ労働者を募集したうえで、「内地人」、「沖縄人」、「朝鮮人」労働者を新たに導入した(8)。賃金は内地、沖縄、中国人、チャモロ、島外からの現地住民出稼ぎ労働者の順であり、仕事の内容や勤続年数などに基づいてはいるものの、日本人、中国人、チャモロの順に賃金は低く、さらにアンガウル島外からの出稼ぎ労働者との間には、大きな賃金格差があった(矢内原 一九三五：一一一―一一六頁)。

以上のような仕事や生活のなかの有形無形の序列は、大日本帝国内の内国植民地としての沖縄を含む植民地の序列を反映させながら、「島民」を最底辺に加えた南洋群島の植民地社会の特徴を示すものであった。

「福祉及発達」の実態②——教育と宗教

委任統治期の初等教育には、海軍統治時代の島民学校に代えて「公学校」を設置した。公学校は「国語を常用せざる児童」が通うと定められたが、日本国籍をもつ日本人や朝鮮人は小学校に通い、現地住民からは成績優秀者の、その中でもごく僅かに認められた児童のみが小学校での就学を許された。現地住民向けの中等教育機関はなく、実業教育機関として木工徒弟養成所が一つ設けられたが、いずれの教育機関も国語、修身に重きを置き、生活の改善向上を掲げて技術の教授を中心に据えた。国際連盟では、国民ではない現地住民に「国語」(National Language)を教育することに疑問が出された。しかし日本は、多様な言語を持つ南洋群島住民に日本語は共通語として有用だと一貫して主張し、国際連盟への英語版報告書には"Japanese Language"と表記を変えたものの、日本語の出版物や学校教育では「国語」であった。また、国語や修身の内容は天皇制秩序と、その下での「島民」としての役割を教えるものであった(今泉 一九九四)。一九三〇年代初頭には日本人教員の中から、市街地から遠かったり日本人との接触が少ない村落では特に、国語や修身が必ずしも実生活に役立たない、との批判が多くあがった。

委任統治では公学校卒業後の教育の継続により力を入れ、社会教育として青年団を組織したり、海軍統治期に始められた「内地観光団」に、公学校の卒業生や「巡警」(日本の警察の補助)を参加させるなど、地域社会の担い手の育成に努めた(今泉 二〇〇一:四八—五〇頁)。

一方、キリスト教は委任統治が信教の自由を保障することを義務付けたこと、また現地住民にキリスト教が浸透していることや住民政策への有効性から、南洋庁の管理下で布教活動を認めた。ただし、宣教師はカトリックならばできるだけ日本、あるいは日本と比較的友好関係を持つ国からの派遣に努めた一方、プロテスタントでは現地住民に信頼を得ているアメリカのボストン宣教団の活動を認めざるを得ず、日本からは組合教会に「南洋伝道団」を組織させて布教させた。これらキリスト教の布教活動を通じた教育は、日本が設置した公学校教育に従属させられた。

“The Typhoon of War”――「海の生命線」から「太平洋の防波堤」へ

日本は国際連盟脱退後も委任統治の継続が認められたが、連盟からの脱退通告期間が満了した一九三五年には、政府が「南洋群島開發十箇年計画」を発表し、「南洋群島ヲシテ真ニ帝国ノ構成部分トシテ不可分ノ一体ヲ成シ帝国国運ノ進展ニ寄与セシムルヤウ統治スル」ことを明言した(南洋群島開發調査委員会 一九三五)。この時期、陸軍が「満州」を「陸の生命線」と主張したことに対して、海軍は南洋群島を「海の生命線」とし、大日本帝国の軍事的、経済的な存亡にかかわる地域だと強調した(海軍省海軍軍事普及部 一九三三)。

現地住民の「福祉及発達」を掲げた南洋群島委任統治は、海軍統治いらい日本が南洋群島に求めた役割を実現すべく進めてきた政策を、戦時体制構築、兵站基地化という新たな要請のもと、「帝国国運ノ進展」を目的に進めてゆくことになる。

日本軍がミッドウェー海戦以後敗北を重ねると、大本営は「絶対国防圏」を決定(一九四三年)、南洋群島は絶対死守すべき内と外に二分された。しかし、米軍は国防圏内に予想以上に早く、圧倒的に優位な軍事力で侵攻し、占領した。

南洋群島での戦争の犠牲の特徴は、地上戦と飢餓に見ることができる。沖縄戦より約一年早く戦われた地上戦での日米両政府および両軍の経験が、沖縄戦の犠牲にもつながった。特に南洋興発の企業城下町の様相を呈していたサイパン島、テニアン島は、同社が会社の全機能、資材を軍の指揮命令監督下において決戦体制に臨む協定を結んだことで、島の住民の日常がまるごと軍の一部に組み込まれた。一方、飢餓の要因は、戦時に海上輸送が断たれたことによる食糧不足や、民間人を上回る兵士が駐屯したことだけではなく、平時より南洋群島経済が商品作物栽培に特化し、食糧の多くを移入に依存してきたことにも求められる(今泉 二〇一五a、今泉 二〇一五b)。戦時の犠牲はさらに、既述のような植民地社会の序列の下方に位置づけられた人びとほどに、複雑かつ深刻な問題をもたらし、とくにミクロネシアの人びとにとっての第二次世界大戦は、急激に来襲し、これまでの生活をことごとく吹き飛ばし、凄まじい被害をもたらした「台風」にもたとえられてきた(Poyer 2001: 1)。ミクロネシアの人びとが経験した戦争は、日本の植民地統治の一部であり、日米開戦を機に進んだ日本軍の駐屯や、一九四四年に南洋群島各地で繰り広げられた日米の戦闘に限定されるものではなく、日本の戦争責任は植民地責任とも深くつながっている(永原 二〇〇九)。

おわりに

南洋群島は、第二次世界大戦後、国際連合の信託統治地域(the Trust Territory of the Pacific Islands)としてアメリカの施政権下に置かれた(池上 二〇一四)。しかも、信託統治地域のなかで唯一の戦略地区(strategic area)とされ、安全保障理事会が統治審査を担当した。日本の旧南洋群島に対する戦時賠償(日本政府は「準賠償」と表現)は、「太平洋諸島信託統治地域に関する日本国とアメリカ合衆国との間の協定」(略称「米国とのミクロネシア協定」、一九六九年)によって解決済みとされている。協定の要点は、かつて日本の国際連盟委任統治下にあり、協定締結当時、アメリカの国際連合信託統治下にある「太平洋の諸島の住民」(the inhabitants of the Pacific Islands)が日米の「第二次世界大戦中の敵対行為の結果被った苦痛に対し、ともに同情の念を表明することを希望し、住民の福祉のために自発的拠出を行うことを希望」したことにある(9)。本章冒頭に紹介したように、日本の南洋群島統治における「終始一貫」した「誠意」に基づく「福祉の増進」は、第二次世界大戦によって「総てが未完成の侭、終止符をう」ったとされた。しかし、右協定により、日本は「準賠償」という形をとってアメリカの信託統治における「住民の福祉」に協力したのであった。

米信託統治下のミクロネシアは、核実験を始めとするアメリカの軍事基地化により、戦後日本の安全保障を支え続けてきた(グローバルヒバクシャ研究会 二〇〇五)。近年では、第二次世界大戦をめぐる日米の「和解」が、周年事業のたびにますます演出、強調され、沖縄を含むアメリカの軍事基地がおかれた太平洋島嶼の人びとが、日米の友好・共同関係を支えているのである。

注

(1) 米領グアム島は一九四一年に日本海軍が占領して軍政下におき、「大宮島」と改名、米軍に再占領される四四年まで統治したので、南洋群島に含めない。

(2) 日本の植民地や占領地の経営、日本企業や日本人の進出「による在外財産の生成過程は、言わるるような帝国主義的発展史ではなく、国家或は民族の侵略史でもない。日本人の海外活動は、日本人固有の経済行為であり、商取引であり、文化活動であった」との観点から編集された(大蔵省管理局 刊行年不明a:三頁)。

(3) 日本人では、チューク諸島トノワス島の現地女性と結婚して定住した森小弁(一八六九―一九四五年)がいる。森の子孫がミクロネシア連邦の政財界で活躍することから、森は日本とミクロネシアの歴史的な関係を象徴する存在として政府の太平洋島嶼地域との外交などでしばしば言及されてきた。こうした取り上げられ方には、日本社会からの一方的な、植民地主義的なまなざしがこめられているとの批判がある(飯高 二〇一一)。

(4) 海軍による南洋群島統治および委任統治への移行期については、今泉(一九九一、一九九四)。

(5) 末次(信正:引用者)「南洋群島統治ニ関スル所見」「大正戦役戦時書類」五四巻(防衛省防衛研究所戦史研究センター所蔵)。

(6) ウィルソン大統領の自己決定論は人種主義、植民地主義と相互補完的な性格があり、委任統治が掲げる「文明の神聖なる使命」と重なること、また当時、植民地側が主張した民族自決論が、連合国に対する植民地責任を追及したものの、これを否定して委任統治が成立したことを指摘するものに浅田(二〇一九)。

(7) 「島民」は海軍統治期の第二代臨時南洋群島防備体司令官東郷吉太郎が、防備隊員が現地住民に軽侮の挙動をとることが帰服を妨げるとし、「土人」に代えて使用するよう訓示した呼称の一つである(今泉 一九九一:九頁)。

(8) 矢内原(一九三五)には掲載されていないものの、同書執筆のために収集した「南洋庁採鉱所従業員人員」(推定一九三三年八月一日現在)には、燐鉱職工鉱夫として「内地組」六三人、「沖縄組」一七人、「朝鮮組」一人とある。「矢内原忠雄文庫」琉球大学附属図書館所蔵。

(9) アメリカは五〇〇万ドルの資金を設定、日本は五〇〇万ドル(協定当時一八億円)の現物及び役務をアメリカに無償で提供するとした。ミクロネシアの日本の戦争賠償に対する対応を分析したものとして、Higuchi (1995)。

参考文献

浅田進史(二〇一九)「植民地責任論からみた一九一九年──民族自決と戦争責任」『大原社会問題研究所雑誌』七二八号。

飯高伸五(二〇一一)「高知から南洋群島への移住者・森小弁をめぐる植民地主義的言説の批判的検討」『高知県立大学紀要文化学部編』六一。

池上大祐(二〇一四)『アメリカの太平洋戦略と国際信託統治──米国務省の戦後構想一九四二─一九四七』法律文化社。

今泉裕美子(一九九一)「軍政期南洋群島統治(一九一四─二二)」『国際関係学研究』別冊、一七号。

今泉裕美子(一九九三)「南洋群島委任統治政策の形成」浅田喬二他編『岩波講座 近代日本と植民地』第四巻、岩波書店。

今泉裕美子(一九九四)「国際連盟での審査にみる南洋群島現地住民政策」『歴史学研究』六六五号。

今泉裕美子(二〇〇一)「南洋群島委任統治における「島民ノ福祉」」『日本植民地研究』一三号。

今泉裕美子(二〇〇二)「南洋群島」具志川市史編さん委員会編『具志川市史』第四巻(移民・出稼ぎ 論考編)、具志川市史教育委員会。

今泉裕美子(二〇一四)「太平洋の「地域」形成と日本──日本の南洋群島統治から考える」李成市他編『岩波講座 日本歴史(地域論)』第二〇巻、岩波書店。

今泉裕美子(二〇一五a)「南洋群島の日本の軍隊」坂本悠一編『植民地 帝国支配の最前線』〈地域のなかの軍隊〉7、吉川弘文館。

今泉裕美子(二〇一五b)「コラム サイパン島・テニアン島の「玉砕」」坂本悠一編『植民地 帝国支配の最前線』〈地域のなかの軍隊〉7、吉川弘文館。

内海愛子(二〇〇一)「アジアの海と日本の戦争」尾本惠市他編『アジアの海と日本人』〈海のアジア〉6、岩波書店。

大蔵省管理局(刊行年不明a)『日本人の海外活動に関する歴史的調査』(総目録)。

大蔵省管理局(刊行年不明b)『日本人の海外活動に関する歴史的調査』(通巻第二十冊、南洋群島篇、第一分冊)。

海軍省海軍軍事普及部(一九三三)『海の生命線』。
グローバルヒバクシャ研究会(二〇〇五)『隠されたヒバクシャ 検証=裁きなきビキニ水爆被災』凱風社。
重光葵(一九二一年三月二七日)『甲号 南洋委任統治区域ニ関スル報告』。
重光葵(一九二一年四月五日)『乙号 南洋統治ニ関スル報告』。
千住一(二〇〇五)「軍政期南洋群島における統治政策の初期展開と第2回内地観光団」『日本植民地研究』一七号。
永原陽子(二〇〇九)『「植民地責任」論――脱植民地化の比較史』青木書店。
南洋群島開発調査委員会(一九三五)『南洋群島開発調査委員会答申』。
南洋群島教育会(一九三八)『南洋群島教育史』南洋群島教育会。
宮内泰介(二〇〇四)「沖縄漁民たちの南洋」藤林泰他編『カツオとかつお節の同時代史――ヒトは南へ、モノは北へ』コモンズ。
矢内原忠雄(一九三五)『南洋群島の研究』岩波書店。
Frith, Stewart (1978), "German Labour Policy in Nauru and Angaur, 1906-1914", *The Journal of Pacific History*, 13-1.
Hanlon, David L. (1988), *Upon a Stone Altar: A History of the Island of Pohnpei to 1890*, Honolulu, University of Hawai'i Press.
Hempenstall, Peter J. (1978), *Pacific Islanders Under German Rule: A Study in the Meaning of Colonial Resistance*, Canberra, ANU Press.
Hezel, Francis X. (1995), *Strangers in Their Own Land: A Century of Colonial Rule in the Caroline and Marshall Islands*, Honolulu, University of Hawai'i Press.
Higuchi, Wakako (1995), "Japan and war reparations in Micronesia", *The Journal of Pacific History*, 30-1.
Peterson, Glenn (2007), "Hambruch's Colonial Narrative: Pohnpei, German Culture Theory, and the Hamburg Expedition Ethnography of 1908-10", *The Journal of Pacific History*, 42-3.
Poyer, Lin, Suzanne Falgout and Laurence Marshall Carucci (2001), *The Typhoon of War: Micronesian Experiences of the Pacific War*, Honolulu, University of Hawai'i Press.
United States Navy (1948), *Handbook of the Trust Territory of the Pacific Islands*, Washington, D.C., Navy Department, Office of the Chief of Naval Operations.

小笠原諸島史

石原 俊

はじめに――世界史のなかの「小笠原諸島」

広義の「小笠原諸島」は、現在の東京都小笠原村の範囲と一致する、実に広い領域に及ぶ。諸島を構成するのは第一は小笠原群島であり、ここには東京都心から約一〇〇〇キロメートル南方に位置する父島をはじめ、母島・聟島《むこじま》などが含まれる。第二に硫黄列島（火山列島）であり、父島から約二八〇キロメートル南南西（東京都心から約一二五〇キロメートル南方）に位置する硫黄島《いおうとう》（中硫黄島《なかいおうとう》）をはじめ、北硫黄島《きたいおうとう》・南硫黄島《みなみいおうとう》などが含まれる。第三に、父島から約一三〇キロメートル西北西に位置する西之島がある。さらに、父島から約一三〇〇キロメートル東南東に位置する南鳥島（マーカス島）までもが、小笠原村＝「小笠原諸島」に含まれる。なかでも硫黄島は、サイパン島の北方約一一〇〇キロメートルに位置し、マリアナ諸島最北端の島からだと約六〇〇キロメートル離れているにすぎない。「小笠原諸島」が日本領であるのは、さまざまな事情が折り重なった結果であり、この北西太平洋の島々は、現在の日本領のなかでも非常に独特な歴史的背景をもつ。その「小笠原諸島」のうち、本章では比較的長期間にわたって人が居住している小笠原群島と硫黄列島に焦点をあてる。

「小笠原諸島」は、日本の辺境の「小さな」島々といった観点からは決定的に見落とされてしまう「大きな」世界史的背景をもっている。小笠原群島は、一九世紀の海洋社会史や太平洋史を集約的に体現している非常に特徴的な島々なのであり、主権国家を立ち上げつつあった日本によって結果的に「捕捉」されたとみるのが適切である。また硫黄列島といえば、日本の市民の大多数が連想するのは、アジア太平洋戦争末期の硫黄島地上戦であろう。だが、硫黄列島のうち硫黄島と北硫黄島は、一九世紀末からアジア太平洋戦争までの約半世紀間にわたって民間人が生活しており、しかも日本帝国における「南洋」入植地のプロトタイプのひとつでもあった。本章の試みは、小笠原群島と硫黄列島をめぐる歴史を、「日本史」の枠組みに位置づけるのではなく、「世界史」のなかで他の島々との連関や比較にも留意しながら記述することにある。

一、太平洋の捕鯨業と帆船労働からのアジール——一九世紀前期の小笠原群島

小笠原群島の「発見」に関する最古の記録は、阿波国の蜜柑船が暴風によって漂流し、母島に到達した一六七〇年のものである。(1) 徳川幕府は乗組員の報告に基づいて一六七五年、探検家の島谷市左衛門を小笠原群島に派遣し、現地調査を行わせた。硫黄列島の「発見」はさらに早く、一五四三年にスペインの探検船が島の存在を記録している。また北硫黄島に関しては、紀元前一世紀頃から紀元後一世紀頃にかけて定住者がいたことが、出土品から明らかになっている。

一七二〇年代、「小笠原貞任《さだとう》」を名乗る人物が幕府に対し、曽祖父の小笠原貞頼が一五九三年に小笠原群島を発見して「父島」「母島」などの命名を行った旨を示した文書を所持していると申し出た。だが幕府の調査によって、文書が偽書であるばかりか、この人物が貞頼の子孫でさえないことが判明し、自称「小笠原貞任」は厳罰に処せられて

いる(鈴木 一九九一:八四—八六頁)。

小笠原群島に人が住み始めたのは、「貞任」事件の約一〇〇年後である。一九世紀前中期の太平洋では、米国などを拠点とする捕鯨船の活動が最盛期を迎えていた。当時は米国で石油採掘が本格的に始まっておらず、照明用燃料などに使われる鯨油《げいゆ》は世界商品の地位にあった。当時の捕鯨船は、一航海二—五年という長期にわたって鯨を求めて巡航し続けたので、船体の修理や生鮮食料品の補給のため、頻繁に島に寄港する必要があった。だが、海禁政策をとる幕藩体制下の日本列島や琉球には、捕鯨船の寄港が困難であり、大型帆船が停泊可能な天然の良港(二見港/Port Lloyd)をもつ父島が、寄港地として注目されたのである。

一八三〇年、シチリア島出身とされるマテオ・マッツァーロ(Matteo Mazzaro)という男性が、イングランド出身のリチャード・ミリンチャンプ(Richard Millimchamp)とともに、ハワイ・駐ホノルル英国領事から支援を引き出して約二五人の移民団を組織し、小笠原群島に渡航した。この移民団は、右の二人と米国出身のナサニエル・セーヴォリー(Nathaniel Savory)らを含む欧米ルーツの男性五人、そしてオアフ島でマッツァーロらに「召使い」や「妻」として勧誘された男性七人・女性一三人の「カナカ」(kanakas:一九世紀前半の用法ではハワイなどの先住民を表す)から構成されていた。かれらは野菜や穀物の栽培、家畜家禽類の飼育、ウミガメ漁などによって、自給自足を達成するだけでなく、こうした生鮮食品を寄港する捕鯨船などの乗組員に売って、貨幣収入を得るようになった。

小笠原群島にはその後、さらに多様なルーツや経歴をもつ雑多な人びとが上陸・移住していった。かれらのルーツは、当時の捕鯨船のグローバルな活動範囲を反映しており、米国や太平洋の島々から欧州や大西洋の島々にまで及んでいる。定住の経緯もまた多様であり、寄港する船舶から降りて住み着いた事例が最も多く、過酷な捕鯨船の労働現場から脱走した人、「病気」などを理由に船を降りた人などがいた。また、乗っていた船が遭難して漂流の末に島にたどり着いた人もいた。

小笠原群島に集まってきた人びとには、掠奪者＝海賊も含まれていた。とりわけ一八四九—五〇年に父島で起こった二隻の船舶の乗組員らによる掠奪事件は、入植者全体に深刻なダメージを与えたようである。二隻はデンマークと英国の国旗を掲げて入港し、簡単な商取引の後に出港したが、沖合で荒天に遭って船が故障したために父島に戻り、住民の援助を得て船を修理した。しかし再度出港の準備が整うと、乗組員たちは住民を武力で威嚇し始め、掠奪のかぎりを尽くしたという。かれらは寄港した別の船の乗組員をそそのかして掠奪行為の味方に引き入れつつ、四カ月にわたって掠奪を繰り返した。そして出港時、かれらはナサニエル・セーヴォリーの妻ともう一人の女性を連れ去ったという。このように当時の小笠原群島において、入植者・寄港者・逃亡者・漂流者・掠奪者といった属性はきわめて流動的であった(石原 二〇〇七：一〇七—一一九頁、石原 二〇一三：四三—四八頁)。

一九世紀太平洋の捕鯨船は、厳格な階級関係が支配する場であった。上層船員と捕鯨用ボートを漕ぐ水夫との間は、報酬から居住環境、食事に至るまで差別化が徹底しており、船長の報酬が最下層の水夫の一〇〇倍以上に及ぶこともあった。上層船員は水夫たちに対して、しばしば恫喝や暴力を発動した。当時の軍艦や商船の労働環境も良好ではなかったが、商船員の経験が一度でもある者は捕鯨船を忌避したほど、捕鯨船の水夫の待遇は劣悪であった。多くの捕鯨船員が船主や船長からの借入金(前借金)を抱えていたため、寄港時には脱走者が後を絶たなかった(森田 一九九四：一〇三—一一二頁、Spate 1988: 284)。

なかでも小笠原群島は、一九世紀初期まで定住社会がなかったために、新たな移住者が従うべき伝統的秩序が存在しておらず、しかもどの国の主権下にも組み込まれていなかった。それゆえ小笠原群島には、一九世紀グローバリゼーションの最前線／最底辺である帆船の労働現場からの退避地＝「アジール」が形作られていったのである。むろん、「アジール」であることは、島民の間に階級秩序やジェンダー支配あるいは収奪関係が存在しなかったことを意味しない(石原 二〇〇七：一一九—一三五頁、石原 二〇一三：四八—五四頁)。

二、日米による領有計画と「ブラックバーダー」の拠点——一九世紀中期の小笠原群島

一八五三年七月、マシュー・ペリー率いる米国海軍東インド艦隊が江戸湾(東京湾)沖に現れた。ペリー艦隊はこれに先立つ同年五月、琉球王国の沖縄島に寄港した後、六月に入ると艦隊の一部を率いて小笠原群島に向かい、父島に約二週間も滞在している。ペリー艦隊が本土より先に沖縄島や父島に向かったのは、米国を母港とする蒸気船が寄港可能な補給拠点を確保するためであった(ワイリー 一九九八:八〇—一一五頁)。ペリーが拓こうとした蒸気船航路は、米墨戦争(米国・メキシコ戦争)で獲得(買収)したカリフォルニアから、オアフ島、そして父島、沖縄島を経て、上海や香港まで太平洋を横断する、郵船や商船、そして清国人苦力《クーリー》の運搬船の航路であった。ペリーは武力を背景に、琉球王府に対して石炭貯蔵庫設置の権利を要求し、これを実現していく。ペリーはミラード・フィルモア大統領の密命により、日本本土に開港場を得ることに失敗した場合、沖縄島の軍事占領を認められていた。

父島においてペリーは、蒸気船に供給する石炭貯蔵庫の建設予定地として、前述のナサニエル・セーヴォリーから土地を買い取ったうえで、その管理をかれに委託し、さらにセーヴォリーを「米国海軍艦隊のエージェント」に任命した。この時点でセーヴォリーは、一八三〇年の移民団の欧米出身者で、唯一存命している在住者であった。さらにペリーは一八五三年一〇月、代理人を父島に派遣して小笠原群島の領有宣言を行わせている。このとき父島に「ピール島[＝父島]入植者機構」(Organization of the Settlers of Peel Island)が発足させられ、セーヴォリーが「行政長官」(chief magistrate)に任じられた。だが、ペリーによる小笠原群島領有計画は、英国側からの強い抗議と、米本国での政権交代により、白紙となってしまう(石原 二〇〇七:一四二—一五二頁、石原 二〇一三:六四—六九頁)。

こうした米国の動向に刺激されて、一八六〇年代に入ると徳川幕府も小笠原群島の「取締」＝領有と「開拓」＝入植

を本格的に検討し始めた。そして一八六二年一月、外国奉行・水野忠徳率いる幕府の官吏団と従者たちを乗せた汽帆船・咸臨丸が、「無人島《むにんしま》」＝小笠原群島に派遣された。このさい幕府は大学頭《だいがくのかみ》の林学斎に命じて、一六世紀末に小笠原貞頼が「無人島《むにんしま》」を発見して「小笠原島《おがさわらしま》」と名付けたという記録を提出させている。幕府は一九世紀半ばに至り、「無人島《むにんしま》」の領有権を主張する目的で、かつて幕府自身が否定した小笠原貞頼発見伝説や「小笠原」「父島」「母島」といった名称を、あえて持ち出したのである。

この官吏団に「通詞」＝通訳の立場で参加していたのが、こんにちジョン万次郎という俗称で知られる中浜万次郎であった。万次郎は漂流民として米国の捕鯨船に救助され、捕鯨船上と米国本土で合わせて約一〇年を過ごしたのち、一八五一年に幕藩体制下に帰還していた。小笠原群島で万次郎に期待された役割は、狭義の英語通訳にとどまらない。また、北米大元捕鯨船員である万次郎は、誰よりも「取締」の対象となる先住者たちに近い経験を積んできていた。陸に滞在して近代国家の統治様式にも精通していた万次郎は、小笠原群島の領有・入植を進めるにあたり、日本の主権のエージェントとして不可欠な存在であった(2)。

水野は万次郎を通訳兼説諭役として、当時も存命であったナサニエル・セーヴォリーらを呼び出し、新たに日本国家の法を宣言した。母島においても、当時のボスであったジェームズ・モットリー(James Moitley)に対して、同様の手続きを行っている。そして水野は咸臨丸の帰還に先立ち、父島に幕府の役所を設置して、小花作之助《おばなさくのすけ》ら六人の官吏を「全島裁判其処分方」の権限を与えて駐在させ、統治業務を開始した。さらに幕府は、八丈島から計三八人の農民や職人を父島に派遣し、入植政策を始めている。

しかし、英仏との軍事的緊張の激化を受けて、幕府は一八六三年六月に小笠原群島にいた官吏と入植者全員を引き揚げさせてしまう。小笠原群島は結局、一八三〇年に定住社会が形成されてから一八七〇年代半ばまでの約半世紀間、ごく一時期を除き、どの国家の領有下にも組み込まれなかった(田中 一九九七：二〇四―二〇八頁、石原 二〇〇七：一七

九―二〇二頁、石原 二〇一三：五七―六四、七〇―七六頁）。

同じ一八六〇年代、太平洋世界で「ブラックバーダー」(blackbirder)と呼ばれる労働力ブローカーの一群が台頭する。「ブラックバーダー」は、太平洋の島々や中国大陸南部において、しばしば詐欺的あるいは拉致的な手法を用いて労働者をリクルートし、各地のプランテーション労働や鉱山労働の現場に年季契約奉公人や債務奴隷として売り渡していた(Horne 2007: 42-43；村上 二〇一三：二五七―二八七頁)。

二〇世紀初頭に書かれたフィリップ・ゴスの名著『海賊行為の歴史』(邦訳題『海賊の世界史』)は、一九世紀太平洋の海賊を扱った「海賊の終焉」と題する終章のなかで、凶悪な「ブラックバーダー」として太平洋世界で恐れられていた「ベン・ピーズ」という人物に言及している(Gosse [1932]2007: 295-296＝[一九九四]二〇一〇：一八五―一八七頁)。この「ベン・ピーズ」は、一八六九年頃に小笠原群島の父島に住居を構えたベンジャミン・ピーズ(Benjamin Pease)と同一人物である。当時の父島住民の証言によれば、ピーズは島民に対して法を宣言したり地券を発行したりしながら、独裁者として君臨しようとした。また、他の島々から数十人の奴隷を連行してきて、寄港する船舶や他の島の首長に売り渡していたという。他方でピーズは、所有する帆船で横浜との間を往復し、ウミガメの油やレモンといった小笠原群島の産物を移出するなど、商業活動に熱心であった。また、父島で牧場を開いてハワイから牛を移入したり、父島で羊を飼育して横浜に移出したりしていたという。

幕府から政権を奪取したばかりの明治政府は、ピーズを重要な懐柔の対象とみなしていた。特に、一八六〇年代に幕吏として万次郎らとともに父島に駐在し、明治維新後は内務省官吏となっていた小花作助(小花作之助から改名)は、ピーズが政府の領有計画に抵抗した場合、彼を官吏に任命して併合を進める計画を立てていた。明治政府は一八七五年末、小笠原群島の(再)領有のために、工部省の灯台巡視船・明治丸で小花をはじめとする官吏団を派遣したが、官吏団が父島に到着すると、すでにピーズは失踪していた。聴取記録によれば、ピーズは前年の一八七四年秋に父島からカヌーで海に出たきり行方不明になっており、後にピーズが乗っていた血だらけのカヌーが海岸に打ち上げられたという。一九世紀半ばの太平洋世界で悪名を馳せた「ブラックバーダー」は、日本に組み込まれる直前の小笠原群島の近海で消息を絶った(石原 二〇〇七:二一七—二三八、二五二—二五六頁、石原 二〇一三:七六—八六頁)。

三、日本併合と再編される移動民の世界——一九世紀後期の小笠原群島・硫黄列島

一八七五年、明治丸で小笠原群島に派遣された官吏団は、世界各地にルーツをもつ先住者に対して日本国家の法を宣言して服従を求めるとともに、これ以降の「外国」から小笠原群島への移住を禁じた。翌一八七六年、日本政府は欧米など諸外国に対して、「小笠原島」=小笠原群島の領有を通告している。そして先住者たちは、統治機関として設置された内務省小笠原島出張所(一八七七—一八八〇年)と東京府小笠原島出張所(一八八〇—一八八六年)の説諭・命令によって、一八八二年までに日本国民に編入された。にもかかわらず、かれらは当局から「帰化人」というカテゴリーで把握され、特別な治安管理の対象として扱われ続けた。一八七〇年代、「琉球処分」という名による沖縄併合や、「北海道開拓」という名による北海道全域の事実上の編入が進んだことは、一定程度知られている。これらと並行して、「樺太千島交換条約」という名での千島列島の併合や、「小笠原島回収」という名での小笠原群島の併合が進められたのである(石原 二〇一三:八八—九〇頁)。

一方で一八七七年、先行する北海道への入植政策をモデルとして、日本本土や伊豆諸島などから小笠原群島への移住が始まった。しかし一八八〇年代までは、新規移住者の生計手段は不安定であり、特に最初期の移住者の多くは、沿岸での釣りやウミガメの捕獲、陸上での簡単な狩猟・採集などによって飢えをしのいでいた(鈴木 一九九〇:五七—五九頁)。移住者の最大部分は八丈島を中心とする伊豆諸島の貧農出身者によって占められたが、北海道などと同じ

く、幕末維新期に生計手段を失った相当数の士族層も含まれていた。

ただし、小笠原群島の編入・入植の過程が北海道のそれと異なるのは、先住者と新規移住者の力関係においてである。北海道では、新規移住者も多くが貧困層に属したが、先住民のアイヌは日本政府の法によって生業手段の大部分を剝奪され、近代北海道社会の最底辺層に組み込まれていった。これに対して小笠原群島の先住者(の子孫)は、相対的にみて二〇世紀初頭までは、新規移住者に比べて経済的に豊かであった。それは、先住者(の子孫)たちが小笠原群島を拠点に継続してきた越境的な経済活動が、日本当局によってただちに禁じられなかったからである。

小笠原島港規則、小笠原島税則など、明治政府が小笠原群島のみを対象として導入した法は、小笠原群島において「外国人」船員と島民が無関税で交易することを例外的に認めていた。これにより、日本併合以前と同様、小笠原群島に寄港する「外国船」の乗組員は旅券を提示せずに上陸し、島民から必要な物資を購入し続けていた。また一八七〇年代に入ると、米国で油田が開発されたために、鯨油の市場価格が暴落する。これに伴い米国などを母港とする帆船は、市場価格が高騰しつつあった毛皮を求めて、オホーツク海・ベーリング海方面でラッコ猟やオットセイ猟に従事するようになった。小笠原群島の先住者(の子孫)たちは、こうした猟船に銃手(射手)などとして季節雇用され、高額の報酬を得るようになる。ラッコ猟船やオットセイ猟船は沿岸部や陸上で猟に従事したため、ロシアや米国や日本の国境を侵犯する「密漁」にあたる事例が少なくなかった。だが、日本の統治機関である内務省小笠原島出張所、東京府小笠原島出張所、そして東京府小笠原島庁(一八八六―一九二六年)の官吏は、「密漁」行為への加担を把握しつつも、「帰化人」の越境的行動を黙認し続けた。

しかし、先住者の子孫たちの越境的な経済活動は、二〇世紀に入ると厳しい状況に直面する。一九一一年、世界初の本格的な野生生物保護条約である「臘虎《ラッコ》及膃肭《オットセイ》獣保護条約」(North Pacific Fur Seal Convention of 1911)が日英米露間で締結され、ラッコとオットセイの海上捕獲が全面禁止された。小笠原群島の先住者たちは、海外出稼ぎによる重要な生計手段を絶たれてしまう。そして一九一四年の第一次世界大戦勃発直後、ドイツ領であった赤道以北のミクロネシア(南洋群島)を日本が占領したことにより、すでにフィリピンやグァム島を領有していた米国と日本との軍事的緊張が高まった。こうして小笠原群島への外国籍船舶の自由な寄港も不可能になり、先住者の子孫たちが越境的な交易活動から利益を得ることもできなくなった。一九二〇年代には、先住者の子孫の多くが零細な近海漁業従事者になり、貧困層に転落していた(石原 二〇〇七:二六七―三〇七頁、石原 二〇一三:八六―八八、九一―九七、一一三―一一五頁)。

一方で一八八〇年代後半、日本本土で「南洋」への進出熱・開発熱、すなわち南進論が高まった(矢野 一九七九:一六、五〇―六〇頁)。これを背景として一八八七年、東京府知事の高崎五六を団長として、無人島である硫黄列島へ向けた「南洋」巡航団が派遣される。かつて小笠原群島の領有宣言のために派遣された明治丸(一八八七年当時は逓信省所属)が、鳥島や小笠原群島を経て硫黄列島へ航行し、硫黄島と北硫黄島で初めて日本当局による本格的な探査が行われた。こうして日本政府は一八九一年、勅令によって硫黄列島(火山列島)の領有を宣言し、東京府小笠原島庁の管轄下に置くとともに、北硫黄島・硫黄島・南硫黄島の島名を命名している。[3] 翌一八九二年には、硫黄島で硫黄採掘を目的とする開発が始まった。北硫黄島の開発は一八九九年、八丈島出身の石野平之丞らによって着手されている(石原 二〇一九:一〇―一七頁)。

四、「砂糖の帝国」の「南洋」開発モデル――二〇世紀前期の小笠原群島・硫黄列島

図1のように、小笠原群島では国策移住が始まった一八七七年から一九四四年の強制疎開まで、一時期を除いて人口は増加基調にあった。特に、サトウキビ栽培と製糖が主産業として定着した一八八〇年代後半から世紀転換期にかけて、人口が急増している。小笠原群島は、日本で最初の本格的な「南洋」入植地となり、これに続く日本帝国の

「南洋」入植・開発事業の参照軸ともなっていった(石原 二〇一三：一〇七―一一三頁)。

硫黄島では、硫黄の採掘事業が行き詰まると、硫黄採掘権を有していた久保田宗三郎が、東京府から綿花栽培を条件とする土地の払い下げを受け、入植者を誘致し始めた。その後久保田は、硫黄島でサトウキビ栽培と製糖に着手し、一九一三年には拓殖会社である久保田拓殖合資会社を設立している。北硫黄島では、前述の石野平之丞が入植者を募集し、一九〇二年からサトウキビ栽培・製糖業に着手している。

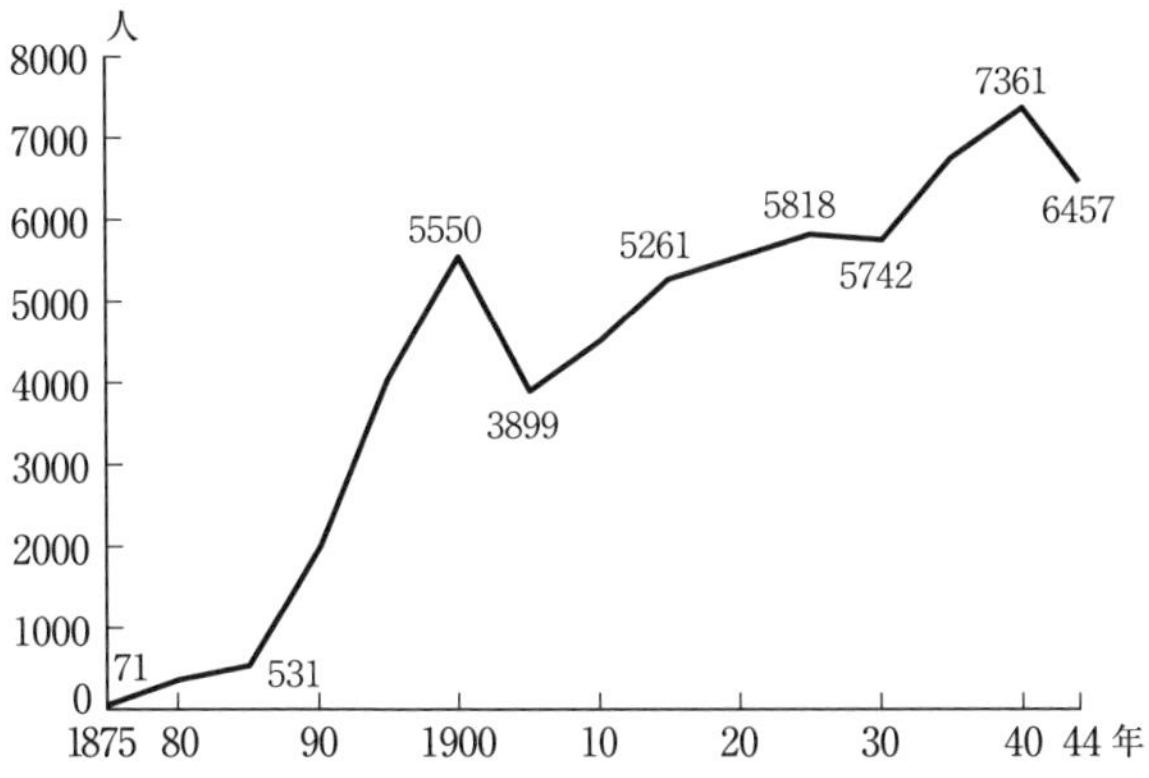

図 1 小笠原群島の人口の推移(父島・母島のほか，兄島・弟島・姉島・妹島・聟島・嫁島・姪島・向島および南鳥島の総数．ただし，硫黄島・北硫黄島を除く．主たる典拠は東京都(1969：4 頁))

こうして硫黄列島の主産業も糖業となったが、自作農が多くを占めた小笠原群島と異なり、硫黄列島は非常に特殊なプランテーション社会であり、開拓農民の大多数は小作人であった。一九二〇年、経営が悪化した久保田拓殖合資会社は、東京の砂糖問屋である堤商店が出資する硫黄島拓殖製糖会社(一九三六年に硫黄島産業株式会社へ社名変更)によって買収された。北硫黄島の農地も、一九二五年までに硫黄島拓殖製糖会社の所有下に組み込まれている(石原 二〇一九：一七―二〇頁)。

硫黄列島の小作人は、自給用の栽培を除いて自由な作付を許されておらず、サトウキビなど会社指定の商品作物の栽培を指示されていた。しかも一九三〇年代初頭まで、作物の売上高から小作料を除いた小作人の報酬分が、島内の会社の指定店舗でしか使用できない金券(硫黄島紙幣)で支給されていた。また小作人は、コメや生活必需品など島外産の物品を調達する場合、親会社である堤商店の系列

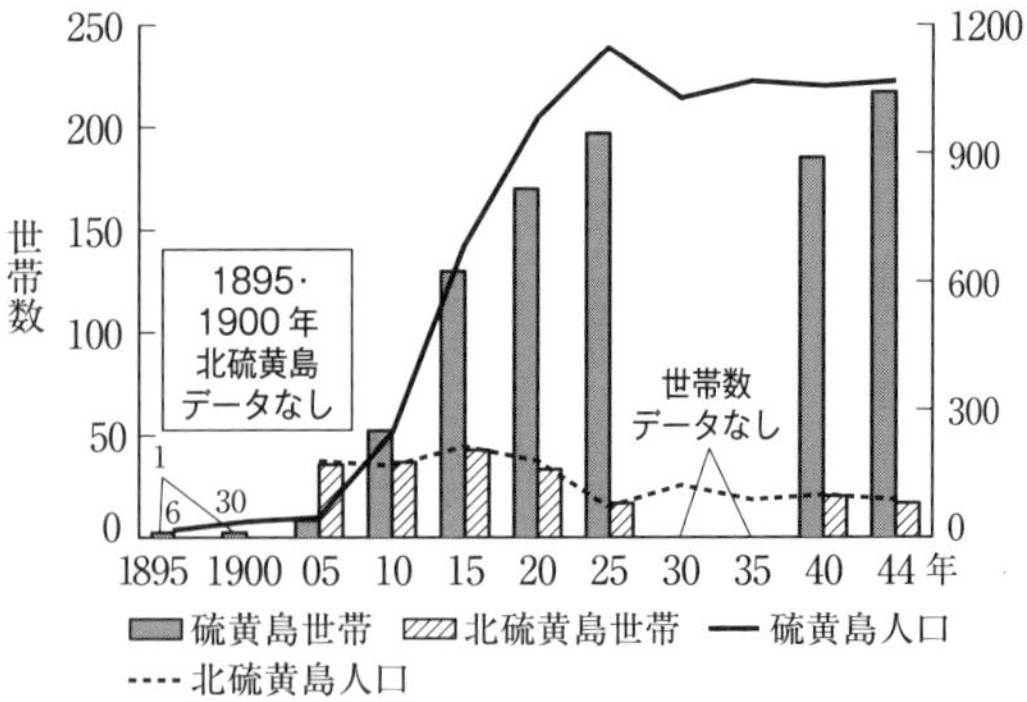

図 2　硫黄列島の人口の推移（主たる典拠は，都市調査会（1982：19 頁））

会社が仕入れた高価格の商品を購入せざるをえず、かれらの多くが会社に対して債務を抱えていた。こうして硫黄列島の小作人は、島という閉鎖的空間を掌握する拓殖資本によって、生産・流通・消費全般をコントロールされ、搾取を受けやすい状況に置かれていたのである。また当時の硫黄島では、小学校や警察官駐在署の管理運営までもが、会社に委託されていた。硫黄列島は日本帝国の法制度上の内地（大日本帝国憲法の適用領域）に属するものの、そのなかでは例外的な「異法域」だったといえる（石原 二〇一九：三七―四六頁）。

こうした硫黄列島のプランテーション・システムは事実上、玉置半右衛門が手がけた大東諸島の砂糖プランテーションをモデルとしていた。玉置は八丈島に生まれ、一八六〇年代の幕府による小笠原群島の併合・入植事業の過程で、八丈島からの移民団の一員として父島に入植した経験をもつ。そして前述の一八八七年の硫黄列島への巡航団に便乗して、途中の鳥島で下船し、鳥島にいるアホウドリを大量撲殺してその羽毛で巨利を得た。その後玉置は大東諸島に目をつけ、一九〇〇年に八丈島から南大東島へ入植者を送り込む。玉置は入植者に対して、開墾した土地の小作権を与えたうえで、開墾から三〇年後に耕作地の所有権を譲渡するという口約束を交わしたとされる（平岡 二〇一二：二一―二八、七〇―八七、一五六―一六四頁、石原 二〇一三：一〇三―一〇七、一二一―一二三頁）。そして、日本帝国の初期「南洋」入植地である大東諸島や硫黄列島――あるいは台湾――で確立されたプランテーション・システムは、さらに南方に位置する南洋群島などへと移植されていく。大東諸島や硫黄列島は、北西太平洋の「砂糖の帝国」であった日本帝国の「南洋」開発のモデルとなった(石原 二〇一九：四六―四九頁)。

一方、硫黄列島の小作人は、会社からの搾取を受けていたものの、基本的な衣食住に困窮する事例は少なかったようである。筆者のインタビュー調査によれば、大半の小作人世帯が、サトウキビやコカなど会社の指定作物とは別に、温暖な環境のもとで蔬菜類や果実類を自主栽培しており、後者の大部分を自給に回すことができていた。また、鶏・豚・牛の飼育や近海漁業も盛んであり、小作人層でも日常的に鶏卵・鶏肉や水産物から豊富なタンパク質を摂取できていた(石原 二〇一三：一二三―一二七頁、石原 二〇一九：四九―六〇頁)。

一九二〇年代半ば、投機筋によるジャワ糖の過剰輸入によって、東京市場で砂糖の価格が暴落し、糖業を主産業としていた北西太平洋の島々は大きなダメージを受けた(平井 二〇一七：七三―七七頁)。この糖業危機によって、沖縄のサトウキビ農民は深刻な困窮状態に陥り、沖縄から本土の大都市部、南洋群島、そしてフィリピンやラテンアメリカなどに向けて、大規模な人口流出が起こった。

反面、小笠原群島や硫黄列島からの人口流出は少数にとどまった。小笠原群島の農民の多くは、糖業から蔬菜栽培に比重を移して糖業危機を乗り切ったばかりか、本土の冬季に合わせて夏野菜を出荷することで多大な利益を得るようになっていく。硫黄島では糖業危機後、硫黄島拓殖製糖会社がコカ、レモングラス、デリスといった希少商品作物を導入した。コカは医療用麻酔・軍需用麻薬であるコカインの原料、レモングラスは香水などの原料、デリスは農業用殺虫剤などの原料であった。日本帝国内のコカ栽培は糖業危機後に台湾・沖縄・硫黄島で始まり、乾燥されたコカの葉は主として大手製薬会社五社に買い取られ、コカインに精製された。精製されたコカインは、インドの闇市場やナチス・ドイツにも密輸されていた(石原 二〇一九：二一一―二八頁、熊野 二〇二〇：一九〇―二一一頁)。特異なプランテーション社会であった硫黄島は、日本帝国内で最も集約的なコカの生産地となったのである。なお北硫黄島では、糖業危機後に漁業が盛んになり、後述の全島強制疎開までコカ栽培は導入されなかった(石原 二〇一九：六一―六五頁)。

五、日米総力戦の最前線——二〇世紀中期の小笠原群島・硫黄列島

一九二〇年代、日本軍は父島において、米国を仮想敵国とする要塞建設を開始した。海軍軍備制限に関する条約(ワシントン海軍軍縮条約)で小笠原群島は軍事施設不拡充の対象領域に含まれていたが、一九二三年の条約発効直前に陸軍父島要塞司令部が開設された。父島には要塞地帯法が適用され、実質的な軍政下に入る。こうした状況下で、「帰化人」と呼ばれた人びとやその家族は、当局によって潜在的「スパイ」とみなされ、しだいに厳しい治安管理や監視の対象になっていった。一九三〇年代前半には、父島で海軍洲崎飛行場が、硫黄島で海軍千鳥飛行場が、——ワシントン海軍軍縮条約がまだ有効だったために——秘密裏に着工されている(石原 二〇〇七:三六一—三六九頁、石原 二〇一三:一三一—一三四頁、石原 二〇一九:六七—七〇頁)。

アジア太平洋戦争末期の一九四四年になり、米軍が開戦前の日本の勢力圏である南洋群島に侵攻すると、警視庁は軍の意向を受けて、小笠原群島に住む国民学校初等科卒業年齢以下の者、また六五歳以上の者などの「引揚」を決定した。同年四月上旬、約七〇〇人が軍用船で本土に出発し、本格的な島民疎開が開始された(4)。六月末、米軍がサイパン島上陸作戦を開始すると同時に、大編隊で硫黄島・母島・父島に初空襲を実施すると、陸軍大臣の要請を受けた東京都長官が、女性全員と一六歳未満・六〇歳以上の男性の「引揚」を命令した。これにより、硫黄列島からの疎開も本格化する。一九四四年八月までに、小笠原群島民六四五七人のうち五七九二人、硫黄列島民一二五四人のうち一〇九四人が疎開対象となった。先住者系島民は疎開先の本土において、官憲から潜在的「スパイ」とみなされ監視下に置かれ続けたばかりか、「米英人」への差別・偏見もあって食料の確保に苦労し、ときには地域住民から暴力を受けることもあった(Shepardson 1977: 108-109; 石原 二〇〇七:三七六—三七八頁)。

一方、一九四四年度内に一六歳に達する年齢から五九歳までの小笠原群島民・硫黄島民の男性は、各島に残留させられ、軍属として徴用された。同年八月末の時点で、一六〇人の硫黄島民が島に残留させられていた。このうち五七人は、地上戦開始前に父島に移送されたが、一〇三人の島民が海軍二〇四設営隊や陸軍硫黄島臨時野戦貨物廠の軍属として、地上戦に巻き込まれた。他方で北硫黄島では、おそらく一九四四年夏時点で日本軍が駐留していなかったため、島民全員が疎開対象になっている(石原 二〇一九：七五―九二頁)。

マリアナ諸島を奪取した米軍は、日本本土に大規模な空襲を展開する能力を手にしていたが、爆撃機を護衛する戦闘機はマリアナ諸島と本土を往復する航続距離をもっておらず、一二〇〇メートル以上の長さの滑走路を有する硫黄島の占領は重要であった。一九四五年二月一九日、米軍が硫黄島への上陸を開始した。第一〇九師団長の栗林忠道は、硫黄島の地下に総計二〇キロメートル近くに及ぶトンネルを急ピッチで掘削させ、主陣地帯を地下に設置し、米軍を上陸させてから迎撃する作戦を採用した。米軍は当初苦戦を強いられたが、徹底的な物量作戦によってしだいに戦局を好転させ、日本軍を島の北部に追い込んでいった。栗林が部下数百人を率いて米軍幕営地へ突撃した三月二六日以後も、指揮系統を失って潜伏する日本軍将兵に対して、米軍は徹底的な掃討作戦を継続した。硫黄島地上戦における日本軍側(朝鮮人らを含む)の死者・行方不明者数は約二万二〇〇〇人、米軍側の死者・行方不明者数は約六八〇〇人であった。地上戦に動員された一〇三人の硫黄島民のうち、生存者は一〇人である(石原 二〇一九：七〇―七五、九三―一一七頁)。

小笠原群島では地上戦こそ回避されたが、激しい空襲によって父島と母島の街地はほぼ破壊された。小笠原群島の先住者の子孫からも五人の男性が父島に残留を命じられているが、このうち二一世紀初頭まで存命だったのがジェフレー・ゲレー(戸籍名は野沢幸男)さん(一九二四―二〇〇九年)である。ジェフレーさんは筆者のインタビューに対して、当初徴用工員として所属していた隊の上官から「顔が変わっている」ために激しい虐待に遭い、とくに米軍の空襲時にはジェフレーさんだけが防空壕の外に「縛られて」事実上の「人間の盾」にされたと述べている。ジェフレーさんはその後、海軍二〇九設営隊の軍属となり、その身分のまま敗戦を迎えた。だが米軍による武装解除後、ジェフレーさんは元上官から、第一〇九師団幹部の間で「スパイ」容疑による「処分」=処刑計画があったと明かされた。ジェフレーさんが米軍の戦犯捜査の協力者となるリスクを怖れてのことであった(石原 二〇〇七:三七八—三八一頁、石原 二〇一三:一三九—一四〇頁)。

六、米国の秘密軍事拠点から日本返還へ——二〇世紀後期の小笠原群島・硫黄列島

日本の敗戦後、小笠原群島・硫黄列島などは、旧南洋群島とともに米海軍の占領下に置かれ始めた。小笠原群島で武装解除された日本軍関係者は、戦犯容疑者としてサイパン島に抑留された者を除き、米軍によって日本本土に移送された。硫黄島で捕虜となってグァム・ハワイや米本土などに抑留されていた日本軍関係者は、一九四七年にかけて日本本土に順次移送された。これらの移送は、本土出身者にとっては故郷への「復員」であったが、島民の被徴用者にとっては故郷から引き離されることを意味していた。

こうして小笠原群島・硫黄列島には島民も日本軍関係者もいない状態になったが、一九四六年一〇月、米国国務省・陸軍省・海軍省三省調整委員会(SWNCC)は、一八七六年の日本併合以前から小笠原群島に居住していた先住者の子孫とその家族に限り、父島への再居住を許可する措置を決定し、これに応じた約一三〇人が帰島を果たした。米国・米軍が、アジア太平洋戦争期の小笠原群島で「帰化人」と呼ばれていた先住者系の人びとが受けた人種主義的な扱いを利用・逆用し、島民間の分断を強化したことがうかがわれる。この点は、前述のジェフレーさんが、日本軍の武装解除のために父島に駐留した米海兵隊の幹部から、異例ともいえる特別待遇を受けたことによっても裏づけら

れる(石原 二〇〇七：三八五―三九七頁、石原 二〇一三：一五〇―一五四頁)。一方、本土からの移住者の子孫である大多数の小笠原群島民と、一人も帰島が認められなかった硫黄列島民は、一九四七年に島民大会を開催して小笠原島硫黄島帰郷促進連盟を結成し、帰島・再居住の実現を求めてＧＨＱや米国に対する陳情活動を開始した。

朝鮮戦争の勃発によって北東アジアの冷戦状況が激化するなか、一九五一年、日本国との平和条約(サンフランシスコ講和条約)が、日本国とアメリカ合衆国との間の相互協力及び安全保障条約(日米安全保障条約)とセットで締結され、日本が主権を回復する。サンフランシスコ講和条約の第三条は、沖縄諸島・先島諸島・大東諸島・奄美群島などの「南西諸島」や、小笠原群島・硫黄列島などの「南方諸島」の施政権を、引き続き米国が行使することを認めていた。日本は事実上、これらの島々を米国の軍事拠点として貸し出すことによって、主権を回復し、経済的復興を遂げていくのである(石原 二〇一三：一四七―一五〇、一五六―一六三頁、石原 二〇一九：一二四―一三三頁)。

硫黄島の滑走路は朝鮮戦争中、国連軍航空機の中継基地として使用され、朝鮮戦争休戦後も米軍の訓練基地として利用され続けた(エルドリッヂ 二〇〇八：二二二―二三五頁)。父島にも一九五二年から米海軍部隊が本格的に駐留し始めた。父島へ帰島していた先住者系の人びとは、希望者全員が米海軍施設の従業員として雇用された。米軍は軍需用に整備したインフラを民間人にも使用させ、光熱水費や医療費も無償または廉価に抑制した。また、帰島者の子どもたちは一九五六年以降、米軍人・軍属の子どもたちのために設立されたラドフォード提督初等学校に通学し、英語で米国式の教育を受けるようになった(石原 二〇〇七：四〇〇―四〇七頁)。こうした帰島者への生活保障が進む一方で、一九五〇年代には父島そして硫黄島に核弾頭が秘密裏に配備されていた(ノリス、アーキン、バー 二〇〇〇)。

一方、異郷に置かれ続けた硫黄島民と本土系の小笠原群島民のうち、少なからぬ人びとが困窮にあえいでいた。帰郷促進連盟の調査で把握できた範囲だけでも、一九四四年の強制疎開から五三年までの約一〇年間に発生した島民の死者三九九人のうち、「生活苦のための異常死亡者」が四割近い一四七人に達し、「一家心中、親子心中したもの」も一二件一八人いた(石井 一九六八:一二九、一五〇—一五二頁)。補償運動が高まった結果、日米両政府などから補償金が拠出されたものの、その配分をめぐって特に硫黄列島の旧地主と旧小作人の間で深刻な対立が生じ、一九六四年には帰郷促進連盟が解散に追い込まれてしまう。連盟の解体後、分派した各団体のメンバーを一定程度糾合して、福田篤泰《とくやす》衆議院議員(自民党)を初代会長とする小笠原協会が設立されたが、島民の結集軸であった連盟解体の衝撃は大きかった。島民の故郷喪失の一義的責任は日米両政府にあったが、被害者であるはずの島民の側に敵対・亀裂が刻まれてしまったのである(石原 二〇一三:一六五—一六七頁、石原 二〇一九:一三三—一五一頁)。

一九六八年六月二六日、小笠原群島・硫黄列島を含む「南方諸島」の施政権が日本に返還された。[5] 父島に駐留していた米海軍は撤退し、四半世紀近くも異郷に置かれていた小笠原群島の本土系島民にも、ようやく父島・母島での(再)居住が認められた。しかし、排他的な軍事利用によってすでに失われていた、強制疎開前の生業や産業の復興は困難であった。先に帰島していた先住者系、新たに帰島した本土系をとわず、島民の多くが、小笠原諸島復興特別措置法に基づく開発政策下で、公務部門や建設業などの公共事業部門に就労先を求めていった。日本国内でも先駆的にエコツーリズムが導入され、観光部門が小笠原群島のもうひとつの有力産業として台頭するのは、一九九〇年代以後のことである(石原 二〇一三:一七一—一七三頁)。

一方、硫黄島では施政権返還当日、米空軍が撤退するのと同時に、海上自衛隊の駐屯が始まった。硫黄島周辺は本土の基地周辺と異なり、民間機の航路と重複しない広大な空域が確保できるため、自衛隊にとっては魅力的な訓練環境であった。日本政府は、自衛隊が駐屯しなかった北硫黄島を含む硫黄列島全体を、小笠原諸島復興特別措置法に基づく復興計画から除外し、インフラ整備を行わないことで民間人の再居住を事実上阻《はば》んだ。硫黄列島民は一九六九年、硫黄島帰島促進協議会を結成して帰島運動を継続した。

一九八一年、鈴木善幸首相が日本周辺の海上交通路保護を目的とするシーレーン防衛構想を公式発表すると、硫黄島の自衛隊施設はさらに拡充された。そして硫黄島に航空自衛隊が常駐し始めた一九八四年、中曽根康弘首相の諮問機関である小笠原諸島振興審議会は、「火山活動」などを理由として、「硫黄島には一般住民の定住は困難であり、同島は振興開発には適さない」との提言をまとめた。

さらに一九九一年、日本政府は米海軍の空母艦載機離発着訓練(FCLP)を、神奈川県の厚木基地から硫黄島の自衛隊飛行場へ「暫定的に」移転させた。猛烈な騒音公害をもたらすFCLPは、厚木基地周辺住民からも各移転候補地の住民からも、激しい抵抗運動に直面していた。全島民が帰島を許されない硫黄島の状況は、FCLP移転先の選定に事実上利用されたといえる。硫黄列島民は、第二次世界大戦中から冷戦期を経てポスト冷戦期に至るまで、約八〇年にわたって全島民が帰還を認められないという、世界的にみても異様な状況に置かれ続けている(石原 二〇一九:一六一―一八五頁)。

おわりに——帝国・総力戦・冷戦の矛盾の最前線

小笠原群島に定住社会が形成されたのは帆船時代の末期にあたる一九世紀前半、硫黄列島にいたっては汽船時代にさしかかる一九世紀末であった。一九世紀に帆船の寄港地かつ帆船労働からの退避地として初めて定住社会が形成された小笠原群島は、伝統的秩序や前近代的国家体制が存在した世界の多くの島々と異なり、太平洋のグローバリゼーションの前線における名もなき人びとのいとなみが、非常にクリアに表れた領域だった。一九世紀の小笠原群島は、約四〇〇年にわたって帆船が牽引してきた海洋グローバリゼーションにおける、最終期の「アジール」のひとつであった。

その後、小笠原群島および硫黄列島は、二〇世紀前半に北西太平洋の広範囲を統治した日本帝国にとって、「南洋」

入植地のプロトタイプとなる。二〇世紀半ばには日米の総力戦の最前線となり、二〇世紀後半には太平洋世界の覇権国家となった米国の秘密軍事拠点として利用された。二〇世紀の小笠原群島・硫黄列島は、太平洋世界における帝国・総力戦・冷戦の前線で翻弄され続け、日本続いて米国という北西太平洋の覇権国家が生み出す矛盾を、一身に背負わされたのである。

注

(1) 本章における年月日は、幕藩体制下の出来事であっても、すべて陽暦(グレゴリオ暦)に換算して表記している。

(2) 小笠原群島に幕吏として赴いたジョン万次郎のポジションには、海洋グローバリゼーションのなかで近代日本の端緒を拓いたこの人物の二重性が、最もよく表れている。すなわち、捕鯨船の水夫などとして太平洋の海や島々をわたりあるいてきた移動民《ノマド》としての経験と、主権国家・日本における最初期の植民地官吏としての役割である。この点については、石原(二〇〇六)を参照。

(3) 南硫黄島は全島が急峻な山岳島であり、漂流者を除いて人が継続的に居住したことはない。

(4) 日本帝国の動員・疎開・疎開者援護にかかわる住民政策(島嶼戦住民政策)は、小笠原群島・硫黄列島だけに適用されたわけではない。それは、南洋群島に始まり、硫黄列島・小笠原群島・伊豆諸島・大東諸島・先島諸島・沖縄諸島・奄美群島という、北西太平洋のほぼ全域で反復され、波及させられていった。石原(二〇二二a、二〇二二b、二〇二二c)を参照。

(5) 小笠原返還協定調印時に日米で交わされた文書のなかには、米国が緊急時に「小笠原諸島」——事実上は硫黄島——に核兵器を持ち込む際、日本政府が「事前協議」に応じるという趣旨の「討議の記録」などが含まれている。真崎翔は、米国側が「事前協議」を提案しなければ、核の持ち込みは「なかった」ことになるので、これは事実上の核密約であったと解釈する(真崎 二〇一七：九一—一三三頁)。これに対して信夫隆司は、小笠原返還協定時の日米間の交渉結果は核密約とまではいえない曖昧な段階にとどまったため、沖縄返還協定時にその教訓を活かして核密約が具体化したのだと指摘する(信夫 二〇一九：一八一—二七六頁)。

参考文献

石井通則(一九六八)『小笠原諸島概史――日米交渉を中心として その2』小笠原協会。

石原俊(二〇〇六)「移動民と文明国のはざまから――ジョン万次郎と船乗りの島々」『思想』九九〇号、岩波書店。

石原俊(二〇〇七)『近代日本と小笠原諸島――移動民の島々と帝国』平凡社。

石原俊(二〇一三)『〈群島〉の歴史社会学――小笠原諸島・硫黄島、日本・アメリカ、そして太平洋世界』弘文堂。

石原俊(二〇一九)『硫黄島――国策に翻弄された一三〇年』中公新書。

石原俊(二〇二二a)「総力戦の到達点としての島嶼疎開・軍務動員――南方離島からみた帝国の敗戦・崩壊」蘭信三・石原俊・一ノ瀬俊也・佐藤文香・西村明・野上元・福間良明編『総力戦・帝国崩壊・占領』〈シリーズ戦争と社会〉3、岩波書店。

石原俊(二〇二二b)「島嶼戦と住民政策――日本帝国の総力戦と疎開・動員・援護の展開」『思想』一一七七号、岩波書店。

石原俊(二〇二二c)「忘れられた「南方」の戦時と戦後――帝国解体がもたらした悲劇」『中央公論』一三六巻九号、中央公論新社。

エルドリッヂ、ロバート(二〇〇八)『硫黄島と小笠原をめぐる日米関係』南方新社。

熊野直樹(二〇二〇)『麻薬の世紀――ドイツと東アジア 一八九八―一九五〇』東京大学出版会。

後藤乾一(二〇一九)『「南進」する人びとの近現代史――小笠原諸島・沖縄・インドネシア』龍溪書舎。

信夫隆司(二〇一九)『米軍基地権と日米密約――奄美・小笠原・沖縄返還を通して』岩波書店。

鈴木高弘(一九九〇)「明治前期小笠原諸島開拓の群像」『東京都立小笠原高等学校研究紀要』四号、東京都立小笠原高校。

鈴木高弘(一九九一)「無人嶋・ボニン諸島・小笠原島――近世史上の小笠原」『東京都立小笠原高等学校研究紀要』五号、東京都立小笠原高校。

田中弘之(一九九七)『幕末の小笠原――欧米の捕鯨船で栄えた緑の島』中公新書。

東京都編(一九六九)『小笠原諸島に関する統計資料(明治四三年―昭和一六年)』。

都市調査会編(一九八二)『硫黄島関係既存資料等収集・整理調査報告書』。

ノリス、ロバート、ウィリアム・アーキン、ウィリアム・バー(二〇〇〇)「それらはどこにあったのか、日本はどれだけ知っていたか?」豊田利幸監訳、『軍縮問題資料』二三四号、宇都宮軍縮研究室。

平井健介（二〇一七）『砂糖の帝国――日本植民地とアジア市場』東京大学出版会。

平岡昭利（二〇一二）『アホウドリと「帝国」日本の拡大――南洋の島々への進出から侵略へ』明石書店。

真崎翔（二〇一七）『核密約から沖縄問題へ――小笠原返還の政治史』名古屋大学出版会。

村上衛（二〇一三）『海の近代中国――福建人の活動とイギリス・清朝』名古屋大学出版会。

森田勝昭（一九九四）『鯨と捕鯨の文化史』名古屋大学出版会。

矢野暢（一九七九）『日本の南洋史観』中公新書。

ロング、ダニエル（二〇一八）『小笠原諸島の混合言語の歴史と構造――日本元来の多文化共生社会で起きた言語接触』ひつじ書房。

ワイリー、ピーター・ブース（一九九八）『黒船が見た日本――徳川慶喜とペリーの時代』興梠一郎訳・執筆協力、ＴＢＳブリタニカ。

Gosse, Philip（[1932]2007）, *The History of Piracy*, Dover（repr.）.（朝比奈一郎訳『海賊の世界史』下巻、中公文庫、［一九九四］二〇一〇年）

Horne, Gerald（2007）, *The White Pacific: U. S. Imperialism and Black Slavery in the South Seas after the Civil War*, University of Hawai‘i Press.

Shepardson, Mary（1977）, “Pawns of Power: The Bonin Islanders”, Raymond D. Fogelson and Richard N. Adams（eds.）, *The Anthropology of Power: Ethnographic Studies from Asia, Oceania, and the New World*, Academic Press.

Spate, Osker H. K.（1988）, *Paradise Found and Lost: The Pacific since Magellan*, Vol. III, University of Minnesota Press.

【執筆者一覧】

後藤　明（ごとう　あきら）
1954 年生．南山大学人類学研究所特任研究員．オセアニアの文化人類学．

風間計博（かざま　かずひろ）
1964 年生．京都大学大学院人間・環境学研究科教授．人類学・オセアニア社会研究．

藤川隆男（ふじかわ　たかお）
1959 年生．大阪大学大学院人文学研究科教授．オーストラリア史．

矢口祐人（やぐち　ゆうじん）
東京大学大学院総合文化研究科教授．アメリカ・太平洋地域研究．

深山直子（ふかやま　なおこ）
1976 年生．東京都立大学人文社会学部准教授．社会人類学・オセアニア地域研究．

馬場　淳（ばば　じゅん）
1975 年生．和光大学表現学部教授．文化人類学・オセアニア地域研究．

桑原牧子（くわはら　まきこ）
金城学院大学文学部教授．文化人類学．

丹羽典生（にわ　のりお）
国立民族学博物館グローバル現象研究部教授．社会人類学・オセアニア地域研究．

石森大知（いしもり　だいち）
1975 年生．法政大学国際文化学部准教授．文化人類学・オセアニア地域研究．

今泉裕美子（いまいずみ　ゆみこ）
1963 年生．法政大学国際文化学部教授．国際関係学・ミクロネシア-日本関係史．

石原　俊（いしはら　しゅん）
1974 年生．明治学院大学社会学部教授．歴史社会学・日本の南方離島史研究．

牧野元紀（まきの　もとのり）
1974 年生．東洋文庫文庫長特別補佐・専任研究員．東洋学・近代アジアカトリック布教史・近代太平洋海域交流史．

窪田幸子（くぼた　さちこ）
1959 年生．芦屋大学学長，神戸大学名誉教授．文化人類学・オーストラリア先住民研究．

井上昭洋（いのうえ　あきひろ）
1961 年生．天理大学附属おやさと研究所教授．文化人類学・ハワイ研究．

山本真鳥（やまもと　まとり）
1950 年生．法政大学名誉教授．文化人類学・オセアニア地域研究．

山口　徹（やまぐち　とおる）
1963 年生．慶應義塾大学文学部教授．歴史人類学・オセアニア考古学．

【責任編集】

中野　聡（なかの　さとし）
1959年生．一橋大学学長．アジア太平洋国際史．『東南アジア占領と日本人――帝国・日本の解体』（岩波書店，2012年）．

安村直己（やすむら　なおき）
1963年生．青山学院大学文学部教授．ラテンアメリカ史．『コルテスとピサロ――遍歴と定住のはざまで生きた征服者』（山川出版社，2016年）．

【編集協力】

棚橋　訓（たなはし　さとし）
1960年生．お茶の水女子大学教授．文化人類学，オセアニア地域研究．『アイランドスケープ・ヒストリーズ――島景観が架橋する歴史生態学と歴史人類学』（共著，風響社，2019年）．

岩波講座　世界歴史　19　　第19回配本（全24巻）

太平洋海域世界　～20世紀

2023年5月30日　第1刷発行

発行者　坂本政謙

発行所　株式会社　岩波書店　〒101-8002　東京都千代田区一ツ橋2-5-5
電話案内　03-5210-4000　https://www.iwanami.co.jp/

印刷・法令印刷　カバー・半七印刷　製本・牧製本

ISBN 978-4-00-011429-5

岩波講座

世界歴史

A5 判上製・平均 320 頁（黒丸数字は既刊，＊は次回配本）

全㉔巻の構成

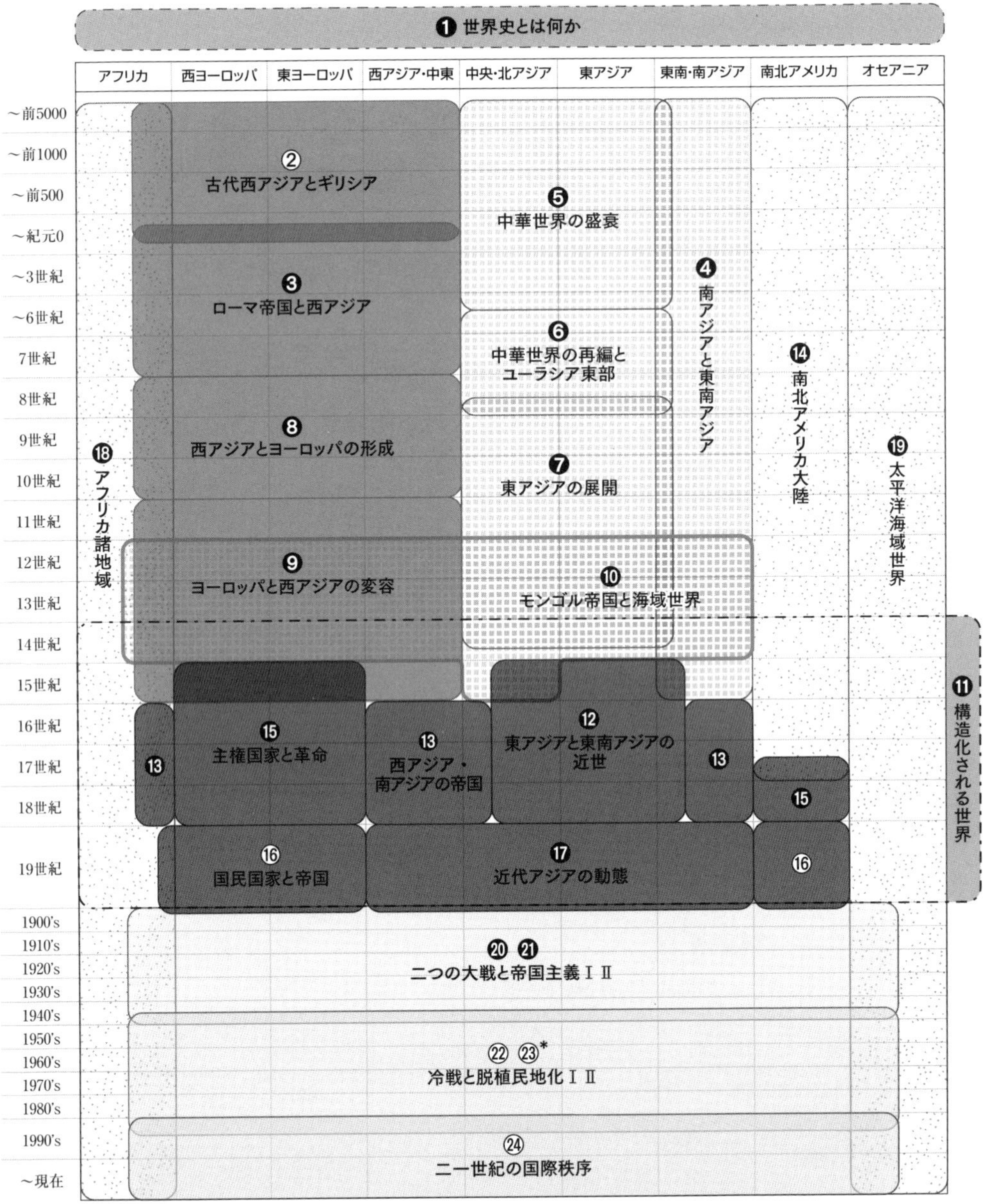

※本図は各巻の内容を厳密に反映したものではなく，便宜的に図示したものです．